W9-BBU-825
WITHDRAWN

LES BEAUX QUARTIERS

DE CET AUTEUR :

Feu de Joie, poèmes (*Au Sans-Pareil*), 1920.
Anicet ou le Panorama (*N.R.F.*), 1921.
Les Aventures de Télémaque (*N.R.F.*), 1923.
Les Plaisirs de la Capitale, Berlin, s. d.
Le Libertinage (*N.R.F.*), 1924.
Le Paysan de Paris (*N.R.F.*), 1926.
Le Mouvement perpétuel (*Librairie Gallimard*).
Traité du Style (*N.R.F.*), 1928.
La Grande Gaieté (*Librairie Gallimard*), 1929.
La Peinture au défi (*Librairie Goemans*), 1930.
Persécuté persécuteur (*Denoël et Steele*), 1931.
Aux Enfants rouges (*Bibliothèque antireligieuse*), 1932.
Hourra l'Oural! (*Denoël et Steele*), 1934.
Les Cloches de Bale (*Denoël et Steele*), 1934.
Pour un Réalisme socialiste (*Denoël et Steele*), 1935.

TRADUCTION

Lewis Carroll : La Chasse au Snark (*The Hours Press*), 1929.

ARAGON

LES BEAUX QUARTIERS

ROMAN

LES ÉDITIONS DENOËL
19, Rue Amélie, 19
PARIS

Il a été tiré de cet ouvrage sept exemplaires sur Chine, numérotés de 1 à 7; vingt-cinq exemplaires sur Pur Fil, numérotés de 8 à 32 et soixante-quinze exemplaires sur Alfa, numérotés de 33 à 107.
Il a été tiré en outre, hors commerce, un exemplaire sur Chine portant le numéro I, *dix exemplaires sur Pur Fil portant les numéros* II *à* XI *et vingt-cinq exemplaires sur Alfa portant les numéros* XII *à* XXXVI.

PREMIÈRE PARTIE

SÉRIANNE

I

Dans une petite ville française, une rivière se meurt de chaud au-dessus d'un boulevard, où, vers le soir, des hommes jouent aux boules, et le cochonnet valse aux coups habiles d'un conscrit portant à sa casquette le diplôme illustré, plié en triangle, que vendaient à la porte de la mairie des forains bruns et autoritaires.

Dans une petite ville française où règne un souverain ventru, qui fait collection de plaques de foyer, noires et venues de tous les siècles, avec sa femme et ses trois filles, des anges de beauté, dit-on, mascottes de la fabrique de chocolat paternelle, dont les ouvriers ne manquent jamais, lors de la sortie d'une nouvelle tablette-régal ou d'un goûter-au-lait d'une forme moderne, de venir offrir à ces demoiselles les fleurs vigoureuses de la montagne, histoire de les associer à l'espoir qu'ils fondent en la destinée d'un produit sorti de leurs mains frustes, pour lequel déjà les murs de la capitale se couvrent de petites écolières aux bas de laine bien tirés sous le sarreau très court... Dans une petite ville française, le savon bleu de la lessive bouillonne au fond d'une cour où pleure une jeune femme et rit un homme entre deux âges, à la moustache forte comme son haleine, aliacée et pleine de la politique radicale des hauts-quartiers.

Un petit ruisseau serpente entre les pavés ronds comme des galets qui descendent la rue étroite où crie au vent d'été l'enseigne ancienne d'un maréchal-ferrant. Il est parti pour le Mexique, le maréchal-ferrant, parce qu'il se sentait mal à son aise sur le coteau de la cité, plein de demeures désertées, souvenirs des grandeurs de jadis, quand les rois de France, une fois dans leur règne, s'arrêtaient pour tout un jour avec les seigneurs et les officiers de la garde dans la ville vieille où le soleil trouve difficilement à se glisser entre les toits jusqu'au sol bosselé des rues.

II

Le marchand de couronnes mortuaires tient sur la place du Marché, à côté de la succursale des Banques de Province, un magasin mi-consacré à l'ornement des tombes, et mi à celui des têtes vivantes : il fait aussi le chapelier. Ni l'un ni l'autre de ces deux commerces ne saurait à lui seul nourrir toute la famille, cinq bouches, si on compte la bonne, avec le père gâteux, Madame, et Gaston qui a douze ans, et le monde est soigneux de ses coiffures par ici, une casquette dure dix ans, les chapeaux mous on en porte si peu, et un melon toute une vie. Ce n'est guère qu'aux jours de marché les paysans des environs qui activent les affaires. Le mardi et le samedi. Pour les couronnes, il n'y a pas de jour, c'est au hasard des décès : ce second trafic vient mettre du beurre dans les épinards. Pas tous les mois évidemment qu'on a la chance d'un de ces enterrements comme celui de la vieille dame Cotin, de la rue Longue, pour laquelle un évêque s'était dérangé, pensez donc, mais enfin, bon an mal an, avec le coup de collier du début de novembre, cela faisait un petit commerce bien régulier, somme toute, malgré l'aléa, et la rareté des épidémies dans la ville haute. Ce n'était pas comme dans les bas quartiers, où on mourait comme des mouches, mais ces gens-là n'allaient pas chercher leurs couronnes place du Marché, il y avait un autre marchand, un fleuriste, derrière la gare. Pour ce qu'ils en achetaient d'ailleurs. Des pouilleux. Une couronne, et puis ça va bien, si c'est tout, sauf pourtant quand c'était un ouvrier de la fabrique, parce qu'alors le patron envoyait une gerbe sur laquelle était écrit en arabesques d'argent : *A Y... la Fabrique de Chocolat.* La clientèle de la ville haute, plus selecte, demandait des couronnes de fil de fer, de la perle, et même de la porcelaine; sur la porcelaine on gagne bien, mais c'est une fois pour toutes. C'est cher, mais c'est bon, ça fait de l'usage. Comme les melons. Ah j'allais oublier : encore une ressource du magasin, celle-là une fois par an seulement, au printemps, les brassards de première communion. Mais sur cet article-là, il y avait de la concurrence. Plusieurs merceries, et les *Nouvelles Galeries*, de l'autre côté de la place. Une fois par an, ce n'est peut-être pas dire juste : faut pas oublier la confirmation. En général, de la communion à la confirmation, le brassard ressert. Ou bien chez des gens désordre. L'été, ce qui marchait bien, c'étaient les chapeaux de pêche, en paille non bordée : ça ne rapportait guère, bien qu'il n'y eût pas de prix imposé.

Les jours de marché, on ouvrait à six heures. A sept, le reste du temps, ça suffisait bien. C'est-à-dire qu'à sept ou six, la bonne, Angélique, lançait un seau d'eau sur le trottoir, décrochait les volets, il y avait douze volets, étroits et hauts, d'un bleu qui avait dû être vert, et les posait dans l'arrière-boutique, où dormait le père de Madame, le gâteux. Alors, M. Eugène descendait. L'appartement du premier donnait par un petit escalier de fer, en vis, à côté de la couche du vieux, au milieu des cartons du stock, ceux des casquettes comme ceux des rubans : *A notre mère chérie, A la compagne de mes jours, Regrets éternels*, en lettres d'or sur de beaux violets, des bleus éclatants, des garances. Trois pièces et la cuisine : sur le devant, la chambre de Madame et Monsieur, et la salle à manger, et sur le derrière, la chambre de Gaston et la cuisine, avec une petite entrée au milieu débouchant d'un côté sur l'escalier du magasin, de l'autre sur le palier de la maison, où on accédait par la cour. Une cour sombre, toute baroque, encombrée de grandes planches parce qu'il y avait un menuisier en bas, porte à porte.

M. Eugène descendait donc. Il vérifiait qu'Angélique avait fait disparaître de la boutique la paillasse sur laquelle elle dormait. Allons bon, pour cette fois, rien ne traînait. Le pire, c'est le peigne, toujours sur le comptoir, et parfois un jupon sale qu'Angélique n'avait pas eu le temps d'engouffrer dans son placard, un petit placard ménagé sous l'escalier, où on mettait aussi les affaires du vieux. Et la grande glace, elle avait l'air propre au moins? M. Eugène, puisque tout était en ordre, manifestait son contentement par une petite tape sur le gras de la nuque d'Angélique, accroupie à frotter le plancher.

M. Eugène marchait sur ses quarante-sept ans. Un homme

moyen mais solide, rageur, avec une moustache noire, cirée, le bout soigneusement roulé en une petite frisure. Il s'habillait d'alpaga gris. Fils du marchand de couronnes mortuaires qui tenait le magasin avant lui, il avait eu l'idée d'adjoindre un rayon de chapeaux à son commerce, encore du vivant de ses père et mère. Mais ceux-ci s'opposaient à ce qu'ils considéraient comme une spéculation risquée. Au lit de mort paternel, M. Eugène décida sa mère à lui laisser les mains libres dans l'affaire. En échange, il s'engageait à se marier et à délaisser le « Panier Fleuri » où, pendant les dernières années du père, tout l'argent d'Eugène s'engloutissait, et les petites économies clandestines de la mère qu'il lui arrachait par tous les moyens, jusqu'à forcer son tiroir. Avec son idée de chapeaux, il avait épousé la fille d'un chapelier de la basse ville, dont le fonds était à reprendre, vu que le chapelier était tombé malade, à demi paralysé, baveux et radoteur, sa seconde femme disparue avec la caisse pour suivre un lutteur des foires, et l'enfant du premier lit ne savait que faire ni de son cœur ni de ses couvre-chef en panne : une fille brune de peau, avec une propension à grossir, cette Pauline. Elle faisait assez dame. On avait logé le gâteux dans l'arrière-boutique, le jeune couple habitait la pièce de derrière au premier. Pendant quatre ans, M. Eugène s'était retenu d'avoir un enfant à cause de la chambre : il ne voulait pas d'un mioche pour l'empêcher de dormir. Quand sa mère fut morte d'une bronchite capillaire, il ne se priva plus, et Gaston naquit dans les délais légaux, à neuf mois jour pour jour de l'enterrement.

La nuque d'Angélique était plus ronde que celle de Victorine. Victorine était la bonne que Madame avait mise à la porte quand elle s'était aperçue que Monsieur couchait avec. Cela avait fait des larmes dans le petit entresol, des histoires dans le voisinage; Victorine ne s'était pas laissé faire comme ça, et le vieux gâteux en bas réclamait tous les matins Victorine avec une voix d'enfant abandonné, parce que c'était elle qui le torchait de ce qu'il avait fait sous lui la nuit, et elle avait le tour de main. Gaston, alors âgé de cinq ans et demi, chipait les perles des couronnes pour jouer dans la cour, sous les planches, avec d'autres gamins.

Pendant plus de trois ans, Madame avait fait elle-même le ménage, une rude économie, et comme ça pas de risques. Elle s'était esquintée à se lever tôt, se tremper les pieds à nettoyer les boutiques, s'abîmer les mains à laver, à faire la vaisselle, elle avait attrapé des rhumatismes. De nouvel enfant, il n'était pas question : Gaston aurait besoin, après eux, et des couronnes et des casquettes. M. Eugène se retenait. Madame, à trente-cinq ans, malgré tout l'exercice, bouffissait, et le matin elle avait de la peine à tenir sur ses pauvres pieds enflés. Gaston allait à l'école et taillait ses crayons dans la pâtée du vieux. Quand Madame n'était pas au magasin, elle tricotait en haut, dans la salle à manger.

Voilà qu'au bout de quatre ans ou presque de cette vie-là, un beau jour, un des conseillers municipaux de la ville, un homme considéré, et pieux avec ça, est trouvé mort au « Panier Fleuri », dans des circonstances qui rapprochaient les têtes à l'heure de l'apéritif, dans les cafés, et tous ceux qui étaient à la maison publique, lors de l'affaire, sont convoqués en justice, pour témoigner. Ce n'était pas d'apoplexie que le conseiller avait passé, mais d'un coup de couteau, et une des filles fut convaincue d'assassinat : Madame, du même coup, apprit que son mari était redevenu un familier de l'établissement, comme dans ses jeunes années.

Alors, à quoi bon s'échiner? C'est ainsi qu'Angélique avait été engagée. Une dépense, évidemment, mais ça ne se compare pas avec le « Panier Fleuri »! Désormais, Madame se leva à neuf heures comme une princesse, et même elle exigea que la bonne lui montât son déjeuner au lit. Pour M. Eugène, eh bien, mieux valait encore qu'il fît ça à la maison! Donc il descendait le matin, dès l'ouverture de la boutique, et il surveillait Angélique, parce que, n'est-ce pas, la rigolade c'est une chose, mais le travail en est une autre. Très blanche, avec des cheveux noirs lisses, Angélique contrastait à côté de Mme Eugène.

Dans l'arrière-boutique, le gâteux gémissait doucement pour qu'on le torche. Il ne se calmait pas quand M. Eugène entraînait Angélique dans le coin, à l'abri des couronnes, pour profiter du temps avant que le gosse descendît. Angélique, comme Victorine, avait le tour de main.

III

Tous les ouvriers de la fabrique de chocolat n'habitent pas dans le quartier qui l'entoure : beaucoup s'entassent dans des cahutes, hors de la ville, le long d'une route qui s'en va dans la plaine, certains même très loin, au delà des champs d'amandiers, et ils prennent pour venir un tramway cahotant dont le trolley sillonne le ciel de poussière, et parfois avec une grande claque la perche saute et tout s'arrête; le conducteur descend, et longuement, tirant la ficelle, essaye, avec des étincelles, de remettre la roulette sur le fil rebondissant.

Puis, on traverse des propriétés, aux murs bas, avec leurs jardins où des dames font la sieste, en matinée de toile imprimée, avec des journaux sur le visage, à cause des mouches. Par derrière, vers les collines, grimpent des vignes et des champs de maïs. Dans le soleil, entre les oliviers rabougris, un cheval maigre tourne sans fin la roue d'une noria. Et puis d'autres propriétés. Une nouvelle noria, des vignes, et enfin la maison des Loménie de Méjouls, « Les Mirettes ».

M. de Loménie de Méjouls est un mécréant. Soixante ans bientôt, toute sa barbe encore noire, et pas tous ses cheveux déjà blancs, le nez gros, des taches brunes dans les plis du visage, l'œil généralement rouge, un mètre quatre-vingt-dix de haut. Il porte un panama sans âge qui a perdu son ruban, dont la trace est restée claire malgré quinze étés peut-être et des vêtements de toile grise, le premier bouton de la chemise manquant, sans col. M. de Loménie de Méjouls est un mécréant.

Voilà quarante ans qu'avec les garçons du village voisin, aux premières années de la République, il a chassé à coups de pierre la procession qui parcourait les vignes avec l'image de Notre-Dame, qui passe pour préserver du phylloxéra. Il s'est saoulé avec eux toute son existence, il a couché avec leurs femmes, et ils lui ont tiré dessus avec le fusil, et puis on s'est femmes de la ville il n'était pas rare qu'elle reçût des visites. Tous les jeunes gens, et même les messieurs âgés qui aimaient bavarder avec une femme, de temps en temps, poussaient une pointe jusqu'à chez elle, et s'enquéraient hypocritement de la présence de Respellière. Comme si Respellière pouvait être ailleurs qu'au café des Arts, à trente mètres de là. Mais Thérèse invitait le visiteur à lui tenir compagnie, et on bavardait. Thérèse était très experte dans ses rapports avec les hommes, elle savait les tenir à distance et en même temps leur laisser des espoirs, surtout aux vieux. Il y avait dix hommes amoureux d'elle, et cependant on ne bavardait pas sur son compte. Du café des Arts, on entendait sa voix qui chantait *Madame Butterfly*, et Respellière en calculant un retro au billard disait : « Allons, il y a du monde chez Mme Respellière. » Thérèse était peut-être une vertu.

C'est alors que survint le Dr Lamberdesc.

Comment le Dr Lamberdesc devint l'amant de Mme Respellière, Suzanne de Loménie eut beau mettre de côté et ses préventions sociales et sa haine de Puccini, elle eut beau accompagner pendant un mois Thérèse non seulement dans *Madame Butterfly*, mais encore dans la *Tosca*, elle ne parvint pas à le découvrir. Le fait restait là : le Dr Lamberdesc était l'amant de Mme Respellière.

Jacques Lamberdesc était le fils d'un petit boutiquier de Bordeaux qui avait volé sur le poids des bonbons pendant toute sa vie pour envoyer son unique rejeton au lycée, puis à Paris étudier la médecine. Mme Lamberdesc mère, jadis très belle, mais déformée par une grossesse difficile, était devenue un objet d'horreur pour son mari qui avait reporté toutes ses extravagances de cœur sur ce fils, héritier de la beauté maternelle. De fait, dans le genre brun, tout rasé, avec yeux de velours, épaules larges, et pas soupçon de hanches, on ne peut rêver rien de plus joli cœur que Jacques Lamberdesc, il ne lui manquait que les rouflaquettes. Il avait fait fureur au Quartier Latin, jusqu'à ce que sa mère étant morte d'une crise cardiaque en lavant le plancher, et son père décédé d'une bonne fluxion de poitrine, le jeune homme se fût trouvé privé des rentes que représentait pour lui le travail parental, et maître d'un patrimoine assez maigre, avec lequel il fallait renoncer à faire figure dans la capitale.

Après avoir pesté contre des parents qui l'avaient élevé

pour les plus hautes destinées et qui ne lui laissaient que de quoi s'installer à la campagne, Jacques, à trente ans, docteur, et libéré de ses obligations militaires, était venu échouer à Sérianne-le-Vieux où il avait repris la succession du Dr Brioude, qui, se sentant sûr sa fin, s'était dépêché de faire pour sa fille, Claude, quelques sous d'une clientèle elle-même assez inexistante. Sur quoi Jacques s'était installé, le Dr Brioude avait eu une embolie, et Claude avait perdu à la Bourse les économies de l'épicier bordelais, sans avoir même le temps de se reconnaître. C'était une très jolie fille, vingt-deux ans. Elle était venue très naturellement trouver le successeur de son père pour lui raconter ses malheurs, et lui, avec le même naturel, lui avait fait un enfant. Quand elle comprit qu'il ne l'épouserait pas, et déjà ça se voyait, elle s'empoisonna avec du véronal. Le hasard fit que ce fut Thérèse Respellière qui vint chercher le médecin pour elle. Le Dr Lamberdesc avait déjà rencontré Mme Respellière, mais en la voyant chez lui, il ne put s'empêcher de lui faire la cour. C'était au printemps, et Thérèse était extrêmement émue des confidences qu'elle avait reçues l'avant-veille seulement de Claude Brioude. « Vous êtes un monstre! » dit-elle à Jacques comme il refermait ses bras autour d'elle. Jamais peut-être Thérèse n'eut tant de plaisir de sa vie que ce jour-là, tandis qu'agonisait la petite Claude. Jacques avait déjà une assez grande pratique des femmes, et il sut si bien faire durer ce plaisir, le varier et le répéter, qu'ils arrivèrent près de la malade alors qu'il était trop tard pour la sauver. Cependant cela dura deux jours encore, deux jours pendant lesquels Mme Respellière ne quitta pas le chevet de la moribonde. Ce dévouement pour une étrangère fit parler toute la ville, et Thérèse devint pour toutes les vieilles femmes, et les messieurs attendris qu'elle avait évincés, ce brave petit cœur de Mme Respellière. Le troisième jour, Claude expirait, privée des secours de la religion, et on refusa de l'enterrer en terre chrétienne. Le Dr Lamberdesc, ma chère, avait des yeux! Il y a tout de même de braves gens.

Surtout que, somme toute, le Dr Lamberdesc avait été plutôt floué par le vieux Brioude. Ça ne l'avait pas empêché de soigner vraiment d'une façon parfaite cette Claude Brioude, qui s'était donné la mort comme une païenne. Pourquoi avait-elle fait cela? On disait qu'elle n'avait pu survivre à son père, mais je t'en fiche. On sut par le notaire qu'elle avait mangé son magot en un rien de temps. Croyez-vous, une fille de cet âge!

La clientèle du Dr Brioude, effectivement, n'était pas une de ces affaires... Il y avait deux médecins à Sérianne, celui de gauche et celui de droite. Le Dr Brioude était le médecin bien pensant. Comme tel, il avait la clientèle de personnes âgées, dont le nombre chaque année allait se restreignant. A part cela, tout le monde courait chez l'autre médecin, un libre penseur, mais un homme d'art, qui, de plus, était le maire de la ville, un radical. Partant il soignait, outre les fonctionnaires, tout le commerce de la ville. Et qui plus est, pour athée que fût le Dr Barbentane, comme Mme Barbentane était la piété même, et l'une des meilleures ouailles de la paroisse, à tel point que malgré son mari elle destinait l'un de ses fils au séminaire, une grande partie de la population croyante tenait pour demi-péché de confier ses rhumatismes, ses rétrécissements urétraux et ses diarrhées opiniâtres au Dr Barbentane, qui était maçon, et dont on racontait mille horreurs comme de tous les membres de la Loge locale, où, avec le maire, le coiffeur de la rue Longue, Reboul le marchand de meubles, M. Migeon et quelques autres mangeaient, disait-on, le Vendredi Saint, un cochon de lait rôti garni d'hosties frites en guise de pommes de terre.

Par exemple, les Barrel étaient clients de Barbentane. Il est vrai que par une espèce d'esprit de justice, Emile Barrel avait donné la clientèle de sa fabrique au Dr Brioude, et la conserva au jeune Lamberdesc. Pas seulement pour compenser, mais, n'est-ce pas, les sarcasmes du maire étaient perdus dans la famille Barrel, tandis qu'avec les ouvriers, déjà suffisamment sujets aux entreprises du Malin, ce n'était pas la peine de mettre les malades en relation avec ce vieux sceptique, qui aurait défait tout le travail de l'abbé Petitjeannin. Personne, d'ailleurs, n'avait songé à se demander si le Dr Lamberdesc était dévot ou non : il avait racheté la clientèle Brioude, c'était assez.

Le plus clair du travail de Jacques Lamberdesc était de soigner les ouvriers, et il en enrageait, je vous prie de croire. En réalité, il enquiquinait la Sainte Croix, la Vierge Mère et le Saint Frusquin, mais puisqu'après tout son pain en dépendait, il n'en laissait rien paraître, et il faisait le dimanche une rapide apparition à l'église, entre deux visites; et naturellement qu'il n'oubliait jamais dans sa clientèle ouvrière d'appeler l'abbé quand il en était besoin. Il faut une religion au peuple. Pour ce qu'ils payaient, ces cochons d'ouvriers! Au fond il n'était pas fâché de n'être pas seul à se déranger. Tout ça ne lui permettait pas de rouler sur l'or. Il avait eu de la difficulté même à se payer une petite Peugeot de rien du tout.

La liaison du docteur et de la perceptrice s'était faite par hasard, mais il y avait bien des raisons pour qu'elle durât. Du côté de Thérèse, il y avait l'ennui, le regret des colonies après tout, où elle avait couché tant et plus, plus ou moins au su de Respellière, avec les officiers de son mari; et enfin Jacques, c'était un peu de ce Paris dont rêvait Thérèse, de ce Paris où tout de même les hommes sont plus raffinés en amour, ont des caleçons qui ne ressemblent pas à ceux de l'ancien adjudant, et connaissent des histoires drôles qui font passer le temps entre les baisers. Thérèse, bien entendu, était éprise du docteur, et pourquoi ne l'aurait-elle pas été?

De son côté à lui, ce n'était pas la passion aveugle, il s'en faut. Mais après tout, Thérèse était une chance inespérée dans un trou comme Sérianne. Ni une de ces oies blanches, comme Claude, avec qui la question du maire et de l'autel se pose dans les huit jours, ni une de ces poufiasses de province, auxquelles il ne pouvait se résoudre, et dont après tout ici la crème était au « Panier Fleuri ». Au fait, par une espèce de courtoisie confraternelle, le Dr Barbentane lui avait laissé la clientèle du « Panier Fleuri ». Trop aimable. A vrai dire les filles payaient mieux que les ouvriers. Mais pour en revenir à Thérèse, elle était après tout une femme qui a vu du pays, pas désagréable au lit. Jacques, évidemment, ne se faisait aucune illusion sur le niveau intellectuel de son amie. Bob, l'intellect y est pour bien peu, et puis, quoi! il faut toujours en rabattre sur quelque chose avec les femmes. Mieux vaut là-dessus que sur... je m'entends. Il l'éleva un peu, lui apprit que *Mlle Dax, jeune fille* n'était pas le fin du fin de la littérature, il lui fit lire ce qu'il fallait, des livres comme *Le Passé Vivant* d'Henri de Régnier, *Le Roi Pausole*, du Louis Bertrand (cet auteur en imposait énormément à Jacques Lamberdesc). En fait de musique il eut moins de succès. Il aurait voulu qu'elle chantât de la musique russe, mais même l'air de *Sadko... les diamants chez nous sont innombrables...* était trop compliqué pour elle, alors quand il lui apporta du Duparc et du Chausson, vous pensez! On continua donc à entendre du Café des Arts *Madame Butterfly* et ses touchants espoirs.

— Nom de Dieu! Celui-là est volé! hurlait le boucher, comme un contre inattendu amenait la carambole. Ce Respelière a une veine de cocu!

VII

— Bon pour le service armé!

Et quand Adrien Arnaud avait fait demi-tour pour s'éloigner de la table derrière laquelle se tenaient les officiers, le major lui avait frappé le pectoral d'un petit coup appréciatif :

— Un b-beau so-soldat!

Il avait fait tout ce qu'il avait fallu pour mériter cette appréciation. Ni trop grand, ni petit, développé comme un athlète, mais sans rien d'exagéré dans les muscles, parce qu'il avait toujours eu le soin d'entraîner aussi bien son bras gauche que le droit, de faire de la gymnastique abdominale, de soigner ses jambes, et cœtera. C'était un jeune homme avec les joues roses, et le cheveu frisé, et de petits yeux noirs très rapprochés d'un nez mince, un peu tombant. Il avait des dents éclatantes, une ombre de moustache comme au pinceau, et roulait légèrement des hanches en marchant.

Fils unique du propriétaire des *Nouvelles Galeries*, le grand magasin de la place du Marché, il portait bien la confection, des costumes clairs, très dernière mode, d'après les catalogues. Il serait riche un jour, et, en attendant, son père, une des sommités de la ville se souciait très peu de lui pourvu qu'il fût présent chaque dimanche à la grand'messe, et qu'il ne lui demandât pas de l'argent. M. Arnaud père passait sa vie à vérifier les comptes de ses vendeurs. Son fils ressemblait à la défunte Mme Arnaud, et les sports et la gymnastique l'avaient rendu en tout différent de cet homme blême et voûté, penché sur les additions, qui était son père. M. Arnaud, conseiller municipal, était de la minorité conservatrice; il était à couteaux tirés avec le maire.

Elevé au collège de la sous-préfecture, Adrien en avait rapporté une grande habitude de la barre fixe et une ignorance crasse, qu'il se faisait pardonner par ses succès à la course, au saut à la perche, à la corde lisse. Non pas qu'il fût dévot, mais par goût, il s'était proposé à l'abbé Petitjeannin comme moniteur pour le patronage. Il aimait naturellement à commander et à briller, et avec les ouvriers pas de risque qu'on lui posât des colles sur la géographie ou l'histoire ancienne. Il y avait là des garçons de son âge et des plus jeunes qui étaient moins habiles que lui, même s'ils étaient plus forts, parce qu'ils n'avaient pas reçu d'entraînement rationnel. Il avait fait de la salle d'armes pendant des années, et il avait des fleurets et des épées. Il imagina de créer pour les jeunes ouvriers de la chocolaterie un cours d'escrime. Cela avait quelque chose d'absurde, mais tous les dimanches après la messe, il allait retrouver ses élèves, qu'il éblouissait avec ses contres de quarte, et auxquels il frappait sur les doigts avec le plat de l'épée quand il les trouvait vraiment trop gourdes.

Il détestait les ouvriers, mais il avait pour ses élèves les sentiments d'un chef. Au moment de la grève, il les harangua pour leur montrer les bontés sans nombre de leur patron, ce digne M. Barrel. Adrien considérait M. Barrel comme l'incarnation vivante de la haute société. Il ne lui échappait pas que, quel que puisse être un jour l'héritage paternel, lui, Adrien Arnaud, n'appartiendrait jamais au véritable grand monde : il se souvenait, à l'école, de deux ou trois camarades, des fils de châtelains, qui allaient l'hiver à Nice. Il voyait bien la différence. Et M. Barrel avait des filles.

Adrien Arnaud n'était pas peu infatué de sa personne physique. Toutes les femmes d'ailleurs le confirmaient dans la bonne opinion qu'il se faisait de sa beauté. Il avait décidé qu'il ferait un jour un beau mariage, et dans sa tête il était arrêté qu'il épouserait une des héritières de la chocolaterie. Mais il se savait trop jeune encore pour ce destin, et rien ne le pressait. Il avait donc toujours évité de connaître ces demoiselles Barrel, parce qu'il entendait que son mariage fût la conséquence d'un rapide, d'un fulgurant roman d'amour, au moment par lui choisi. Pour celle des Barrel qu'il rendrait folle de lui, il n'en avait pas encore décidé.

En attendant, tout ce qu'il faisait était comme déterminé par ce rôle de gendre du chocolatier que lui réservait l'avenir. La grève avait produit sur lui une impression profonde. Il avait senti sa fortune menacée. De pareils faits pouvaient à tout instant se reproduire, à tout instant l'insubordination ouvrière pouvait mettre en péril les affaires de la chocolaterie. Il y avait là un vice de la structure sociale, un défaut de la législation auquel il aurait fallu remédier.

Adrien Arnaud n'avait alors pas loin de vingt ans. Il avait, avec un ancien professeur à Avignon qui s'était fixé à Sérianne avec sa femme et ses trois fils, M. Delobelle, créé la section locale du Club Alpin. M. Delobelle était du Club Alpin de fondation. Comme professeur, il avait trouvé dans les excursions organisées des jeudis et dimanches un divertissement sain, comme jeune homme que les femmes effrayent, puis comme mari que son ménage assomme avec trois mioches piailleurs, sales, dans un logement mesquin. Ses fils grands, M. Delobelle voyait maintenant dans les promenades du Club un moyen de les surveiller jusque dans leurs loisirs. Et il les conduisait avec d'autres jeunes gens de Sérianne, dans les montagnes voisines, à l'ermitage du Loup, enfin à tous les buts de promenade où, agitant son petit bouc gris « à la Poincaré », il pouvait exercer encore son éloquence professorale, émaillée de grec et de latin, qui émerveillait Adrien Arnaud lui-même.

C'est à M. Delobelle, qui personnifiait pour lui la science, qu'Adrien avait demandé mille détails sur le droit patronal et le droit ouvrier. A vrai dire, M. Delobelle n'était pas très ferré en ces matières, et il se faisait sur les attributions des syndicats des idées très superficielles. Pourtant, à travers ses propos, Adrien mesura l'abîme vers lequel court la société républicaine. C'était à peine croyable : depuis cent ans, les industriels s'étaient laissé, morceau par morceau, arracher toutes leurs prérogatives. M. Delobelle levait un doigt sagace: *Jam proximus ardet Ucalegon.* Ne parlait-on pas déjà de l'impôt sur le revenu? Et comment allait-on l'établir cet impôt? En mépris du secret de la vie privée des gens! On allait entrer chez chacun, inventorier ce qu'il avait dans ses tiroirs, à sa banque! Des mesures pour le moins vexatoires. Et pendant ce temps-là les ouvriers, dégrevés de l'impôt, *à la base*, réclamaient toujours de plus hauts salaires, n'hésitaient pas à mettre ceux qui les faisaient vivre au pied du mur...

M. Delobelle, debout sur ses courtes pattes roulées dans des bandes molletières, racontait des histoires de grèves tout à fait extraordinaires. Parce qu'à Sérianne, ce n'était encore pas sérieux. Mais à Paris! dans les grands centres! Sans parler du sabotage. Le plus incroyable était qu'on autorisât des grèves de solidarité. Un danger avec lequel il fallait compter. Bon, vos ouvriers se mettent en grève, mais enfin on peut en faire venir d'autres. Mais si toutes les usines de la région se mettent de la partie? Et pas seulement les usines. Il y a même des cas où des gens d'un tout autre métier se solidarisent avec les grévistes. On a pris l'habitude de considérer la grève générale un peu comme la tarasque, mais un jour viendra où les syndicats seront assez forts pour la réaliser. Allez, ce sera du joli. L'eau, le gaz, l'électricité, le pain, tout manquera. Les trains, les tramways ne marcheront plus. Vous voyez d'ici ce que ça donnera.

— Alors, disait Adrien, si quelque part un enfant est malade et qu'il faut un médecin? Et dans les maisons de santé, les hôpitaux, pas de lumière pour les opérations d'urgence? Pas d'eau pour laver les mains des chirurgiens?

— Tu l'as dit, bouffi, triomphait M. Delobelle. Ah la la, il en mourra des innocents dans ces jours-là!

Mais plus encore que ces considérations, ce qui frappait Adrien c'était l'absence de tout sentiment patriotique chez les ouvriers. Même les Italiens qui auraient dû avoir de la reconnaissance pour la France qui les nourrissait, ce que leur propre pays n'avait pas su faire. Or, il était évident que dans la grève des chocolatiers, par exemple, il y avait la main de l'Allemagne. A qui avait-elle profité, la grève? Pas aux ouvriers! Aux concurrents du chocolat Barrel, et en première ligne aux Suisses. Vous comprenez que Kohler, Blocker, Lindt, c'est Suisse si on veut : au bout du compte, il ne faut pas trop gratter pour retrouver l'alboche. Ce sont les capitaux allemands qui font marcher tout ça. Les grévistes étaient de mauvais Français.

Il avait donc eu sa petite idée, Adrien, et il s'en était ouvert à M. Delobelle et à l'abbé Petitjeannin. Et l'abbé l'avait engagé à en parler à M. Barrel. Le chocolatier l'avait reçu chez lui, parce qu'Adrien ne voulait pas être vu à la fabrique, entrant dans le cabinet directorial. Le projet du jeune Arnaud avait tout à fait séduit l'industriel. Comme, en cas de grève, la difficulté était de trouver des ouvriers connaissant le maniement des machines, Adrien proposait de rassembler un gros peloton de jeunes gens appartenant aux meilleures familles des environs, ses camarades somme toute, et de leur faire apprendre l'a b c du métier, de les promener dans l'usine, etc... On s'arrangerait de même avec la compagnie des tramways, l'électricité, le gaz, de façon à ce que le cas échéant on ait un personnel tout prêt pour parer aux aléas d'une nouvelle grève. On pouvait lier ce travail à celui de la préparation militaire, au patronage, si M. Barrel n'avait rien contre... Non, non. Parce qu'il fallait tout de même apprendre à se défendre aux jeunes volontaires. On leur enseignerait la savate, et même quelques trucs de jiu-jitsu, la boxe. Un peu de tir ne ferait pas de mal.

M. Barrel parla longuement à déjeuner du jeune homme dont il avait eu la visite. Un garçon intelligent, énergique, qui comprenait les conditions futures de la production... « Nous ne pouvons tout de même pas être réduits à appeler la force armée contre nos ouvriers. Il y a là quelque chose d'extrême à quoi je répugne. Et puis pour ce que ça a donné en 1910 avec la grève des cheminots! » Il vanta tellement la prestance d'Adrien Arnaud que Mme Barrel, croyant l'y rencontrer, alla l'après-midi même faire toutes sortes d'emplettes aux *Nouvelles Galeries*.

Mais Adrien ne faisait que de bien rares apparitions aux magasins familiaux. Cependant il chapitra et embaucha cinq employés des *Galeries* dans son nouveau groupe, *Pro Patria*, le titre était de M. Delobelle. Les trois fils Delobelle y figurèrent. Avec les promenades du Club Alpin, ils n'étaient pas encore assez occupés, et l'aîné, Etienne, avait déjà ses dix-sept ans, son père avait surpris des petits dessins qu'il faisait en cachette, et qui en disaient long sur les conversations qu'Etienne pouvait avoir. Peu à peu, Adrien qui était très populaire parmi les garçons de son âge, à cause de ses records à la perche en particulier, engagea une cinquantaine de jeunes gens. Ils se firent faire un insigne tricolore qui se portait à la boutonnière, et que M. Barrel rapporta pour eux de Lyon. Pendant les vacances, cette année-là, le neveu de Mme Barrel, Jacques Schoelzer qui venait d'être reçu à Pipo, se joignit au groupe, auquel cela donna le double lustre de Polytechnique et du fil d'Alsace. Et Adrien s'enorgueillit de ces relations amicales avec cet héritier de tout le fil blanc qu'on vendait dans les merceries, et qu'il considérait déjà un peu comme son propre cousin. Il lui apprit à jouer aux boules, où, ma foi, il parvint à tenir tête même à Edmond Barbentane.

A vrai dire, M. Delobelle se faisait des illusions sur l'efficacité de *Pro Patria*, sur la chasteté de ses fils. Le nouveau groupe réunissait un tas de garçons entre treize et vingt ans qui étaient assez avertis, et qui, à commencer par Adrien lui-même, ne dédaignaient ni les filles ni les femmes mariées. Adrien couchait avec la femme d'un des plus farouches francs-maçons de la ville, le marchand de meubles Reboul, un espèce de colosse noir, à moustaches, avec une envie poilue sur la joue gauche, un homme puissant, parce qu'il était le grand électeur du Parti radical, et qu'il se vantait de faire et défaire les maires à volonté. Il y avait aussi dans *Pro Patria* tous les amants de cœur de ces dames du « Panier Fleuri », car ces dames étaient très regardantes, socialement, pour leurs amants de cœur, et elles les prenaient dans la jeunesse dorée de la ville. Naturellement sans tenir compte des amants qu'elles pouvaient avoir à Paris, à Marseille ou à Toulouse, qui les avaient fait placer au « Panier Fleuri », et qui étaient d'une autre sorte.

Tous les soirs, la jeunesse dorée se réunissait sur le boulevard de la ville, au-dessus de la rivière. On y jouait aux boules. Les trois meilleurs joueurs de la ville étaient M. Migeon, Adrien et le fils aîné du maire, Edmond Barbentane. Comme M. Migeon, un petit châtain sec, toujours à tirer sur sa bouffarde, frisait les quarante-cinq ans, ce n'était pas tous les jours qu'il venait se mesurer avec les morveux, comme il disait. Il partageait son temps entre les boules et le Café des Arts, pour la plus grande satisfaction de sa femme et de l'agent voyer, homme de physique avantageux. Mais la partie de boules d'Adrien et d'Edmond avait un lustre de tournoi, la rivalité de leurs pères y ajoutant un arrière-goût politique; et au Café des Arts, souvent Mestrance ou le boucher, disait vers le coup de six heures : « On va voir la partie de cet Adrien? » Respellière haussait les épaules : « Feignants! regardez plutôt comme je le fais, celui-là! » Et il vous réalisait un de ces massés, mais alors! qui ne font pas époque dans l'histoire du billard, disait Mestrance, parce que tu nous les sers tous les soirs.

VIII

Depuis trois ans, ce n'était que l'été qu'Adrien Arnaud retrouvait en l'aîné des fils Barbentane un partenaire digne de lui. Edmond étudiait la médecine à Paris, pour succéder un jour à son père. D'un an plus âgé qu'Adrien, il bénéficiait d'un sursis en raison de ses études.

Le Dr Barbentane, maire de Sérianne-le-Vieux, avait des ambitions que sa position locale justifiait, somme toute. Il visait la députation, le Palais-Bourbon. De toutes façons, il ne pouvait y compter avant une ou deux législatures, le député de l'arrondissement étant trop bien assis, à moins de changement de la loi électorale, si les Quinze Mille votaient la R. P. Il comptait que d'ici là Edmond aurait fini ses études, lui ne le pousserait pas aux hôpitaux, l'internat suffisant, et alors son aîné reprendrait la clientèle paternelle, tandis que lui viendrait habiter Paris, sans Mme Barbentane, trop heureuse de rester seule avec sa piété, ses mômeries.

A Sérianne, le ménage vivait aussi désuni qu'il était possible sans scandale : la maison de la rue Longue qui était celle où le docteur avait sa consultation n'était que fort rarement habitée par la famille, bien que le docteur y couchât généralement, parce que c'était plus commode à cause des affaires de la mairie, pour les cas d'urgence de nuit, et ainsi de suite. Non pas que la « maison de campagne » des Barbentane fût bien éloignée de la ville, il ne fallait pas dix minutes de marche par la route pour l'atteindre, et il y avait un raccourci qui diminuait cela de moitié... mais enfin. A la maison de campagne, Mme Barbentane vivait pour ainsi dire toute l'année avec son second, Armand, qui était, lui, *son* fils, le moins fort des deux, l'aîné ayant été une bonne fois abandonné au père, à l'irréligion, au radicalisme, à la médecine et à l'enfer.

Quand le Dr Barbentane était simplement Philippe Barbentane, étudiant en médecine à Montpellier, il avait rencontré Mlle Esther Rinaldi sans se demander quelles étaient ses convictions religieuses. Et sans doute qu'alors la question pour Esther n'était pas si palpitante, puisqu'elle n'avait pu ignorer les plaisanteries de carabin que Philippe ne manquait jamais de faire sur tout ce qui touchait aux choses sacrées. Enfin cela avait été un mariage d'amour, dans lequel avait bien un peu compté l'importance de la famille Rinaldi, des Corses importés à Sérianne-le-Vieux, qui avaient de la terre, et de nombreux amis constituant un clan bonapartiste encore vivace vers 1890. L'oncle d'Esther, médecin, souhaitait se retirer des affaires et n'avait pas d'héritier. Mais aussi Esther était une brune rêveuse, avec des yeux clairs, un peu enfoncés et grands. Enfin tout cela s'arrangeait pour le mieux. Edmond naquit fin 91, Armand début 96. De famille, le Dr Barbentane avait un pied dans le parti radical. Au moment de l'Affaire, il fut dreyfusard. Il était lié de loin aux Clemenceau, tout s'explique. De là naquit son importance à Sérianne-le-Vieux. Tout le commerce le soutint, mais l'ancien clan bonapartiste, qui n'était plus guère qu'un clan clérical modéré, ne le lâcha pas non plus par fidélité aux Rinaldi. Un Rinaldi avait accompagné l'Empereur dans l'Ile d'Elbe.

Esther était une femme emportée, maigre et ravagée par sa propre nature; à quarante ans elle portait bien plus que son âge. Ses yeux s'étaient encore cavés avec le temps, et cela leur faisait un cerne perpétuel, où l'on s'étonnait de les trouver d'un bleu gris pâle. Elle s'habillait de taffetas noir. A vrai dire, elle n'avait pas trouvé dans le mariage les joies violentes qu'elle s'y était promises. La politique et l'ambition lui avaient arraché son homme de fort bonne heure. Philippe l'avait déçue. Son fils aîné. bien que tout à fait Rinaldi physiquement, moralement ressemblait à Philippe, il était sous la coupe de son père. Celui-ci n'avait pas craint de faire figurer l'enfant avec lui, vers 1900, à un de ces enterrements rouges chers à la population radicale et impie de Sérianne, où le docteur était toujours en bonne place. Ces enterrements civils! C'était une honte, une honte et une saloperie. Quand on songe par exemple que le vieil instituteur qui était mort en 1902 avait été enterré ainsi, et avec discours de Barbentane encore! dans un cercueil drapé d'étamine rouge, tandis que derrière le corbillard marchait cette « personne » qui avait été le scandale de la ville pendant vingt ans, parce qu'on savait bien qu'elle n'était pas mariée avec l'institutenr, une femme de cinquante ans passés et qui était habillée en rouge pour l'enterrement. Des sans-culottes, vraiment, des sans-culottes!

Esther craignait par dessus tout que les extravagances de son mari, son voltairianisme, n'amenassent une rupture entre le ménage et sa famille à elle. Il y avait encore son père et sa mère, qui vivaient, soignés par une vieille bonne, dans une maison de la ville, et qui étaient très riches, avec des vignobles dans toute la région. Il y avait des cousins, sur l'héritage desquels on comptait sans compter; il y avait tout le monde des relations des Rinaldi. Tout naturellement le désir de retenir tous ces gens-là, de leur plaire, entraîna Esther à exagérer ses désaccords avec son mari. D'abord à l'extérieur avec une piété affichée. Bientôt dans le ménage même, par une sorte d'entêtement à se piquer au jeu. Comme les relations maritales de Philippe et d'Esther s'étaient considérablement refroidies, les revendications d'Esther prirent très simplement le tour religieux, et en même temps la piété offrit à cette amoureuse méconnue des compensations qui l'engagèrent plus avant dans cette voie. Esther se mortifiait, restait des heures à genoux sur les dalles de l'église, elle s'infligeait toutes sortes de pénitences. Elle eut des extases. Elle ne mangeait plus. Elle tourna de l'œil un jour en visite chez une Rinaldi de la plaine. Philippe se fâcha.

Elle n'en fut que mieux ancrée dans ses pratiques. Il se prétendait libre-penseur, Barbentane! Eh bien, il n'avait qu'à le prouver! Il haussa les épaules, refusa d'envoyer son fils Edmond au catéchisme, et commença de mener sa vie à l'écart de sa femme. Il ne s'en trouvait pas plus mal pour ça. Quand ça le tracassait, il allait à Marseille, où tout est fort bien arrangé. Parce qu'à Sérianne, dont il était devenu maire, ça n'était pas commode de visiter le « Panier Fleuri », où il y avait déjà eu un scandale avec un conseiller municipal conservateur, un adversaire. Même que, lorsque le Dr Brioude, son concurrent, vendit sa clientèle au jeune Lamberdesc, on avait parlé à la mairie d'imposer au « Panier Fleuri » le contrôle médical du maire, un homme plus âgé, c'est plus correct, et puis un médecin éprouvé, affaire de salubrité publique... Qu'est-ce qu'on savait de ce blanc-bec frais sorti de l'école? Et après, si toute la jeunesse était malade dans le chef-lieu de canton! Mais Barbentane avait fait sentir avec beaucoup de tact que c'était là mal poser la question. Il lui était vraiment très désagréable, dans sa situation de famille, un peu particulière, de devoir professionnellement fréquenter le « Panier Fleuri ». Cela ferait inutilement jaser. Enfin, on n'allait pas faire cet affront au nouveau médecin. Il avait payé sa clientèle, d'abord. Comme *collègue,* Barbentane insistait sur les deux *l* du mot, il s'y opposait catégoriquement. Avec cela qu'il avait déjà la charge de la clinique municipale qu'on appelait pompeusement l'Hôpital. Ce n'étaient pas tant les trente lits, souvent vides, mais il y avait la consultation.

Si elle avait dû abandonner Edmond au docteur, Mme Barbentane s'était promis de garder son second fils, Armand, dans la voie de la religion, et elle se tint parole. Elle en était jalouse au point qu'elle le détacha de ses grands-parents. Armand, c'était son fils à elle. Lors de sa broncho-pneumonie, vers les deux ans, elle seule l'avait sauvé de la mort. Elle l'avait donc enfanté deux fois, et la seconde fois sans le secours de l'homme. Elle n'avait suivi aucun des conseils de son mari, mettant des médailles bénies au cou de l'enfant qu'on considérait comme perdu, et c'était cela qui l'avait sauvé. Cela et ses prières, et le vœu fait de consacrer Armand au Seigneur. Il serait prêtre, c'était une affaire entendue entre le Ciel et Mme Barbentane, personne n'avait rien à y voir.

La piété de Mme Barbentane ne nuisait aucunement au maire dans l'esprit des gens avancés. On le plaignait généralement. Bien plus, en plein combisme, quand tout le parti noir hurlait qu'on l'écorchait, le ménage Barbentane était un exemple auquel on en appelait pour montrer à quel point on pouvait être libre-penseur et tolérant. Dans des causeries intimes avec ses camarades de la Loge, Barbentane laissait échapper quelques confidences, et ma foi, on était tout près de le considérer comme une façon de saint laïc. Le pénible surtout, c'était que le petit Armand, qui commençait déjà à avoir sa tête à lui, se rangeât tout à fait du parti de sa mère, et qu'est-ce que vous voulez, Barbentane, médecin, et avec ça ses devoirs municipaux il ne pouvait pas passer le temps nécessaire à cette chose difficile, la conquête d'un enfant. Tandis que Madame, ah, bien sûr! elle n'avait rien d'autre à fiche.

Dans l'autre camp, c'était Mme Barbentane qu'on plaignait,

dont les vertus étaient exaltées. De telle sorte qu'en dernière analyse le ménage du maire était généralement un objet d'édification pour le public; et comme aux élections toute une partie de la bourgeoisie conservatrice votait Rinaldi, sans autre considération, la position électorale du docteur se trouvait l'une des plus solides du département.

Quand il passait dans la campagne, on le saluait très bas, même à des cinquante, soixante kilomètres de Sérianne. Sa Wisner grise se reconnaissait de loin, elle était populaire : un vieux modèle, mais solide.

IX

De si loin qu'Armand se souvienne, il y a dans la maison de grands silences, puis des portes qui claquent, des pas précipités, et maman qui sanglote la tête dans les coussins, tandis que filtre par les jalousies une douce lumière d'or qui vient mourir aux pieds d'ivoire du crucifix. Au jardin, vers le soir, on n'entend plus guère que le bruit paisible des cigales, et le passage tanguant des tramways. L'affairement paternel du docteur, ses rapides traversées de la maison, l'haleine humide de ses baisers et le contact de sa barbe, tout cela fait partie des désagréments de la vie au même titre que la nécessité d'enlever l'encre des doigts. Il a de toujours été entendu qu'Edmond, lui, n'était pas un compagnon pour son jeune frère. Près de cinq ans de différence. Il l'appelle *crapaud*, il ne rate pas une occasion de l'humilier, parce qu'il n'est pas fort. Edmond a des amis, mais Armand est un sauvage. Il a peur des petits paysans, il ne va pas courir avec eux dans les vignes. Il reste solitaire dans la maison paternelle, ou dans le jardin bien fermé de haies et de pierres sèches, près de la noria qui ne sert plus, ou sous les mûriers à nourrir les vers à soie qu'il élève. Il se raconte sans fin des histoires.

L'enfant a grandi sans même s'en apercevoir, faute de point de comparaison. Quand on l'a mis à l'école communale, sur la volonté de son père, la maison, c'était l'automne, a été secouée par un grand vent comme si elle allait se disjoindre et tomber en pièces. M. l'abbé Petitjeannin, dans sa soutane flottante, était presque tout le temps là, près de maman étendue sur une chaise-longue, et qui se baignait les tempes avec du vinaigre. Le docteur — jamais Armand dans ses pensées n'appelait autrement son père — le docteur faisait des apparitions brutales, hurlait odieusement et sifflotait en marchant. Cette habitude qu'il avait de siffloter! Les pas de son père agaçaient Armand exactement comme Mme Barbentane.

Il s'était créé entre sa mère et lui une complicité de tous les instants. Armand guettait à travers les jalousies, et quand il voyait arriver l'auto du docteur, il courait chez sa mère la prévenir au milieu de ses dévotions. « Il vient! » Elle se retournait avec un pauvre petit sourire de martyre : « Tu es sûr, mon chéri, que c'est LUI? »

A l'école, Armand a haï ses condisciples. Il avait le travail facile, mais sous la table, en détestation de la laïque, il disait son chapelet. Un petit chapelet d'améthystes que sa mère avait rapporté de Fourvières, et qui était pour lui d'un prix inestimable. Dans le fond du jardin, il s'était fait un sanctuaire secret avec des galets rapportés dans un sac de Palavas-les-Flots où les grands-parents Rinaldi les avaient conduits, Edmond et lui, une année, pour une semaine.

Parfois, à dîner, il y avait des scènes violentes. On renvoyait les gosses consternés. La bonne, Marthe, que Mme Barbentane avait amenée avec elle de sa famille, les entraînait tous deux par derrière la cuisine, où elle épluchait les légumes, écrasait des fruits, tandis que le gros chien Riquet, qui était un affreux mélange de Saint-Bernard et d'épagneul, se roulait à terre, en chassant avec ses pattes les moustiques. Maman était belle, et douce, et malheureuse, et le plus clair, Edmond, cette canaille, prenait toujours le parti du docteur. Ceci plus que tout avait rendu impossible l'intimité des deux frères.

Ils avaient chacun leur chambre, et celle d'Armand, toute petite, avec des tableaux d'une cousine Rinaldi qui représentaient le lac de Genève, ouvrait sur celle de Mme Barbentane. Parfois dans la nuit chaude, l'enfant entendait pleurer sa mère, et il venait pieds nus, en chemise, se jeter dans ses bras. Il la trouvait près de la fenêtre, ou à genoux à côté du lit, prosternée, dans son peignoir rose, le rose était sa couleur, qui lui demandait d'une voix entrecoupée les sels anglais. Il allait les prendre, dans l'armoire, derrière une pile de linge, et le battant grinçait, affolant le cœur d'Armand.

Il essuyait gentiment les grands yeux baignés avec ses petites mains malhabiles. Il repoussait les mèches qui tombaient dans les yeux de maman. Ces yeux comme de l'eau dans l'ombre qui ressemblaient à ceux de l'enfant. Elle le serrait contre elle avec une expression de désespoir dont il était toujours, malgré tout, surpris. L'enfant, grave, appuyait son visage à l'oreille maternelle : « Qu'est-ce qu'il t'a fait encore, dis, maman? »

Alors les doléances partaient comme un flot. Une humiliation de plus. Les propos du docteur devant M. l'abbé ou tout autre. Aucun respect pour l'âme de sa femme, pour sa pudeur. Les choses les plus sacrées, la religion même... Ah, cet être sans cœur, sans foi, sans idéal! Les sanglots interrompaient tout cela. « Maman, maman, ma petite maman! — Pauvre petit, qu'est-ce que tu feras quand je ne serai plus là! — Pourquoi que tu ne serais plus là, maman? » Les larmes reprennent de plus belle : « Malheureux enfant, je t'aime et je me maudis de t'avoir donné le jour! Mourir, si seulement on en avait la force! » Armand se taisait comme s'il n'eût rien compris à ces menaces déguisées, mais il devenait tout froid, terrifié, avec le seul espoir que sa mère ne s'aperçût pas qu'il la devinait, parce que, pensait-il, si elle se savait un témoin de ses pensées secrètes, cela la pousserait peut-être à les exécuter. Il avait sommeil. Un air plus frais venait de la fenêtre. Il regagnait sa chambre avec la terreur du petit jour. Au matin, le réveil épouvantable le jetait à l'école avec des yeux qu'on remarquait.

Plus encore que la piété maternelle, c'est le besoin d'un confident dans ces scènes-là qui fit d'Armand un catéchiste éperdu. Avec quelle ferveur il apprit tout ce qu'on lui enseigna de la science de Dieu. C'est vers Dieu, quand sa mère se traînait dans la nuit dans des convulsions, sur la descente de lit à grandes fleurs passées, que l'enfant élevait ce regard éloquent, c'est à Dieu qu'il adressait ses muets discours. C'est à Dieu désormais qu'il racontait ses histoires. Son plus cher trésor, c'étaient les bons points du catéchisme, bleus et roses, imprimés d'or. Il les cachait sous les pierres de son autel, dans le jardin. Il rêvait qu'il était un prêtre. Il partait, dans le potager, évangéliser les fourmis. Il leur parlait un langage lyrique où il se perdait lui-même, arrêté soudain à en regarder une, bien brave, qui portait sur son dos un bout de bois tellement plus gros qu'elle! Comme si Armand eût trimballé son armoire à glace... Fourmis, fourmis, comment ne vous émerveilleriez-vous pas de la gloire de Dieu dont vous êtes un vivant témoignage? Fourmis, vous vous promettez, mais votre attente est vaine, elle est frivole, et le mensonge est à l'ombre de vos pas, fourmis! Malheur à vous qui prenez appui sur le gracile roseau, malheur à celui qui... je veux dire à celle, les fourmis sont du féminin, à celle qui dans son audace sacrilège s'en remet aux pompes de l'impiété, aux lumières du siècle, à la nuit profane! Dieu soutient les fourmis qu'il aime, lui seul ne trompe point la brebis, c'est-à-dire les fourmis fidèles, et sa parole ne déçoit point mon attente... Grand Dieu, c'est trop, c'est trop me promettre, je suis ébloui, je suis comblé! Fourmis, remerciez votre Sauveur et sa Mère Bienheureuse pour toutes les bontés qu'ils font pleuvoir sur vos demeures de péché... Oh, celle-là, qu'est-ce qu'elle fait avec cette herbe? L'avarice, malheureuse, t'incite à acquérir plus de biens que de raison... Tu ne songes pas à l'orphelin que tu dépouilles, le démon tentateur... »

L'église devint l'annexe du jardin. C'était une église romane qu'on avait rafistolée comme on avait pu. Il y avait de belles statues de plâtre, et même une Jeanne d'Arc à laquelle on apportait des fleurs. La grotte de Lourdes fut longtemps ce qu'Armand imagina de plus beau sur la terre, avec sa Vierge au manteau bleu. Il s'échappait se prosterner sur les prie-Dieu de paille, en se penchant si fort, qu'il s'arrêtait la respiration. Il se faisait, à dire des *Ave Maria*, les ongles enfoncés dans la chair, de véritables plaies derrière les oreilles, parce que là, ça ne se voit pas. Il se mordait les gencives jusqu'au sang. Il offrait ses souffrances à Jésus, et il imaginait sans cesse des mortifications nouvelles. Ses prières du soir et du matin s'enrichissaient de litanies à devenir kilométriques. Il se privait de dessert. Enfin, de son propre avis, il était en passe de devenir bienheureux, si pas tout à fait saint.

Quand il eut douze ans, l'an d'après sa communion, son père l'envoya au chef-lieu de cette même école où étudiait Adrien Arnaud. C'était une école laïque, mais où l'on disait ses prières, tenue par des professeurs qui avaient de la religion. Edmond, lui, était au lycée de Lyon; par concession pour sa femme, Barbentane avait transigé et mis le petit dans cette boîte qui n'était pas aussi scandaleuse, pour un homme dans sa position, que les Maristes de La Seyne où la pieuse mère prétendait envoyer son rejeton. Ainsi, Armand atteignit la puberté sans être tout à fait séparé de sa mère, de son pays. Il venait à Sérianne tous les samedis soirs, et rentrait en pension le lundi, debout dès six heures du matin. Le train local le déversait à la préfecture. Une nouvelle semaine commen-

que d'argent fleurd
pagné de plusieurs
interroger le grand
elle, Marguerite, da
le beau troubadour

Il y eut des disc
bouleversa le cœur
les vieilles demeure
menade plantée d'a
contre lui l'hostilit
restaurât le vieux
risme, à la Viollet-
avancé une contre-p
des ouvriers entass
qui ferait les frais
n'avait été qu'une f
à table, cette histo
feu et à sang : le v
endroit romantique,
respira, on ne touch

Là-dessus, un bea
déserte. Des voisins
avait enfin réalisé sc
temps, après avoir
clous et de fers. Il
chez Mestrance, puis
c'était tout ce qu'on

Un peu du cœur

çait avec l'horreur du mercredi, jour de la leçon de géométrie, à quoi il ne pouvait rien, mais alors là, rien comprendre. A l'internat, il restait aussi solitaire que dans le petit jardin de Sérianne. Ses camarades sournois attrapaient des cafards, et les noyaient dans l'encrier. Ils parlaient un langage impossible, obscène, des voyous. Le chapelet d'améthystes s'égrenait dans la poche du gamin comme une défense contre le Malin.

des danses, et
quartiers de b
Les rêves d'A
l'autre à la dé
de ce quelque
jours. Armand
la fortune des
parfois questio
lane, qu'on ap
avait donné au
l'entrée de la r
minster. Il étai
mait les avent
rent ou ami, po
le docteur, étai
traite des blanc
point du mond
a plus de fleurs
sons de plaisanc
auprès de Bar
papillons les pl
base de tous le
Ainsi les rêves
de réalités mod
Avril, battant
— ...C'est là
Je ne parle pas
pas encore. Mai
tout dire, et les
Pendant mon s
négresses, les bl
c'est fade, c'est d
Je parle tout se
sur les couilles,
ce qui m'a fout
de vous ruer pa
gresses... Voilà c
Peut-être était
d'Or et des soupi
vence, reine de I
tre en Egypte. I

XI

Il avait seize ans l'année qu'il passa le bachot latin-grec. Comme on redoutait l'échec, on l'avait retiré du collège pour lui faire prendre des répétitions à Sérianne même avec M. Delobelle, un homme sérieux et sévère. Cette année-là, une violente recrudescence de piété avait plutôt gêné la préparation de l'examen, qu'il passa de justesse.

C'était drôle, parce qu'enfin, depuis l'époque de sa confirmation, au fond, malgré de vieilles habitudes de macération, de discipline, de prières, qui avaient bien changé de nature avec le temps, encore que pour la famille, officiellement, il fût entendu qu'il était de naturel extrêmement religieux, Dieu avait tenu de moins en moins de place dans son cœur. Il passait encore beaucoup de temps à l'église, mais c'était qu'alors personne ne lui demandait compte de ses pensées. Il détestait les jeux de ses camarades. Ce n'était pas lui qui eût été champion de boules comme Edmond. Une fois pour toutes, il faisait rendre compte de son étrangeté dans ce domaine par la vocation ecclésiastique qu'il avait proclamée très fort quand il était haut comme trois pommes. Que d'explications en moins!

Même le docteur qui avait tempêté jadis comme un diable quand Mme Barbentane disait à des visiteurs : « Armand, lui, sera prêtre... », avait fini par se faire à cette idée. Au fait, il n'aimait guère ce petit bout d'homme renfermé et pas sportif pour un sou. Tout son amour allait à Edmond, fort, solide, adroit. Le gosse, lui, était maigre, comme brûlant. Dissimulé. Le visage asymétrique. Il ne regardait pas en face. Et ça valait mieux. Parce que, quand par hasard on surprenait ses yeux clairs, ce n'était pas lui qui était gêné.

Cette partialité paternelle faisait, par exemple, qu'alors qu'Edmond avait de bonne heure appris à conduire et que souvent le docteur lui laissait sa voiture pour une randonnée, jamais Barbentane n'avait voulu confier le volant de sa Wisner au petit, même pour s'exercer. Celui-ci d'ailleurs n'entendait rien à la mécanique.

Armand lui-même était parfois surpris de ce retour de flamme. Il se prit à penser que sa piété allait bien à sa paresse, et qu'elle le détournait d'une façon confortable d'études qui devenaient chaque jour pour lui plus insipides. Néanmoins, il repoussa toujours cette idée qui portait d'une façon évidente la marque fourchue du démon. C'est alors qu'il s'inventa l'excuse du solfège. Un prêtre doit savoir chanter. Sa mère obtint donc qu'il prît des leçons de solfège. Cela n'arrangea rien.

La prêtrise d'ailleurs lui apparaissait comme quelque chose d'assez lointain, comme le service militaire. Bien que tout Sérianne connût sa vocation, et en parlât, il allait de soi que la position de son père exigeait qu'Armand attendît l'âge de l'indépendance, quand il pourrait suivre l'inclination de son cœur, sans gêner le docteur, sans qu'on pût tenir celui-ci pour responsable, de si mauvaise foi qu'on fût à la Loge. Cela était d'accord commun. C'est pourquoi M. l'abbé Petitjeannin lui-même feignait de freiner un penchant qui allait si à l'encontre de l'obéissance filiale. C'est pourquoi le jeune garçon n'avait jamais été enseigné à servir la messe, malgré le désir ardent qu'il en avait eu.

Cette recrudescence mystique, qui marqua pour Armand surtout le début de l'année 1912, coïncidait, et avec un penchant aggravé à la flânerie, et avec des rêvasseries dont il sortait dans un sentiment de honte et de culpabilité. A Marguerite de Provence s'étaient substituées bien des hantises moins lointaines, et traînant par les hauts quartiers, il s'était pris à ne plus éviter la rue où se trouvait le « Panier Fleuri », pressant le pas soudain s'il apercevait quelqu'un qu'il connaissait et qui prenait le chemin de la maison maudite. Vers le soir, il en venait parfois de la musique et des chansons. Il avait vu, passant vers la tombée du jour, une persienne s'entrouvrir sur un bras nu. Plus tard il s'imagina même avoir du coup aperçu un sein... Il disait : *un sein de femme*, avec la bouche sèche.

En même temps, une espèce de réserve lui était née par rapport à sa mère. S'il l'entendait pleurer la nuit, il faisait semblant de dormir. Il avait peur de la surprendre dans un désordre qui l'avait, une ou deux fois, fait battre en retraite. A vrai dire, l'habitude aussi jouait, et il n'était plus touché comme aux jours d'autrefois de la vie martyrisée de sa mère. Faut-il ajouter qu'Esther Barbentane avait vieilli, et que sans en rien savoir son fils lui-même en tenait compte? Elle avait perdu de son charme, sans renoncer à ces scènes qui avaient été touchantes, et qui, de ce fait, tendaient simplement à devenir grotesques. Elle se desséchait avant l'âge, et comme la nature en elle ne s'était point encore apaisée, il y avait perpétuellement à craindre quelque drame. Armand en avait la confuse inquiétude, et comme jadis, quand il se détournait de peur de devoir comprendre ses paroles, aujourd'hui il s'écartait d'elle, sans esprit de retour. Isolée de son fils même, elle devint dévote avec emportement.

Le penchant d'Armand vers les réalités surnaturelles avait revêtu un caractère bien différent de cette exaltation maternelle ou de l'ardeur qu'il apportait naguère à se labourer la chair de ses ongles. C'était plutôt une flamme intellectuelle, dirais-je une manie raisonnante? Tout le temps qu'il pouvait voler au collège ou à sa famille, il le passait, emportant des livres qu'il n'ouvrait point, à marcher dans la campagne, le long du fleuve, et jetant des cailloux. Il avait pris une passion de saint Augustin et de saint Paul, mais pourtant il n'en poussa pas très avant l'étude. Sa tête marchait plus vite que ses pieds. Ce qui dominait ces méditations juvéniles, c'était toujours la recherche de la sainteté. Il y avait bien un peu du démon dans cette recherche : manque d'humilité, pensait-il, et pourtant n'est-il pas légitime de s'interroger sur les voies qui mènent au Christ? Il était parfois épouvanté de son immodestie. Il se jugeait sévèrement. Il ne pouvait se dissimuler, par exemple, que dans sa vocation ecclésiastique, il entrait cinquante, soyons francs, soixante pour cent du désir de prêcher, de diriger les âmes, de faire en un mot les gestes du prêtre, plutôt que d'être profondément un prêtre. Il s'avouait par exemple qu'il n'avait pas le goût de la vie monastique. Dans le rôle du prêtre, il voyait indubitablement un moyen de se produire. Mystère des voies du Seigneur, c'était pourtant à Sa gloire qu'il songeait, songeant à la sienne.

Un saint, il serait un saint, il le disait avec une véhémence qui touchait au profane. Ce qu'il y avait de Barbentane en lui, et qui, chez son père ou son frère, se traduisait par une sorte d'arrivisme, en lui prenait cette forme inattendue du désir de sainteté. Dans le siècle les natures violentes qui ne reculent devant rien pour se procurer l'objet de leurs passions disent qu'elles iraient jusqu'au crime, si cela était nécessaire. Armand pensa un jour qu'il irait jusqu'au crime pour atteindre à la sainteté, et rien ne peut mieux donner la couleur de ses rêveries. Il transportait, se parlant à mi-voix, par les champs, les collines, le langage de l'amour temporel, des vices même, des erreurs des hommes, sur le plan de l'Amour divin. Les imaginations les plus dangereuses, ennoblies, illuminées par l'objet surnaturel qu'il leur donnait, trouvaient ainsi leur justification à ses yeux.

C'est ainsi qu'il ne craignait point de restituer aux métaphores les plus usées du langage sacré une vie nouvelle et singulière, en les prenant pour des réalités. Pendant une semaine, il marcha dans la campagne avec cette expression par quoi les Souverains Pontifes ont cent fois désigné la chrétienté : la vigne céleste, et la chrétienté n'était point tant pour lui devenue une vigne, que les vignes qu'il voyait la chrétienté. Il ne pouvait se résoudre à savoir ce qu'étaient alors les vendanges : ou l'élévation des âmes vers Dieu, ou non pas plutôt le péché même qui détache le raisin du vignoble, ou l'hérésie encore qui l'en sépare par grappes, et il fallait enfin se décider à interpréter mystiquement l'ivresse des vendangeurs et leurs égarements.

Il trouva dans une épître aux Ephésiens le but qu'il avait à poursuivre, la définition même de la Sainteté : il s'agissait de faire croître en soi l'homme parfait jusqu'à la mesure de la plénitude du Christ. Mais le diable était de définir encore en soi l'embryon de cet homme parfait. La phrase de saint Paul ne laissait pas de doute sur l'existence de cet embryon, il est apparemment la grâce. Armand n'avait pas plutôt conçu l'idée de cet embryon, qu'elle devint pour lui un embryon véritable, c'est-à-dire un germe matériel, une préfiguration de l'Homme avec tout ce qui le caractérise et le distingue du Monstre, le parfait équilibre de ses organes et de ses facultés. Cela comportait des conséquences graves : une exaltation de l'Homme, qui faisait du saint quelque chose qui ressemblait bien plus à Napoléon qu'à Jean l'évangéliste.

Le hasard voulut qu'une phrase de Thomas d'Aquin vînt à tomber sous ses yeux : « La personnalité contribue à la dignité de quelqu'un dans la mesure où il est de sa dignité et de sa perfection d'exister par lui-même, car c'est cela que l'on entend par personne... » et comme il ne lut pas plus avant, là où saint Thomas se contredit précipitamment, et comme il ne doutait pas un instant qu'il fût de sa dignité, à lui Armand Barbentane, et de sa perfection donc, d'exister par lui-même, il arriva cette chose étrange que Thomas d'Aquin le poussa dans la voie du culte de la personnalité. Etre saint, pensait-il tout naturellement, c'est devenir soi. Un camarade de collège, là-dessus, lui prêta *Le Jardin de Bérénice* dans l'édition illustrée à 1 fr. 50, et la mystique d'Armand devint follement barrésienne. Barrès justifiait en lui la montée d'une sensualité qui ne se connaissait guère, et catholique par son départ, sa pensée courait à l'apostasie.

Il avait dû renoncer à entretenir l'abbé Petitjeannin des voies qu'il suivait vers la Sainteté, le digne homme l'interrompait toujours pour lui poser des questions sur sa lubricité. Comment aurait-il pu discuter avec lui de la juste place que prend la lubricité dans l'épanouissement de l'Homme Parfait, comme le fait de l'apothéose de ses organes lubriques? Or, il y avait là bien de l'anticipation dans la tête d'Armand, qui n'avait point encore atteint à cette apothéose, non plus il est vrai qu'à la sainteté. Le jeune homme se confessait donc de moins en moins, et seulement s'il voulait s'approcher de la Sainte Table, ce dont d'ailleurs il se privait par mortification. Pourtant, quand il en fut arrivé à penser que la nature double du Christ ne pouvant s'expliquer que par la conjonction de deux hypostases, l'une humaine enfantée par la Vierge-Mère, et l'autre divine et qui ne doit rien à Marie, ce qui veut dire qu'il se rangeait parmi les sectateurs de Nestorius, évêque de Constantinople au ve siècle, qui enseignait que Marie était Théodocos et non Theotocos, et par là ruinait à la base tout culte marial, quand il en fut arrivé à cette hérésie profonde, et qu'il s'en aperçut, et qu'il vint dire à l'abbé Petitjeannin : « Mon père, je m'accuse parce que j'ai péché... », l'abbé s'épouvanta de l'énormité schismatique. En même temps, il ne la prit pas très profondément au sérieux et infligea au jeune homme une pénitence un peu longue, et la présence aux vêpres de façon régulière.

Rien n'y fit, en son âme et conscience Armand demeurait nestorien!

Alors, son confesseur levant son grand nez maigre dans l'ombre, en accusa l'isolement où vivait le jeune homme. Et comme il usait sa faconde à lui démontrer la maternité spirituelle de la Vierge, il eut une inspiration : « Mon cher fils, lui dit-il, votre orgueil vous perd en ce qu'il vous tient à l'écart des réalités de ce monde. Vous devriez avoir des liens spirituels avec les hommes de votre âge. Il faut chercher dans le siècle des épreuves que votre superbe refuse sans raison. » Et il lui conseilla d'entrer dans le groupe *Pro Patria* qui avait plus d'un an d'existence, où il trouverait à la fois un déversoir à une énergie dangereuse et l'expérience de ses semblables, qui le détournerait sans doute de tant chicaner avec l'Eglise et avec Dieu.

XII

Pierre était celui des fils Delobelle qui était de l'âge d'Armand, et le plus clair résultat de la suggestion de l'abbé Petitjeannin fut de lier Armand et Pierre, qui tous deux se sentaient assez déplacés dans *Pro Patria.* Pierre y était entré à cause de ses frères, et pas plus qu'Armand il n'avait de sympathie pour Adrien Arnaud, auquel il était difficilement pardonnable d'être le compagnon de jeux d'Edmond. Pierre était petit, et assez gros, extrêmement mélancolique, et surtout intéressé dans la vie par la littérature : il avait l'air d'un jeune cochon rêveur, d'un blond doré, bien nourri, le museau long, les yeux noirs et les bras courts, plantés trop en arrière, à cause d'un développement des pectoraux exagéré par une gymnastique mal raisonnée. Il n'y avait personne autour de lui à qui décemment parler d'Albert Samain, sa marotte, depuis qu'un ouvrage de ce grand poète lui était tombé par hasard entre les mains, dans le train de Marseille, où une dame qui devait être la Destinée l'avait oublié en descendant quelque part près de Veynes. La Destinée s'appelait Mme Cudeberge, si on devait en croire l'inscription manuscrite sur la page du faux-titre.

Les deux jeunes gens ne partageaient guère les passions de leurs camarades. Les deux Delobelle aînés, Etienne et Maurice, jouaient aux boules à perdre haleine, avec Adrien et Edmond. Ils couraient les filles avec eux, et ils avaient une fois entraîné Pierre au « Panier Fleuri ». Celui-ci en parlait avec un mélange d'horreur et de fierté. Il restait assez profondément religieux, et chez lui la religion avait un caractère gothique très favorable à la passion idéale pour des demoiselles d'un tout autre type que la grosse Irma ou la Rose pour qui on s'était battu un soir du côté de la gare.

Les exercices physiques du dimanche matin, les parades du patronage, tout cela les réunit dans un même sentiment de désapprobation. Mais comment sortir de là maintenant qu'on y était? M. Delobelle père ne l'eût pas permis à Pierre, et Armand, au contraire, une scène qu'il avait eue avec le docteur lui faisait une obligation de rester au groupe *Pro Patria.* Le maire de Sérianne avait failli avoir une crise d'apoplexie en apprenant que son cadet y était entré. Parce qu'enfin, ce truc-là, ce n'était plus seulement des mômeries, mais déjà une formation politique des curés, des patriotards, de toute la clique, enfin de la réaction. Alors son fils maintenant devenait un ennemi déclaré... Petite buse, va. Armand, les dents serrées, écoutait la semonce. Il répéta des mots entendus, sans trop y croire : la France, la Patrie, apprendre à se défendre... « Contre qui, éclata son père, contre les Francs-maçons bien entendu, c'est-à-dire contre ton père? Elle est belle ta religion! On ne vous apprend pas le respect de la famille, à l'église? »

Tes père et mère honoreras... là était bien la question. Mais en fait ce qui plaisait à son père déplaisait à sa mère, alors Armand ne voyait plus dans *Pro Patria* que l'occasion de rencontrer Pierre, son seul ami, et la poésie aidant, l'affaire se colorait d'un jour particulier. En vue des grèves éventuelles, on jouait à tous les métiers. Armand apprit à conduire un tramway. On le mit sur une des motrices jaunes qui traversaient la campagne, à côté du wattmann, qui d'abord conduisait devant lui. Puis, il prit sa place. Ça n'était pas très difficile, ce système-là. Le wattman, un rougeaud mal rasé, avec le poil de toutes les couleurs, lui enseignait le mouvement sans faire copain. Naturellement il savait pourquoi on lui faisait donner des leçons à ce jeune godelureau, qui était le fils du maire, paraît-il. Il lui aurait volontiers foutu la fessée. Armand sentait ça, gêné. Non pas qu'il mesurât l'ampleur de la veste de son voisin, tandis que le tram bondissait comme un veau sur les rails bosselés, perdant sa perche à tous les tournants, et en général secouant ses pruneaux de passagers sans aucun respect de la dignité humaine. Mais le jeune homme avait comme une espèce d'idée de l'injustice sociale, à cause du Christ, des Vendeurs du Temple, du charpentier Joseph, et il n'était pas très sûr du rôle qu'il jouait. Comment faire comprendre ça à son menaçant instructeur?

Un apéritif, ça ne se refuse pas. L'autre le regarda, et pensa que c'était toujours ça de pris sur l'ennemi et c'est ainsi qu'ils se trouvèrent attablés au café Blanc, dans le village derrière la propriété des Loménie, avec un Chambéry-Suze et un Amer. La serveuse était un peu grasse, mais jeune, le corsage transparent : on lui voyait toutes sortes de rubans en dessous, qui se prenaient dans les seins et l'épaule. Au dehors, un platane faisait frais au-dessus des mouches.

Le wattmann sirotait son verre. On avait une pose d'un quart d'heure avant le départ. On parlait de la chaleur, de la fête de Sérianne fin juillet, tout ça avec des pensées en dessous, comme le regard qui remontait du verre sur Armand. Il y avait un monde entre ces deux compagnons. Celui-là, il n'aurait rien de rien pigé non seulement à Albert Samain, mais à l'hérésie nestorienne. Il n'était pas troublé par la divine maternité de la Vierge. Il se moquait comme de colintampon de l'autorité du concile d'Ephèse, et de l'abus de pouvoir qu'y avait commis le représentant de l'Evêque de Rome contre l'Evêque de Constantinople. Un homme grossier, somme toute. Aussi ça ne doit pas beaucoup vous développer les méninges de conduire comme ça tous les jours cette espèce de boîte à sardines cahotante. Un incroyant, sans doute...

Il ne devait pas avoir loin de quarante ans. Il était déjà rompu à la dissimulation nécessaire à ceux qui ne veulent pas perdre leur place. Il y avait quinze ans qu'il faisait ce métier-là. Ah! ce n'était pas un boulot d'avenir. Une gratification qu'il avait eue, une fois. Il gagnait bien, oui, par rapport à un cantonnier. Maintenant, par rapport à un banquier... six francs par jour ne sont pas le Pérou. Surtout avec trois gosses sans compter la mère. Six divisé par cinq, ça ne fait pas un compte rond, rond, mais enfin faut croire qu'on peut vivre avec vingt-quatre sous par jour et par tête. Les enfants? Des filles. Ah! ça oui, les filles, il y a de la ressource, si ça ne leur plaît pas, le turbin, elles peuvent toujours se faire enfiler. Je ne dis pas ça pour vous choquer, mais vous savez qu'à Toulon, j'en ai vues, elles gagnaient un timbre-poste de quinze centimes en un rien de temps, à ce système-là... Alors, vous comprenez, quand il y a la flotte.

Armand avait l'air de prendre tout ça naturellement, mais il voyait bien à l'œil rusé de l'autre, qu'il se payait doucement sa gueule. Tout de même, Jésus, quand il parlait avec les pêcheurs, il n'avait pas de ces difficultés-là. Du moins on n'en souffle pas mot dans l'Evangile.

Comme ils regagnaient le tram, le wattmann pissa contre une palissade, puis, soudain, en se reboutonnant, il demanda : « Alors, jeune homme, le métier vous plaît? » Armand balbutia. « Parce qu'enfin faut pourtant qu'on aime ça pour vouloir apprendre, quand on est le fils à M. le Maire. C'est pourtant pas que vous voudriez en vivre, des fois? »

Il se payait sa tête, le copain. Il savait parfaitement ce que faisait Armand sur son tramway. L'insigne de *Pro Patria* à sa boutonnière parlait assez clairement : on le connaissait dans le pays. A la compagnie d'électricité, on avait une fois battu Etienne Delobelle. Pierre le lui avait raconté en détails. « S'il y a jamais une guerre, dit-il, vous partirez tous, et il faudra bien que les jeunes puissent vous remplacer. — Ah! c'est pour ça? »

L'œil s'était fait encore plus ironique. La poussière les faisait tousser sur la plateforme du tram. On traversait les cabanes des Italiens. les plus pauvres, et le bruit de ferraille qu'on faisait à passer réveillait la marmaille sans langes derrière les palissades de fortune.

« C'est pour s'il y avait une guerre? Je me disais aussi. Tiens, tiens. J'avais pas du tout pensé à ça, la guerre. C'est vrai que nous, on aime autant penser à autre chose. — Il faut tout prévoir. — Vous croyez? Et avec qui, la guerre? (Il montra les cabanes de la tête.) Les Italiens? — Les Allemands, affirma sérieusement Armand. On dit qu'ils se préparent. — Qui ça? Monsieur votre père? — Les gens, enfin les journaux. Mon père et moi, c'est très différent. Nous n'avons pas les mêmes idées. — Ah! je vois... »

Il se moquait vraiment d'Armand. Ce n'était pas un homme du pays. Il n'avait pas l'accent. Un parler un peu gras, comme les Tourangeaux. Comment était-il venu échouer ici, de travail en travail, de misère en misère? Armand aurait voulu lui montrer qu'il n'était pas un ennemi.

« Ce serait un épouvantable malheur, dit-il. — Quoi? — La guerre. — Ah! oui... pas pour tout le monde. »

Ç'était clair qu'il rigolait. Quand il parla de cette conversation avec Pierre Delobelle, celui-ci lui dit que ça lui apprendrait à faire le démocrate. Rien à gagner avec ces gens-là. Bouchés pour tout ce qui est l'art et la poésie. Il avait récemment découvert Léon Dierx. Allez parler de Léon Dierx à un wattmann! Ils eurent une discussion, tous deux Armand, à propos du *Cantique des Cantiques.* Armand le préférait à tous les Samain du monde, et il citait un mot de Lacordaire à ce sujet : « *Il en est du* Cantique des Cantiques *comme du crucifix : tous les deux sont nus impunément, parce qu'ils sont divins.* »

« Va faire entendre ça à ton wattmann, il te rira au nez, ou il croira que tu dis des cochonneries! — Peut-être bien... »

Mais Armand ne pouvait oublier le regard de cet homme, quelque chose de sympathique en lui, malgré tout. Evidemment, si on regarde bien les gens, tout le monde est sympathique, n'est-ce pas? Confusément aussi il se rappelait les vingt-quatre sous par jour de chaque gosse, et il ne pouvait s'empêcher de penser que c'était contre ces vingt-quatre sous que l'abbé Petitjeannin l'avait envoyé travailler à *Pro Patria.*

Il crut devoir s'en ouvrir à son confesseur, comme de ce doute croissant qu'on fît vraiment œuvre de patriote quand on se préparait à lutter contre des Français qui gagnent six francs par jour, le jour où ceux-ci demanderaient six francs cinquante à leurs maîtres.

« Mon enfant, dit l'abbé Petitjeannin, je vous aimais mieux encore vous égarant sur les traces de Nestorius. Les conséquences en étaient moins immédiates, et après tout, du moment que l'on croit au Tout-Puissant, on fait son salut dans toutes les Eglises, ou du moins on y risque au plus un séjour prolongé au Purgatoire. Tandis que vous voilà qui courez à l'anarchie socialiste, c'est-à-dire à la damnation éternelle. Vous n'êtes pas assez assidu aux leçons d'escrime, vous tirez très faiblement au pistolet. Vous auriez besoin de dompter la bête, en la fatiguant bien... — Mon père, la fatigue n'y changerait rien. Et je ne sais si je me trompe, mais je m'étonne que vous m'encouragiez au maniement des armes... — Mon fils, ne vous faut-il pas apprendre à défendre votre Patrie? Ses ennemis sont incontestablement les ennemis de Dieu. Je sais qu'il est des chrétiens égarés par le faux esprit d'une paix systématique, qui n'a rien à voir avec la vraie doctrine de notre divin Maître, qui prétendent qu'il est de notre religion de refuser le devoir des armes. C'est là un dangereux travestissement de l'Evangile, et qui n'est aucunement d'accord avec l'enseignement des Pères. Saint Augustin, dans une épître à Boniface, dit en propres termes : « Que trouve-t-on à blâmer dans la guerre? Est-ce le fait qu'on y tue des hommes qui tous doivent mourir un jour, afin que les vainqueurs soient maîtres de vivre en paix? Faire ce reproche à la guerre est le fait d'hommes pusillanimes, non d'hommes religieux. Ce qu'on blâme à juste titre, dans la guerre, c'est le désir de nuire, la cruauté de la vengeance, une âme inapaisée et implacable, la fureur des représailles, la passion de la domination, *libido dominandi*, et autres sentiments semblables. » Texte admirable, et qui doit, mon enfant, lever tous vos scrupules catholiques. La guerre, dans certains cas, est un moyen non seulement permis, mais recommandé au chrétien. Vous devez vous y préparer, pour l'heure où le Seigneur retirera sa Droite de sur les Nations... — Mon père, murmura Armand, et les six francs par jour? — Quels six francs? L'homme est sur cette terre comme Job, aujourd'hui au comble des richesses et demain sur le fumier. Si votre wattmann est un chrétien, il dira dans ses prières : Mon Dieu, vous m'aviez donné six francs par jour, vous me les avez repris : soyez béni, mon Dieu, pour ce que vous me les avez repris! Et vous, mon fils, ne doutez pas de la miséricorde divine. Dites avec moi votre acte de contrition... »

Armand commençait à trouver la Poésie supérieure à la Religion : elle n'a pas ces ignorances involontaires. Elle est le culte de la Beauté, elle explique ce que l'abbé Petitjeannin se refuse à envisager; elle légitime ces élans que l'on se sent vers les grandes Idées, les femmes; elle se confond avec ce sentiment terrible et magnifique, l'Amour, dont les Livres Saints mêmes ont dû emprunter le nom pour entraîner les cœurs. Tout cela peut-être était blasphématoire : mais, quoi? Pas plus que l'hérésie nestorienne à quoi M. l'abbé Petitjeannin l'avait imprudemment renvoyé! Rêver d'ailleurs aux deux hypothèses du Christ-homme et du Christ-Dieu, cela n'allait pas sans des incursions dans le domaine interdit de la génération, et les expériences de Pierre Delobelle au « Panier Fleuri » jetaient un jour singulier sur les rapports de la Vierge et de l'ange Gabriel, sur la colombe du Saint-Esprit, sur la Vierge elle-même.

Le jour que Pierre Delobelle s'entendit demander par Armand s'il croyait que le Fils de l'Homme avait pu permettre que sa Mère enfantât sans plaisir préalable, comme il avait autorisé qu'elle ne souffrît point de la parturition, il y eut éclat entre les deux amis. Pierre était rouge, honteux de ce qu'il avait entendu, et en même temps était pris de petits rires nerveux. Armand fut indigné : ce n'était pas là une obscénité, mais en termes précis la Vierge avait-elle joui, oui ou non? Si oui, cela nous ferait considérer le plaisir sexuel d'une façon bien différente. Si non, que penser de la bonté du Fils? Un scandale! C'est alors que Pierre avoua qu'il était devenu l'amant d'Angélique, la bonne des Mestrance. Il l'avait caché pendant quinze jours.

Armand en fut saisi. Cette dissimulation le laissait vraiment seul en ce monde. Sans Dieu, et sans ami.

XIII

Quand Armand s'aperçut qu'il avait perdu la foi, il se souvint de son père, de sa mère, de sa vocation ecclésiastique, de l'opinion publique à Sérianne, et tout cela lui parut si compliqué qu'il résolut de remettre à plus tard la publicité de ses sentiments, histoire de s'orienter tout d'abord.

C'est qu'il l'avait perdue, la foi, dans les grandes largeurs. Ah, il s'agissait bien maintenant de l'humanité du Christ! C'était Dieu, dont il ne doutait même plus : il haussait les épaules à l'idée de Dieu... Il ricanait en pensant au Péché Originel. Il était secoué d'hilarité quand il jetait les yeux sur le Tabernacle. La Transsubstantiation, l'autorité du Pape, la Grâce, la Sainte-Trinité, tous les mystères étaient devenus, sans qu'il pût bien dire quand, le sujet de persiflages *in petto*, la matière de rigolades intimes auxquelles il faut avouer qu'il se complaisait longuement.

Dans ces conditions, n'eût-il pas dû se rapprocher de son père? Eh bien! jamais les scènes avec le docteur n'avaient été plus fréquentes, ni plus violentes. Celui-ci ne lui donnait pas d'argent, se permettait de lui faire des observations sur son travail, ses notes n'étaient pas fameuses, avait refusé de l'abonner à *Vers et Prose*, une revue dont des exemplaires dépareillés les avaient enflammés, avec Pierre. Armand ne voulait pas non plus trahir sa mère, une victime. Alors il continuait à faire les gestes extérieurs de la piété, avec de brusques accès de dégoût et d'humeur sombre, qui lui faisaient fuir et les siens, et Pierre, et *Pro Patria*. Il prétendait alors préparer son baccalauréat.

Tout de même, ce qui le dérangeait le plus, c'était son avenir. Il s'était, de toujours, fait à l'idée de la prêtrise. Il s'était vu, une fois pour toutes, grand, dans une soutane, dans un pays surtout qui ne serait pas Sérianne vivant comme vivent les prêtres, c'est-à-dire à ne rien faire. S'il n'entrait pas en religion, il faudrait choisir un métier, travailler. Et puis il y a le costume, l'autorité qu'on a très jeune, les doigts levés pour bénir des hommes et des femmes respectables, et ces idiots qui baissent la tête. Il ne prêcherait donc jamais en chaire : « Mes chers frères, mes chères sœurs, je veux aujourd'hui vous parler du Démon. On vous trompe, mes chers frères, quand on vous le présente sous un aspect hideux et repoussant, le pied fourchu, la tête encornée. Le démon est ce qu'il y a de plus séduisant en ce bas monde, il est le sourire, le charme, l'abandon. Vous le retrouvez sous l'aspect de l'innocence dans l'enfand blond et rose, dans les bras voluptueux de vos compagnes, dans la grâce d'une passante, les idées généreuses, et jusque dans le sermon que je prononce pour vous... » Sans doute, aurait-il été possible de faire une carrière cynique et romanesque de menteur, avec l'aspect d'un prêtre et l'âme d'un libertin. Gagner les plus hautes dignités de l'Eglise pour en abuser, et jeter par le monde le poison subtil de l'incroyance et du doute. Si on pouvait être pape. Ces Encycliques, vous m'en diriez des nouvelles! Mais voilà : ça ne se faisait pas d'être Souverain Pontife quand on était Français. Alors mieux valait y renoncer, pour courber la tête, obéir... Et puis mentir tout le temps. Pendant deux ans, trois ans, passe encore.

Dans de vieux numéros de *Je Sais Tout* qu'il trouva chez les Rinaldi de la plaine, Armand eut une révélation, lisant les *Mémoires de Sarah Bernhardt*. Voilà ce qu'il voulait être! Acteur. Plus il y songeait, et plus ça lui paraissait lumineux. Il avait toujours voulu être acteur. Dans la prêtrise, c'était le théâtre qui l'avait séduit, le costume, les cérémonies, l'admiration du public. Pour son imagination friande encore de blasphème, les feux de la rampe remplaçaient doucement la lampe de l'Adoration Perpétuelle. Les acteurs comme les prêtres sont rasés : son père lui avait inspiré l'horreur de la barbe. Et tout ça marchait de pair avec son enthousiasme croissant pour l'Art, la Poésie. Il serait jeune premier, il irait en tournées par le monde. A New-York, des héritières de trusts jetteraient leurs perles sur la scène quand il y paraîtrait. A Vienne, des princesses risqueraient leur rang, l'espoir d'un trône pour une minute dans sa loge, tandis qu'on le coifferait pour *On ne badine pas avec l'Amour*, son triomphe. Quel Perdican il ferait! Des hommes d'Etat viendraient lui demander conseil pour séduire les foules, des maris sanglotants viendraient suppliants lui demander de faire quelque chose pour libérer l'esprit dément de leurs femmes. Ah, il serait ce Démon, pour cette fois, le vrai, le charmeur, la perdition qui tourne dans les valses, la griserie de l'orchestre, le Grand Amoureux, Don Juan!

Pour l'instant, il faisait l'apprentissage de sa nouvelle vocation, dans un rôle effacé sans doute, mais en pleine vie : un jeune homme pieux dans une petite ville de province, au milieu des intrigues de la vie politique, qui allaient se multiplier à l'occasion des élections au Conseil général. Il continuait donc d'aller à l'église; de suivre les exercices de *Pro Patria;* de se confesser à l'abbé Petitjeannin; de communier le dimanche. Sa ferveur ralentie un instant avait repris toute sa force apparente, car il fallait jouer pour de bon. Même l'exaltant n'était plus le parfum du sacrilège, qu'Armand retrouvait par-ci par-là. L'important désormais était la duperie réussie, c'est-à-dire l'art du comédien, que le jeune homme vérifiait à la sympathie de son confesseur, à une pression de main heureuse de sa mère, fière de la dévotion de son cadet, aux reproches qu'il recevait de son meilleur ami, Pierre Delobelle, qui ne comprenait rien à ces revirements, dans le secret desquels il n'était pas admis.

Son père voulait qu'il se laissât pousser la moustache. Armand s'y refusait, s'appuyant sur sa mère, au nom de sa vocation ecclésiastique. Lui seul savait qu'il n'avait en vue que les planches, et la coïncidence sur ce point du cérémonial d'église et des commodités du maquillage n'allaient point pour lui sans une certaine ivresse. Tous les jours, il était un héros différent, mais son personnage préféré restait le Docteur Faust. Il faudrait mettre en scène Gœthe lui-même, c'était faisable. Il le relut, et fut frappé de la similitude de situation entre Faust et lui, des analogies de sensibilité. Manquait encore Marguerite.

Pierre Delobelle le prenait pour confident de ses amours avec Angélique. Lui, écoutait, avec l'aspect désapprobateur d'un dévot qui ne peut s'opposer à l'inévitable, mais qui n'oubliera dans ses prières ni le pécheur, ni la pécheresse. Et, de temps à autre, ça foutait Pierre dans de ces colères! Il n'en revenait pas moins à Armand le lendemain plein de mille détails puérils et merveilleux. On n'imagine rien de plus traversé que ces amours de Pierre et d'Angélique, depuis les Montaigu et les Capulet. Sérianne, calme et casanière bourgade, recélait sous ses cendres des feux que Vérone n'a point connus. N'oubliez pas que les Delobelle étaient du Parti national contre les Mestrance, des Rouges. Il est vrai qu'Angélique n'était pas la fille du franc-maçon marchand de couronnes mortuaires, mais bien pis : elle était sa maîtresse, à la fois, et son esclave. Elle n'avait pas un moment à elle, à laver dès sept heures du matin, à ne pas quitter la boutique, sauf pour faire la cuisine, l'appartement de Madame, à garder et torcher le vieux. Le soir, elle était morte de fatigue, et il y avait encore M. Eugène. Et puis le gosse, Gaston, un vicieux cet enfant-là! qui était toujours à l'épier. Elle n'avait son dimanche qu'une semaine sur deux.

Sans compter que du côté de Pierre, qu'est-ce qu'il lui aurait passé le père Delobelle, s'il avait appris quelque chose! Surtout s'il s'était douté de l'importance de l'histoire. Parce que ce n'était pas une amourette comme il y en a tant. Mais c'était pour de vrai, pour de bon, *cette fois*. Un amour comme dans les livres, comme dans les poèmes. Au fait, Pierre avait une admiration nouvelle : Paul Fort, prince des Poètes. Armand n'était pas tout à fait persuadé par les ballades que lui lisait son ami, pourquoi ne pas aller à la ligne au bout des vers? Il y avait évidemment de jolis petits machins, comme ce truc sur Philomèle... Est-ce qu'Angélique te mord quand elle t'embrasse? Non... pourquoi? Alors elle ne t'aime pas ce qui s'appelle aimer. Je sais ce que je dis : quand on aime quelqu'un, on ne peut pas se retenir de le mordre.

Ça avait rendu Pierre tout rêveur.

A vrai dire, si la transcription de Roméo et Juliette dans le cadre des amours de Pierre et d'Angélique n'allait pas sans ridicule, parce que si les épées, l'échelle de soie, et le poison, manquaient au décor, l'affaire n'en était pas moins très sérieuse du côté d'Angélique. Elle avait vingt-quatre ans, elle faisait depuis trois ans le ménage des Mestrance. C'était une brune saine, un peu forte, à la peau très blanche, les yeux pas grands et le nez petit, habituée à nettoyer par terre, et déjà les épaules pliées par l'ouvrage et la soumission. Battue par ses parents, par ses frères, vignerons quelque part dans l'Hérault, elle avait dû se placer quand le phylloxéra avait fait des siennes. Son premier patron, un mercier, lui avait fait un gosse, elle avait à peine seize ans. Elle avait travaillé quatre ans à le nourrir, il était mort de la scarlatine chez les paysans où elle l'avait placé. Elle avait roulé de patrons en patrons, docile, travailleuse, quittant une ville pour l'autre, quand elle ne trouvait plus de travail. C'est par un ouvroir qu'elle avait été envoyée à Sérianne, où Mme Mestrance l'avait choisie elle-même : elle connaissait les goûts de son mari, pas vrai?

Mestrance était une sale bête. Ça, pour faire turbiner son monde, il s'y entendait, ce moustachu-là. Et jamais une parole gentille, une attention. Il prenait son plaisir avec la bonne, ça suffit, non! Il la pinçait dans les coins cruellement, quand il cherchait des rubans dans les boîtes pour les clients. Et il n'aurait pas fallu crier. Un vicieux. Si je vous racontais...

Voilà que là-dessus, quand il n'y avait plus de chance que la vie changeât, l'amour était tombé là-dedans : ce petit gosse sentimental, ce Pierrot avec son beau museau pas joli, ses seize ans, et distingué, le fils d'un professeur, la tête toute farcie de poésies, qu'on ne comprenait pas toujours, mais où c'était plein de baisers, d'étoiles, de fleurs, de serments pour la vie. Un gamin, propre, avec un corps si jeune, et fort, et sentimental et qui l'appelait *ma femme, ma femme,* comme s'ils avaient passé devant le maire et le curé. Et il disait qu'il l'aimait et ce mot n'était pas du tout usé ni pour lui, ni pour elle : lui parce que c'était la première fois qu'il mentait, et encore pas sûr qu'il mentait, et elle... On n'avait même jamais fait semblant avec elle. Mets-toi là, Angélique, ma grosse... Le petit, il fermait les yeux en disant : Je t'aime. Angélique y pensait tout le temps, en nettoyant les deux boutiques, en vidant les ordures du vieux, dans les bras de M. Eugène. Ah! maintenant, qu'est-ce que tout cela faisait? Elle était heureuse, heureuse, malgré les difficultés, les minutes volées pour se voir, le danger des billets passés en cachette, de longs jours parfois sans pouvoir s'embrasser; et aussi comme elle était bête pour ce qui est d'écrire, elle savait à peine, et elle faisait des fautes dont il riait gentiment. Elle aurait voulu trouver des mots, comme dans les poésies qu'il lui lisait, et elle n'arrivait qu'à griffonner, en tirant la langue : *Deux mains seuleman, hi va anvil. Grosse bize a mon Pierrot. — Angélique.*

Armand plaisantait Pierre sur l'orthographe. Mais pas trop. Il y avait des choses qu'il respectait, ce Méphistophélès. « Elle a huit ans de plus que toi, et qu'est-ce que vous ferez si vous avez des enfants? — Je ne sais pas, répliqua ce jeune irresponsable, mais imagine-toi, elle m'aime pour de vrai : hier, elle m'a mordu. »

Il était si heureux qu'il voulut faire un cadeau à Armand. Celui-ci n'avait pas d'allumettes, et restait là, maryland au bec. « Tiens, ça te ferait plaisir? » Pierre, généreux, se dépouillait : le beau briquet qu'on lui avait donné pour le Jour de l'An, sa marraine.

XIV

L'approche des élections au Conseil général avait rendu à la vie les eaux dormantes de Sérianne. Elles devaient avoir lieu fin juillet. Le Dr Barbentane était conseiller sortant. Serait-il réélu? A l'échelle du canton ce serait une bataille d'approche de l'élection législative à laquelle on savait bien qu'il voulait se porter. Et il n'y avait pas que la question personnelle du maire, mais aussi pour beaucoup la question religieuse, et pour plus encore la question de la Patrie. Etaient-ce les radicaux, avec leur langue démagogique qui pourraient faire la loi de trois ans, si nécessaire? Sans compter les menaces sourdes de l'impôt sur le revenu, et même à lire les journaux socialistes, du prélèvement sur le capital. Caillaux, le Caillaux d'Agadir, avec les radicaux, relèverait la tête, ce serait la dictature des clubs, des loges, et tout cela devant une Allemagne armée jusqu'aux dents, disciplinée, elle, avec un Empereur, et pas tous ces bavardages parlementaires.

On parlait d'une candidature républicaine modérée. Quelqu'un de Paris. Savoir quelle serait l'attitude de Barrel, là-dedans. L'autre fois, au second tour, il avait fait voter pour Barbentane malgré ses opinions religieuses; c'est qu'après tout à ce moment-là il y avait une poussée socialiste, et dame devant le péril! Outre qu'au fond Barbentane était son médecin... Beaucoup d'ouvriers suivaient le patron quand il faisait voter somme toute à gauche. Mais s'il allait à droite, l'écouterait-on? Evidemment le problème, c'était la campagne, paysans et vignerons. Ils n'aimaient guère les ouvriers, puis eux cette histoire d'impôt sur le revenu les chiffonnait. *Pro Patria*, clique du patronage en tête, faisait des tournées dans les villages. On défilait. Il y avait des exercices de gymnastique autour de l'échafaudage des pompiers. On chantait. Les gars du patelin fraternisaient avec les jeunes messieurs de Sérianne, et on faisait marcher la boîte à musique dans le bistrot. Parfois même on dansait. Il y avait beaucoup de radicaux dans les campagnes, mais pas les fils. Les jeunes, ils aimaient les sports. Il fallait les voir quand passait le Tour de France.

Armand, la tête pleine de rêves, avait beau se trouver en plein centre de cette agitation, il n'y prenait point de part. Maintenant, ce qui le menait à la dérive, c'était le souci d'une grande aventure amoureuse. Rien qui ressemblât à la pitoyable idylle de Pierre et d'Angélique. Sur le rang social de l'héroïne, il n'était pourtant guère fixé. C'est que Marguerite à tout prendre ce n'était qu'une fille d'ouvriers. Pourtant il se sentait plutôt attiré par les personnes d'un certain niveau. On n'était tout de même plus au temps du Dr Faust, et puis comme il n'avait point à sa disposition le pouvoir satanique d'offrir les bijoux à Marguerite, mieux valait qu'elle eût déjà, de famille, les parures nécessaires, et la connaissance de mille délicatesses, que le jeune homme lui-même peut-être ne faisait qu'aspirer à connaître.

Il devint plus mondain, se soigna et négligea les expéditions de *Pro Patria* pour assister à la grand'messe. Sa présence y faisait toujours un peu scandale à cause de son père. Pendant l'élévation, il jouait à faire lever la tête à des jeunes filles. Il prenait l'air fatal, courait à la sortie pour offrir l'eau bénite à la fille du pharmacien. Non point qu'il se fît des illusions sur son physique, il se trouvait laid depuis qu'il avait constaté qu'il avait un œil plus petit que l'autre, et le visage pas pareil des deux côtés. Ses cheveux noirs frisaient facilement, lui donnant, à cause du nez busqué, l'air juif. Mais il avait confiance dans ses yeux clairs, intelligents. Grand avec ça, et vif assez pour qu'on ne lui reprochât pas trop d'être mince. Il ne tenait pas du tout de son père.

Très vite, il fixa ses chimères sur la plus jeune des Barrel, son aînée de deux ans, Jacqueline. Blonde, les cheveux flous, elle ressemblait à sa mère, elle était encore fluette, de cette maigreur de la jeunesse, et très inquiète de sa poitrine, qu'elle soulignait avec une haute ceinture, bien que ce ne fût pas la mode. Les trois demoiselles Barrel, même au gros de l'été, portaient des robes montantes et des manches longues. Seule Marthe-Marie, l'aînée, avait parfois des applications de dentelles à travers lesquelles on apercevait un peu de sa peau. Jacqueline avait rougi terriblement un jour en rencontrant Armand près du confessionnal de l'abbé Petitjeannin. De là tout le départ d'un songe. Elle était grande, avec des yeux comme de l'émail, la bouche fine et légèrement tordue. C'était ça qui lui donnait un charme très singulier, que n'avaient pas ses sœurs, plus madones, plus régulières. Evidemment, Armand ne songeait pas au mariage. Non. Cette histoire-là n'était que le point de départ d'une vie : romance, mais prélude. Il ne suffisait pas des rivalités politiques de village entre les Barrel et les Barbentane pour le tromper là-dessus, lui. Probablement quand il l'aurait séduite, Jacqueline, et qu'elle serait enceinte, le scandale serait si formidable, surtout si l'on songe à la vocation ecclésiastique du Don Juan, que son père seroit obligé d'écarter Armand pour quelque temps de Sérianne. Il irait à Marseille, ou qui sait, à Paris.

A Paris, il y avait Edmond. Il le détestait moins Edmond, depuis qu'il ne croyait plus en Dieu. Son frère l'aiderait-il à se lancer dans le théâtre? Il ne voulait pas faire le Conservatoire. A moins que sa famille ne l'exigeât. Le mieux serait de devenir l'amant d'une grande actrice, Robinne, par exemple, parce qu'il aimait les blondes. Il l'avait vue au cinéma. Elle l'imposerait dans un petit rôle, pour commencer, jalouse, pensant ainsi le surveiller. Mais lui, qu'on aurait beaucoup remarqué à la représentation, se fatiguerait bientôt d'elle. Peut-être qu'elle s'empoisonnerait. Les journaux en parleraient. En revenant à elle, elle prononcerait son nom : Armand... C'est avec du véronal, qu'elle aurait fait ça. L'Art maintenant se serait emparé de lui, et avec chaque nouveau rôle un peu de son passé s'évanouissait, il ne pouvait se satisfaire de la même femme. A chaque rôle, correspondait un nouvel amour. Il y a quelque chose d'insatiable dans la nature de l'artiste : il cherche, il cherche, et quoi donc? Lui-même sans doute, un fantôme, une fleur.

En attendant, il traînait tant qu'il pouvait, tout le temps que lui laissait sa rhétorique, aux alentours de la maison des Barrel. Les relations des deux familles n'étaient pas telles qu'on ne se saluât pas, puisque le docteur soignait les lourdeurs d'estomac du chocolatier. Mme Barrel, parfois même, s'arrêtait en voyant Armand, et lui demandait des nouvelles de sa mère. Ces dames se rencontraient chez les Rinaldi et chez les Loménie de Méjouls. Indiscutablement Jacqueline avait remarqué le manège d'Armand. Ils se rencontrèrent une fois sur le boulevard, à l'heure des boules. Adrien jouait avec M. Migeon. Partie serrée : qui allait l'emporter, du petit pète-sec quadragénaire ou du jeune homme aux hanches roulantes? Il y avait bien dix personnes à les regarder. Armand salua, puis hardiment tendit la main, comme elle était seule. Elle hésita. Sa bouche se tordit encore, adorable comme la peur. Elle mit une main gantée de fil blanc dans celle d'Armand. Elle portait une robe rose, avec un tas d'empiècements, et là-dessus une jaquette bleu marine. Sa main était petite, petite. Elle la retira, avec un rapide salut, et s'en fut sans qu'ils aient parlé ensemble, très vite. Les boules faisaient un bruit de victoire. Armand était comme ivre, et déjà terriblement apitoyé par la petite main de sa future victime. Mais quoi, on ne fait pas d'omelette sans casser des œufs!

Allait-il lui écrire? Il y rêva longtemps, puis se décida d'accompagner sa mère le dimanche suivant chez les Loménie. Peut-être Jacqueline y viendrait-elle... C'est cette semaine-là qu'on apprit qui se présentait contre le docteur : un certain Delangle, ami du député, décoré des palmes académiques et du Nicham Iftikar. Le dernier détail provenait du docteur lui-même qui avait pris ses renseignements... Les socialistes auraient un candidat de Marseille, un avocat sans cause, rien d'important.

Les Loménie recevaient dans leur jardin, avec des chaises de paille autour d'une table verte, sous un grand figuier. Des enfants jouaient un peu plus loin sur une balançoire. Il y avait trois vieilles dames avec des rubans au cou, et Mlle Eva avec un jabot plissé qui préparait le thé et les petits fours, tandis que Philbertine de Loménie tricotait des chaussettes blanches pour un de ses fils, si serrées, et se penchant si fort, la bossue, qu'on avait peur que toutes les aiguilles lui entrassent dans le visage et que la laine lui traversât le nez goutteux. Mme Barbentane parlait surtout avec Suzanne, toujours extrêmement aimable avec elle, une Suzanne en tussor, très animée, pleine de potins touchant Mme Respellière. Le cocker blanc et brun de M. de Loménie frottait aux pieds d'Armand sa grosse oreille frisée où une tique avait dû se fourrer. Il y avait des mouches bleues, et il faisait trente-deux degrés à l'ombre. Or, quelque part dans les faubourgs de Paris, une femme que son mari battait avait comploté avec son fils, son amant, et l'associé de son mari, c'étaient des gens qui avaient une entreprise de camionnage, la suppression de ce tyran domestique. Ils avaient tout préparé pour donner à l'affaire l'aspect d'un accident, un vieux fusil de chasse qui serait parti tout seul pendant qu'on le nettoyait, le fils guettait à la porte, l'amant ce jour-là se montrait chez des clients à 80 kilomètres de là, c'était l'associé qui n'avait dans le coup qu'un intérêt matériel, qui s'était chargé de la sale besogne... La femme avait embrassé son mari : « Gustave, on t'appelle en bas, vas-y donc voir! »

« La perversité des femmes! disait Mlle Eva. Dans tous les crimes... Elle l'embrassait. C'est trop fort! — Si son mari la battait, dit Mme de Loménie qui s'était trompée dans ses diminutions et qui avait dû défaire dix rangs qui bouclaient maintenant sur ses genoux de toile grise. — Il faudrait les guillotiner tous, déclara une des vieilles dames qui faisait de la broderie anglaise, un homme dans la force de l'âge! Et le fils, c'est le plus affreux. »

Armand écoutait sagement, les dames Barrel ne viendraient pas. Suzanne ne l'intéressait guère. Ce n'était pas tout à fait une jeune fille. Elle disait *madame* tous les trois mots, en parlant à sa mère : « Qu'est-ce que vous voulez, madame, ce n'est pas une fréquentation pour moi, madame, après ça les gens parlent, madame... » Le tout aggravé de cet accent pointu qu'elle avait pris au couvent d'Hyères, où elle avait été élevée.

« Pourtant si elle avait un amant, cette femme, il avait bien raison de la battre, son mari... — Il n'avait pas raison, mais c'est une excuse pour lui. Pauvre cher homme, ça ne lui fait pas ouf, aujourd'hui, les excuses! — Un Hammerless! » dit rêveusement M. de Loménie de Méjouls qui avait sur toute l'affaire un point de vue de chasseur, et il regarda son chien.

Si tous ces gens-là avaient su qu'Armand *était* un acteur, un cabotin, qui se produisait en public, et un libertin avec ça, des maîtresses en veux-tu en voilà qu'est-ce qu'ils auraient dit? Des momies. Avec ou sans Hammerless, des gens comme ça on les supprimerait bien. A condition de ne pas se faire prendre.

« Armand, dit Mme Barbentane, aide donc Mlle Suzanne. »

Ils s'en furent tous les deux dans la maison chercher l'orangeade. « Mme Barrel ne viendra pas aujourd'hui? — Je ne pense pas. Vous ne dites rien, vous êtes là assis. Tenez, prenez le sucre, monsieur Armand. »

Ils étaient dans la cuisine basse et large aux petits carreaux rouges. Par la fenêtre on voyait les vignes. Avant qu'on n'ait pu rien faire, le sucrier de verre était tombé. En miettes. Tous deux, embarrassés de ce qu'ils avaient déjà pris, posaient tout au hasard, et les doigts se heurtèrent parmi le sucre et le verre cassé. Suzanne avait tout à coup l'air, accroupie, d'une gamine sournoise. Elle le regardait avait des yeux rieurs. Elle avait quelque chose de court, de pas achevé. Elle sentait la verveine.

« Embrassez-moi », dit-elle.

Ils tombèrent sur le carrelage, c'était un drôle de désordre, Armand ne savait plus ce qu'il faisait, il lui passait la main sous la jupe, et elle le repoussait en gigottant. Il se coupa à la main gauche. A la vue du sang, ils se relevèrent, avec du sucre en poudre sur leurs vêtements; le robinet pissa une eau tiède sur la main blessée. Pas de morceau de verre, au moins? On entendit la voix de Mlle Eva : « Et cette orangeade? »

Ils revinrent les bras chargés. On parlait politique. M. de Loménie de Méjouls expliquait son attitude, à lui. En faisant sonner les s terminaux, parce qu'il était sudiste. Aux élections, il voterait pour le socialiste. Parfaitement. Pour pousser à la roue. Et allez. Que tout craque une bonne fois, qu'on la porte à la poubelle, cette République. Une honte. Plus que ça irait mal et mieux que ça vaudrait. Je ne vais pas m'esquinter à travailler pour engraisser une bande de députés peut-être. Et des impôts, et des impôts. Et pourquoi faire? A qui je vous prie ira l'argent de l'impôt sur le revenu? A des Caillaux, à des Etienne, à des Poincaré. Tous dans le même sac, je vous dis. Et la pierre au cou. Des pourris. Et votre Clémenceau, un ancien Communard. A faire des courbettes aux ouvriers pour un bulletin de vote. Est-ce que vous croyez que la délimitation des vins ce n'est pas une volerie peut-être? Ils reçoivent des caisses de champagne, et c'est Bordeaux qui gouverne, voyons. Pour le socialiste. Tant pis si ça aboutit à la Carmagnole. Il faut ça, et vient Thermidor, Bonaparte, et au bout du compte Louis XVIII. Naturellement qu'on ne peut rien espérer, que d'une monarchie. Je vote pour le plus rouge, je vous dis.

Suzanne jouait avec le sac de Mme Barbentane. « Mais oui, madame... oui, madame... »

Jacqueline Barrel ne viendrait pas décidément. Les enfants criaient aux balançoires, malgré la chaleur de juin. Armand songeait déjà au bruit que cela ferait dans Sérianne quand il aurait déshonoré Suzanne. Ce serait facile, parce qu'il ne l'aimait pas. Il regardait la poupée qu'elle lui avait faite avec un mouchoir à elle, et il surprit ses yeux sur la main blessée. Allons, à la rentrée, on l'enverrait faire sa philo à Paris.

« Tous vos politiciens, hurlait M. de Loménie, ils me font je ne dis pas quoi, à cause de ces dames. Mais attendez un peu, je les leur-z-y ferai voir, moi, mes fesses. — Mon ami, plus tard! » soupira Philbertine.

XV

Abandonnant Sérianne et les premières réunions de la campagne électorale, les groupes qui se formaient sur les places, autour des cafés, des permanences des trois candidats, avec leurs grands calicots et les affiches de couleur, Armand prenait le tram qu'il avait appris à conduire et débarquait dans l'après-midi étouffant à Villeneuve, où il rencontrait Suzanne derrière l'église. Ils gagnaient les vignes au delà des propriétés, à mi-coteau, et allaient se cacher quelque part où, en cette saison et avec ce soleil, on ne viendrait pas les relancer. Derrière les grands ceps, dans le sol sans eau, ils s'accroupissaient cherchant l'ombre. On commençait par faire semblant d'étudier : Suzanne servirait de répétitrice au candidat bachelier. Bientôt les livres dinguaient, et l'élève et la répétitrice passaient à d'autres études.

Suzanne était irritante et habile. Elle ne laissait faire que ce qui lui chantait. Armand enrageait, glouton, toujours sûr que cette fois ça marcherait, et avec ça tellement inexpert, et peu ferré sur ce qui devait marcher que ce n'était guère de belles victoires que remportait la vertu de Suzanne. Le sulfatage des vignes les saupoudrait drôlement.

Non, mille fois non, il n'était pas amoureux, Armand. L'image de Jacqueline ne s'effaçait pas entièrement de son cœur, et puis cette hypocrite de Suzanne, quand, après, elle parlait avec des dames, elle était à fouetter. Avec ça qu'elle n'était pas peu fière des domaines paternels : quarante hectares de vignes s'il vous plaît, qui donnaient bon an mal an huit mille hectolitres d'un vin lourd et râpeux, qui ne valait pas cher sans doute, mais avec lequel on pouvait falsifier de meilleurs crus. Ça rapportait dans les quarante mille francs nets.

Quand le vieux Loménie avait acheté les Mirettes, il n'avait pas toutes ces vignes. Peu à peu, il avait arrondi son avoir.

Surtout après le phylloxéra. Parce que les vignobles avaient été ruinés, et qu'il fallait repiquer avec du plant américain. Alors la plupart des vignerons avaient abandonné; ils n'avaient pas le sou pour acheter les ceps, et le sulfatage, et la lutte contre les insectes, que c'était sans fin. Ils avaient juste gardé de petits bouts de vignes près de leurs maisons, et ils avaient été bien aises de trouver acquéreur pour le restant. Loménie avait ainsi patiemment racheté, replanté, guéri la vigne et la terre, enfin sauvé le vin du pays.

Maintenant les anciens propriétaires se louaient chez lui comme saisonniers : sans lui ils n'auraient pas eu de travail. Quand ils avaient fait les huit heures sur les vignes du patron, ils avaient encore un moment, le matin et le soir, pour cultiver leur raisin. Parce que pour du vin, ils n'en faisaient guère, c'est ruineux pour de si petites pièces, toute l'installation. Ils faisaient du fruit, et même le vendaient à Loménie. Pas très cher évidemment, il n'avait pas besoin d'eux, enfin. Tout de même un ménage trouvait comme ça une pièce de 400 francs la récolte, et comme avec la saison morte l'un dans l'autre un bon journalier ne gagnait pas plus de quarante-deux, quarante-trois sous par jour, c'était un appoint pas négligeable pour la famille. On arrivait à manger pour douze, treize sous. Pas de la viande bien sûr, mais enfin des légumes. Le laitage, fallait pas y compter, parce que tout allait à Sérianne à la chocolaterie.

Il avait pris de l'importance, cet Hubert, depuis le temps qu'on se battait avec lui pour les filles. M. de Loménie était resté Hubert pour ses compagnons de jadis. Leurs femmes le tutoyaient presque toutes, pas. Et maintenant quand on voyait ses fils ou sa fille dans les vignes à se bécotter avec quelqu'un ça faisait drôle, et on se sentait vieilli. Les fils étaient partis l'un après l'autre. Des grands bandits, ceux-là, même le François, le dernier, qu'avait eu cette histoire avec une Italienne. Les Italiens, on ne les aimait guère à cause de ceux qui se louaient au temps de la vendange, à demi-prix. Quand l'usine débauchait, on n'était plus sûr de son pain, comme l'autre année, après leur grève. Des pillards, ces Italiens. Et puis braillards, prêts à jouer du couteau.

M. de Loménie à Villeneuve faisait campagne contre le maire de Sérianne, tandis que sa fille se pelotait avec le fils Barbentane, le petit curé qu'on l'appelait. On jasait là-dessus, c'était un peu la revanche après tout. Hubert avait assez carambolé les filles du pays. Quand le docteur vint faire une réunion au café Blanc, on s'amena rigoler un coup. Le candidat modéré, le monsieur de Paris, était venu pour la contradiction, et le vieux Loménie était dans la salle. Qu'est-ce que tu paries qu'il se déculotte? Chiche. Je perdrais. Et c'est vrai qu'il aurait perdu, celui qui aurait parié, parce que lorsque Barbentane parla de la République, du salut de la République, debout sur un banc, Hubert tomba la culotte en criant : « Je te la saluerai, moi, la Gueuse! » De cet Hubert tout de même! Si on avait ri et applaudi, c'était pas le docteur qui avait pu continuer à parler. Quant au monsieur de Paris, il ne s'attendait pas à celle-là, et il se frisait la moustache, avec un sourire pour ne pas avoir l'air surpris. Il parlait de la France, des intérêts des viticulteurs, du prix du vin. On s'en foutait du prix du vin, il n'y avait que Loménie, et trois autres, qui en faisaient, et sur le prix du vin ils en savaient plus long que le Parigot, des fois. Il était pour les curés avec ça, le Parigot. Les vignerons étaient contre les prêtres, qui pour Barbentane, qui pour Loménie. Comment voteraient-ils? Pas mal d'entre eux ne voteraient pas. Il y avait des journaliers socialistes, mais le candidat rouge n'était pas encore arrivé de Marseille. La plupart d'ailleurs n'avaient pas le temps de résidence nécessaire pour voter. Ils faisaient du chahut tout le temps, et Loménie gueulait avec eux : *La Sociale, la Sociale!* On connaissait la rengaine : *plus ça va mal...* Sacré Hubert. Pourtant les socialos, ils voulaient nous prendre notre terre, la propriété. Caillaux aussi, alors. Ah! tous ces gens-là, ils s'entendent sur le dos du pauvre monde. Le raisin était à donation, et peu à peu les petits propriétaires prenaient des hypothèques pour continuer à pouvoir cultiver leur lopin. Ils hochaient la tête quand Loménie disait que tout allait de mal en pis. C'était bien vrai. Alors, voter pour l'un, voter pour l'autre. On connaissait un peu le Barbentane, tandis que ce type de Paris... Paraît qu'il était décoré d'une décoration africaine, tu plaisantes, c'est les palmes. Les palmes, aussi. Un savant. Avec toutes ses histoires de voter pour le socialiste, probable que cet Hubert, il voterait pour lui. Il l'avait reçu chez lui à dîner. Ils avaient dû en combiner des fourbis. Cet Hubert est un malin. Il défend nos intérêts au fond, il est un vigneron comme nous tous, et puis il est un peu de la famille. Ce M. Delangle, peut-être que c'est un pas méchant. Il a le bras long, qu'on dit, il en connaît des députés, des ministres. Tout ce monde-là, bien sûr, se moque pas mal des vignerons à quarante-trois sous par jour, mais enfin, si le vieux Loménie s'en mêle.

Le soir, dans l'entrée de Villeneuve, sous les platanes, on faisait la promenade. Il y avait ceux qui buvaient chez Blanc, et ceux qui ne buvaient pas, qui regardaient. Il y avait les amoureux et ceux qui s'en allaient par bandes, les jeunes. De temps en temps, un homme saoul tombait près du bazar, ou vers la fontaine. Le vieux Vidal, peut-être, ou un des Italiens, qui jurait à faire rougir une maquerelle. Il y avait des disputes, mais plutôt personnelles que politiques. Le boulanger cassait de temps en temps la gueule au receveur-buraliste qui flirtait avec sa femme. C'était le paradis sur la terre, Villeneuve. Bien que pour douze sous on n'eût pas bien gras à briffer. Les gens sont maigres par ici, mais c'est la terre. Ils ressemblent à des pieds de vigne, et très vite, sur les quarante ans peut-être, ils commencent à être tordus.

Armand, machiavélique, se faisait inviter à l'apéritif par le père de Suzanne. Par lui, il commençait à s'intéresser aux élections. Si le docteur était battu tout de même... Allons, ce n'était pas ça qui empêcherait son départ pour Paris.

XVI

Dans les splendeurs écroulées du haut Sérianne, ce n'était plus les amours de Marguerite et de Raimbaud qui émouvaient les ombres des valets de chiens; c'était enfin le couple véridique de Pierre Delobelle et de son amoureuse, qui trouvait derrière des pans de muraille le plus beau des hôtels à l'enseigne de l'été. Il est douteux que Pierre et Angélique fussent les inventeurs de cet emploi des ruines. Sans doute que ni les heures ni l'enfance d'Armand n'avaient jadis su lui permettre de voir, comme dès la tombée de la nuit le haut Sérianne se peuplait de romances, et comme jusqu'à la vieille tour de signalisation romaine qui le couronnait des jeunes gens renouaient les mythes anciens sur ses pentes. Vers dix heures du soir, là-haut, quand enfin la nuit était la maîtresse et que la tête de la ville s'enfonçait en plein dans les étoiles, l'air même y devenait tout soupirs. Des chuchotements confus fuyaient dans les ruelles, et le passant solitaire sur son passage surprenait à s'interrompre soudain des murmures, qui reprenaient, après un temps, derrière lui.

Plus bas, la civilisation commençait par le chant d'un phonographe, au « Panier Fleuri », où l'on pouvait entendre les derniers airs de la capitale dans la salle de consommation : *Le Comte de Luxembourg* ou *Rêve de Valse.*

> Un soldat — Racin' l'a décrété
> Ne peut pas — Farder la vérité...

Et dans les rues et les ruelles vers l'Eglise, la place du Marché, la Grand'place, avec la chaleur violente du midi, les gens sortaient, sur le pas des portes, ornées de rideaux de perles pour les mouches, se groupaient en bras de chemise, discutant politique, se promenaient avec leurs femmes, s'arrêtaient dans la lueur des cafés, où d'autres gens qu'on connaissait, fumaient, buvaient et parlaient. La bataille électorale était engagée. La tournée des candidats dans les villages voisins vidait chaque soir Sérianne des hommes passionnés qui ne voulaient pas perdre une miette de colère et d'enthousiasme.

Plus que jamais, les hommes et les femmes de la rue Longue, ceux qui, le rideau baissé, les volets mis, comptaient avec ardeur, dans le négligé de leur toilette, les rentrées et les sorties, ceux qui établissaient le bilan soucieux d'un avenir pareil à un combat où déjà l'on doit avoir affaire à d'autres que soi-même (et à d'autres qui sont âpres et discuteurs), plus que jamais les boutiquiers, les petits patrons, ou simplement les économes, les prudents, ou les rentiers encore, tous ceux enfin qui avaient à défendre un lendemain qui pourrait être pis que la veille, plus que jamais tous ces gens-là éprouvaient un sentiment sur eux de menace. Au jour le jour sans doute, il semblait bien que tout fût calme et sûr, et pourtant. Quand on dressait bien l'oreille dans la paisible nuit sociale, est-ce qu'on n'entendait pas au loin, et parfois pas si loin que tout ça, comme des coups sourds, des clameurs, des plaintes?

On avait beau tâcher de n'y pas penser, c'était d'hier pourtant que dans la France même, à vingt reprises, le sang avait coulé dans de brusques accès de colère. Ce qui régissait ces accès, le pire était bien qu'on ne le comprît point. Des explications diverses, le socialisme, l'Allemagne, ou d'autres disaient la provocation, que pouvait-on vraiment retenir qui expliquât qu'un jour des gens qui n'étaient ni meilleurs ni pires que d'autres, sortissent du train quotidien de la vie avec des yeux de meurtriers, des gestes d'assassin, et qu'on tuât? Les ouvriers sont souvent de grands enfants. Les soldats, ça peut-être vous ou moi. La police même, c'est vrai que chez nous, on n'aime guère la police, le gendarme... mais enfin laissons de côté toute fronde : ces gens-là, ça les empoisonne quand il y a des histoires, voyons. Il faut, disait M. Arnaud père, lire le journal de ce cochon d'Hervé, *La Guerre Sociale*. Alors on se rend compte qu'il n'y a pas que des braves gens sur la terre. Le fantôme rouge à vrai dire n'épouvantait pas chaque jour Sérianne, bien qu'on eût pris conscience de sa proximité, lors de la grève chez Barrel, ou pendant les troubles de la viticulture; la population flottante des vendanges n'était pas un voisinage moins inquiétant que celui de l'usine. Pourtant si l'on avait toujours de pareilles idées en tête, eh bien, c'est tout simple : on ne vivrait pas. On n'aurait pas la force chaque jour de faire son travail, de se réapprovisionner en boutons-pressions par exemple. Ça vous paraîtrait stupide. Alors, on se laissait aller, on se laissait porter par la vie, par son train-train. Nous disions trois tabliers sans bavette, et quatre avec bavette... C'est drôle, ça fait plusieurs fois que je remarque cette année que la vente des tabliers sans bavette baisse. Après tout, c'est peut-être la mode... Et puis, tout d'un coup, qu'on faisait des plans pour équilibrer son mois, qu'il semblait qu'on pouvait prévoir la vente, les rentrées, pan! voilà que les journaux reprenaient le ton alarmiste, pour les événements extérieurs cette fois... Les gens se rencontraient avec des mines. Personne n'achetait plus rien. Et il est vrai qu'une fois c'est le Maroc, l'autre les Balkans, l'autre la Tripolitaine, les rentes russes qui baissent à cause des troubles qu'ils ont en Sibérie, enfin le monde n'est pas bien tranquille, voilà ce qu'on peut dire. On ne sait pas sur quoi l'on danse, ni comment c'est remonté toute cette machine-là.

Evidemment, chacun rejette sur les autres la responsabilité de ce qui ne marche pas. On se regarde en chiens de faïence, mais au bout du compte, que, comme le prétend M. Migeon, ce soit tout la faute aux curés, ou à en croire M. Arnaud, tout machination des Loges, pourtant qu'est-ce donc qui ne va pas? Personne ne veut vraiment le mal, cette idée. On est un peu près de ses sous, peut-être, mais il faut ça pour vivre, et il vient aussi bien des misères de la prodigalité; au fond, si on y voyait clair, est-ce qu'on ne s'aiderait pas les uns les autres? Quand le commerce va, c'est dans le pays comme une détente. Il y a bien les gros, les grands magasins, les compagnies. Ils font vivre aussi des gens, n'est-ce pas? Avec de bons députés, qui sauraient défendre les produits locaux, comme on en aurait peut-être avec la proportionnelle, plusieurs choses s'arrangeraient. Ça faisait quelques années qu'on en parlait, de la proportionnelle, et on ne la voyait toujours pas venir. Peu à peu, même ceux d'abord qui avaient toutes sortes de raisons contre, tout le monde à force d'en discuter, s'était mis à avoir un espoir vague, mais fort, dans ce remède social, la Proportionnelle, qui semblait devoir en finir avec les abus, la malhonnêteté humaine, les mares stagnantes, la concurrence déloyale, toutes les vilenies à quoi on était tout de même mal accoutumé.

Et puis, dans la lutte pour la Proportionnelle, on avait fait l'épreuve d'une étrange aventure, qui avait à ses heures quelque chose de réconfortant : on avait vu des hommes qu'on croyait des ennemis jurés, des socialistes et des conservateurs, s'entendre tout à coup sur un point. La loi électorale mettait ainsi en évidence, chez des gens que tout semblait séparer, le même dégoût devant certaines turpitudes, le même espoir dans un idéal de justice. La bonne foi. C'était comme une promesse d'union de tous les Français, un mirage qui faisait toujours recette, allez, et l'idée que ce n'était pas qu'une rêverie, mais que devant un danger commun peut-être on pourrait réaliser cela, faisait presque souhaiter, tenez, un danger de ce genre-là. Au fond, est-ce que les Rinaldi, et bien d'autres, ne votaient pas pour le radical Barbentane? Est-ce que tous les ouvriers étaient socialistes? Non. Alors. Ça prouvait seulement qu'il y a partout des braves gens, et que les braves gens, au-dessus des partis, s'estiment entre eux, vous ne pouvez pas empêcher ça.

Cependant, toujours, quand il y avait des élections quelconques, la température montait. Comme un accès de fièvre. Quand est-ce que ça commençait, cela aurait été difficile à dire. Enfin les gens ne se parlaient plus, ou s'abordaient trop poliment. Pendant quelque temps, certains faisaient encore semblant de n'avoir rien entre eux qui les divisât. Puis ça se mettait en train. Des criailleries. Des gens qui jouaient aux cartes et qui se les flanquaient par la figure. Ça prenait des tours inattendus, des fois vous auriez dit qu'il ne s'agissait pas de politique, et puis creusez un peu : l'intérêt de celui-ci n'était pas le même que l'intérêt de celui-là, on ne soufflait pas mot de l'impôt sur le revenu par exemple, on s'attrapait à propos de bottes, pourtant c'était là ce qui faisait qu'on prenait tout mal l'un de l'autre.

Là-dessus les affiches poussaient sur les murs. Les cafés prenaient parti. Il y avait quelques réunions, on s'était trouvé soudain les uns d'un côté, les autres de l'autre. La discussion commencée sur le pas de la porte se poursuivait dans les petits journaux qui naissaient toujours dans ces moments-là, sur les affiches suivantes. Les injures. Enfin la campagne était ouverte, et les espoirs et les haines n'étaient plus des abstractions, les craintes prenaient corps : il y avait les candidats. En général, une famille, c'était tout d'un : les mêmes raisons vous

XVII

Pierre jouait avec les mains d'Angélique : « Tes pattes! » dit-il. Elle sourit, les regardant, très humble. Il avait raison, Pierrot, c'étaient des pattes. On ne pouvait pas les appeler autrement, ces mains forcies par le travail, rouges, aux doigts gonflés, douloureux, avec des longues lignes partout. Pas comme les mains de Pierrot, des vraies mains de demoiselle, malgré les taches d'encre, et qu'elles n'étaient pas soignées. Mais petites pour un garçon, les doigts fins. Elles n'avaient pas lavé par terre, fait la vaisselle chaque jour du bon Dieu. « Tes grosses pattes! » dit encore Pierre. Elle acquiesça, des grosses pattes. Il fit tout à fait l'enfant gâté : « Tes vilaines grosses pattes! » Et voilà qu'elle avait éclaté en sanglots. « Gélique, Gélique, ma douce, ma à moi! » Il s'inquiétait, il cherchait à écarter maintenant les grosses pattes pleines de larmes des yeux qui se dérobaient. Angélique se détournait, résistait : « Rien, rien, c'est bête, c'est rien, c'est bête... » Pierre lui caressait les bras, si doux les bras : « Gélique j'ai pas voulu te peiner, elles ne sont pas vilaines, les patoches, elles sont pas grosses, c'est pour parler... »

Les herbes folles dans une cour dévastée où les briques tombées faisaient comme un petit tombeau de ce qui avait dû être un départ d'escalier, plièrent sous le couple lutteur. Déjà les sanglots se calmaient dans les rires. « Laisse donc, soupira la fille, j'aurai l'air de quoi, rentrant! » Il lui défaisait son corsage.

Mme Eugène attendait sa bonne sur le seuil du magasin. L'Angélique maintenant, tout lui était bon pour s'absenter. Et c'était pour cinq minutes toujours, et ça vous durait une demi-heure. Elle revenait, rouge, essoufflée, comme une qui a couru. Elle n'avait plus la tête à l'ouvrage, elle était dans les nuages, elle ne répondait pas quand on lui parlait. Même que l'autre jour elle avait chanté. Un comble!

Mme Eugène avait terriblement engraissé, et quand elle se baissait pour ramasser quelque chose, sa vue se brouillait, elle avait des cloches aux oreilles. Ce n'était pas pour avoir tout à faire chez soi. Sans compter que cette fille devait être amoureuse. Elle n'y aurait peut-être pas pensé toute seule, parce que ce n'était pas son tour d'esprit de s'occuper des gens, et encore moins de sa bonne, ce qu'elle pensait, ce qu'elle sentait. Mme Eugène demandait tout juste à son mari de ne pas jeter les sous par la fenêtre. Au delà... Mais ces lettres qui étaient arrivées, l'une après l'autre, depuis dix, douze jours, lui avaient mis la puce à l'oreille. Une fois qu'on y avait pensé, c'était évident. Elle courait le guilledou, l'Angélique. Son galant, ça devait être un pas grand'chose, qui ne travaillait pas, parce qu'elle filait comme ça, à n'importe quelle heure.

Tout de même, on ne la payait pas pour ça, l'Angélique. Qu'elle trompât M. Eugène, ce n'était pas ce qui aurait empêché Mme Mestrance de dormir. Mais d'abord, si elle couchait avec le premier venu, elle pouvait flanquer qui sait quoi à cet Eugène. C'était moins sûr que le « Panier Fleuri ». Moins cher, c'était encore à voir, parce que s'il fallait des pharmacies...

« Gaston, va donc voir si tu vois où elle traîne, Angélique... » Gaston l'aurait envoyée au diable, sa mère, tout à jouer aux billes avec le fils du menuisier. Il faisait un peu semblant. Quelle scie, alors, quelle scie, cette Angélique! tous les jours maintenant la même histoire. Quand elle rentrait, il s'approchait d'elle à la dérobée, et il la pinçait: « Monsieur Gaston! » Quel sale mioche, déjà comme son père! « L'Angélique, je le dirai à maman, que tu es sortie aussi ce matin. — Petite teigne, je ne te donnerai plus de sous! » Ça, il n'y avait pas de chance. Gaston savait bien que ses menaces portaient fruit. La bonne, pour avoir la paix, lui payait des billes, une toupie. Tout ce qu'elle gagnait filait comme ça, et à des douceurs pour Pierrot. Ce Pierrot! Elle lui avait donné une médaille de Jeanne d'Arc en vermeil, pour laquelle elle avait travaillé un mois. Ensuite, il avait fallu une chaîne, pas? Jeanne d'Arc veillait comme ça sur lui sous les vêtements, sur sa peau. Angélique, au fond, était un peu jalouse de Jeanne d'Arc.

M. Eugène, il n'y avait pas de milieu. Ou il était après vous pendant des heures, ou il ne se portait pas bien, il devenait regardant à l'ouvrage. Il vieillissait. Il avait besoin maintenant pour arriver à son plaisir d'y penser longtemps à l'avance. Il tournait autour d'Angélique, il la pelotait, il lui disait des grosses cochonneries, des mots d'ordure, il prétendait la garder tout le jour à portée de la main, pour quand ça lui viendrait, et il croyait tout le temps que ça allait lui venir, et puis pas du tout, pas si souvent que ça. Il se fâchait contre Angélique quand il n'avait pas suffisamment l'envie d'elle, alors il renversait une boîte par terre, pour qu'elle ait à en ramasser le contenu, ou il salissait exprès les carreaux et gueulait que c'était d'une saloperie, mais alors d'une saloperie, cette boutique! Il lui marchait sur les doigts pendant qu'elle lavait. Il se bouchait le nez : sûr que le vieux avait encore fait sous lui! Elle devait le déculotter, parfois pour rien. M. Eugène regardait la scène, ironique. Il faisait des remarques sur l'anatomie de son beau-père.

Quand sa femme lui toucha un mot d'Angélique, sans parler des lettres bien entendu, parce qu'il aurait pu en faire une crise, il commença par ricaner sans trop se fâcher contre elle: « Bon, bon, madame Sainte-Nitouche, voyez-moi ces gros sabots! Mais, dis-le, dis-le donc qu'Angélique a un greluchon! — Je ne dis pas ça, je m'étonne... — Et pourquoi tu ne le dirais pas si c'est la vérité? Oh! elle en est bien capable, une tranche-moi-ça-que-j'en-crève, une tiens-mon-cul-qu'-il-s'envole, une j'avale-tout, une... »

Il était simplement cramoisi. Tout d'un coup, sa rage retomba sur Mme Mestrance :

« Quant à toi, sale pute, mère maquerelle, ça te fait jouir, c'est clair, tu t'en rinces! Hein, ça te plairait, sacrée garce, que je sois cocu, tu ne serais plus la seule? Eh bien, je m'en fous, imagine-toi, mais alors là, totalement. Elle peut se faire enfiler et renfiler, en long, en large et en travers, ça ne me fait pas ouf! Ça te la coupe, ça? »

Après quoi, il avait couru parce qu'il y avait un client qui appelait en bas : il avait essayé tous les melons du magasin. C'était pour un mariage. Mme Eugène n'était pas dupe. Elle vit bien que son mari surveillait la bonne, maintenant. Angélique ne voulait pas en parler à Pierre. Pourtant, elle se défendit parce qu'il la retenait. « Non, non, M. Eugène va s'apercevoir. — M. Eugène! Tu ne m'aimes plus. Gélique, je t'ai dit de ne jamais me parler de cet affreux bonhomme... »

Il lui avait fait une scène. Elle ne lui parlerait plus de M. Eugène. Pierrot avait composé un grand poème pour elle. Comme qui dirait une chanson qu'on ne peut pas chanter. Quand il le récitait, c'était drôle, pas bien clair, mais très doux, on avait envie de rire et de pleurer.

M. Eugène avait cherché à savoir. Un jour, il l'avait suivie. Elle l'avait bien vu, heureusement. Elle était allée bavarder avec Mme Reboul, qui n'était pas fière, et qui lavait son linge sous une voûte de la ville haute. L'idée lui en était venue à voir le ruisseau bleu de la lessive. Et puis, Marie Reboul, la femme du marchand de meubles, se sentait triste et très seule depuis quelque temps. Son ami, le jeune Arnaud, la délaissait. Il partait pour le régiment, et déjà il était saoul, et cela presque chaque jour. Aussi Marie recevait-elle toujours gentiment Angélique. Un être humain, pas.

« Je voudrais bien savoir, demanda ce soir-là Mestrance à Reboul, pendant qu'ils jouaient au billard avec Respellière qui tracassait sa moustache de chat, au café, pourquoi ma bonne est *tout le temps* fourrée chez ta femme? Tu peux m'expliquer ça? »

Ils étaient de vieux copains. Maçons tous les deux. Reboul savait les liens de l'autre avec sa bonne. Ces relations lui parurent déplacées, et ce soir-là, en rentrant, le colosse battit sa femme un peu plus fort :

« Ah! je t'apprendrai, moi, à faire des potins avec des gueuses... Ah! je t'apprendrai... Et celui-là sur ta belle gueule... Avec des poufiasses... Qu'elle leur lave les fesses à tous dans la famille... Oui, même au gosse, que je te dis... Je t'apprendrai, moi, à en avoir, de la tenue, et si je la prends, cette Angélique... »

Adrien Arnaud fêtait son départ au « Panier Fleuri ».

XVIII

Le Dr Lamberdesc soupira. Sa jeunesse foutait littéralement le camp dans ce trou de Sérianne. A quoi lui servait ici son physique de casseur de cœurs? Il commençait à se lasser de Mme Butterfly, comme il appelait pour sa propre jubilation Thérèse Respellière. Elle lui avait déjà raconté toutes ses histoires d'Indochine une demi-douzaine de fois et le percepteur abusait légèrement de son amabilité forcée en faisant déranger le docteur même de nuit pour ses accès de paludisme. Même de nuit. Pour la peau, bien entendu. Avec ça, que l'ancien colonial était râleur dans ces moments-là. Il avait jeté un pot de fleurs à la tête de son épouse, et quand Lamberdesc avait fait mine de s'interposer, le mari avait pris un air plus mari que nature pour gronder un : *Ah, je vous conseille!* qui en disait long sur les ignorances prétendues du bonhomme. Qu'est-ce qu'il avait comme amusements? Se promener un peu dans sa Peugeot, la belle affaire!

L'arrivée de Delangle avait un peu éclairci la vie. Ils s'étaient connus jadis au quartier, bien que Delangle fût son aîné. Ça avait été une rencontre de hasard, il n'avait d'abord pas cru qu'il s'agissait de ce Delangle-là, dont même il devait n'avoir connu que le sobriquet. On l'appelait... Comment l'appelait-on? Ça n'a pas d'importance. Une veine que Delangle fût le candidat modéré. C'était donc tout naturel de se montrer avec lui en public. Ça tombait bien :

« Imagine un peu que si tu avais été socialiste, dans ce maudit trou, nous n'aurions même pas pu nous saluer. Non, non. J'y aurais perdu ma clientèle. Ma clientèle! Si tu voyais ça, comme raclures, comme rats de sacristie et comme chaisières! Et tous crachent, ont des chats dans les poumons, une oreille qui suinte, un pied qui remue. Il y a un urémique qui a si peur d'une crise qu'il vient tous les matins me souffler dans le nez, histoire que j'y renifle l'haleine. Je fais des ponctions dans des ventres pleins d'eau, je badigeonne à la teinture d'iode des utérus légitimement endommagés, je pose moi-même des ventouses à un général en retraite. Enfin, c'est une vie comme une autre, que veux-tu. — Je te sortirai de là, quand je serai élu. »

Delangle disait ça mécaniquement à ce vieil ami retrouvé comme à tout le monde. Il promettait du matin au soir. Il avait un gilet gris, en piqué, rayé ton sur ton, une ravissante invention de Charvet, et Thérèse Respellière lui faisait clairement des sourires, bien que son mari fût un électeur de Barbentane. Mais Delangle était un galant homme, et il avait compris à demi-mot de quoi il retournait avec Lamberdesc. Il lui glissa, que puisqu'il soignait le percepteur, il devrait tâcher de le faire voter pour lui. Mais c'était sans grand espoir. D'autant que les crises se rapprochant, dans les derniers mois, Respellière, dont la calvitie s'aggravait, devenait tout à fait intraitable. Et mal embouché avec ça.

Comme Lamberdesc se lançait, à l'heure de l'apéritif, dans une grande histoire sur un copain perdu de vue, et que Delangle pendant ce temps repassait les notes qu'il avait prises sur l'état des chemins vicinaux, et les revendications propres aux vignerons de Villeneuve (une idée de petite route risquait de lui donner avantage sur Barbentane), on vint chercher le jeune docteur pour un accident qui avait eu lieu en gare. Une fausse manœuvre. Un cheminot écrasé. Quelle vie de dévouement! Et pour ce que ça rapporte! Le cheminot habitait au diable vauvert, il avait tout le bassin écrasé, un fémur qui crevait la peau. Pourquoi ne l'avait-on pas porté à l'hôpital? Incompréhensible. Maintenant, trimballer *ça!* Dans le linge sale du lit, avec la veuve... enfin c'est comme si déjà... qui chialait et un gosse maigre et terrorisé dans ses jupes, le moribond à chaque mouvement hurlait, le visage creusé de douleur, jaune-vert, les yeux enfoncés dans une ombre de sueur. Il avait dû avoir quelque chose au thorax par-dessus le marché. Il râlait entre deux hurlements. Au milieu de tout ça, une idée se confondait avec la douleur et la mort qu'il voyait s'avancer vers lui : « Le petit... le petit... » Ah! je vous assure qu'il faut avoir le cœur bien accroché. Ça puait là dedans, des eaux ménagères, le seau pas vidé! Une turne misérable, dans le quartier de l'usine. Il y avait des voisins sur le pas de la porte, comme si on avait eu de l'air à revendre.

En sortant de là, le docteur s'était senti tout faible, comme il passait devant le garage. Il y a un café, juste au coin de la rue, en face. Il en venait de la musique, et des ouvriers, des employés de chemin de fer y parlaient fort, y riaient. Bon, ça me changera les idées. Il s'assit à la terrasse et s'envoya un Pernod. On prend l'habitude du Pernod, dans ce Midi.

A l'intérieur, il y avait une dizaine de personnes, et des conscrits. C'était juste avant le départ de la classe. Le patron rinçait des verres derrière le comptoir. Dans le fond, un violoneux jouait un air que chantait une femme brune, de type gitan, avec une robe de foulard et un fichu rouge; de grandes boucles noires autour d'un visage plus étrange que beau. Mélodiquement, ce n'était pas bien malin ce qu'ils faisaient là : l'homme jouait et elle chantait à l'unisson une mélodie assez simplette, mais que tout le monde devait connaître à voir comme on remuait la tête dans le café :

L'acier de coutre de charrue
Vaut mieux qu'un canon de Lebel.
L'un produit pendant qu' l'autre tue.
L'un nourrit, l'autre-est-cri-mi-nel!

Et tout le café reprenait en chœur, tandis que le violon, un homme fort, assez mal rasé, brun, un Marseillais probable, scandait le refrain sur son instrument en dirigeant les voix de la tête et de l'archet :

Non, non! Plus de combats!
La guerre est u-ne-bou-che-ri-e.
Ici, comme là-bas,
Les peuples n'ont qu'u-ne-pa-tri-e!

Cela unissait tous ces hommes jeunes et quelques vieux, et des filles aux yeux brillants. Les brevets *Bon pour le service* branlaient ironiquement aux casquettes. Eh bien, la propagande socialiste n'était pas mal faite! Il fallait raconter ça à Delangle. La bohémienne parcourant les campagnes pour débaucher les conscrits... Un joli sujet de conte, ma foi, pour quelqu'un qui saurait écrire. La femme chantait encore :

Un champ vaut mieux qu'un cimetière
Pour le bien de l'humanité.
Crions par-dessus les frontières :
La Paix, c'est la fraternité!

Et voici que dans les voix qui grimpaient un peu fausses, mais généreuses, sans ménager les poumons :

Non, non! Plus de combats!
La guerre est u-ne-bou-che-ri-e...

Lamberdesc reconnut un timbre déjà connu. Il n'était pas fou, oui, là-bas, au milieu des conscrits, avec à la boutonnière l'insigne de *Pro Patria*, Armand Barbentane, le fils du maire, son concurrent, solfiait le refrain antimilitariste.

C'était la dernière toquade d'Armand, et le pur et simple résultat de son aventure avec Suzanne, si bizarre que ça paraisse. A force de discuter avec ce vieux réactionnaire de Loménie, il avait perdu la foi patriotique, comme il avait perdu la foi tout court. Le malheur avec Armand était que, quand il donnait la réplique à quelqu'un, il se forgeait un personnage, il se jetait dans la contradiction avec une telle force, qu'il se convainquait lui-même. Il avait commencé à jouer le rôle de l'antimilitariste, et ça y était : il s'était pris au sérieux. Même qu'il s'était disputé là-dessus avec Pierre Delobelle, et Etienne. Il n'en avait pas fallu davantage pour l'ancrer dans son idée. La scène s'était passée au patronage, où il y avait des conscrits, des ouvriers, qui s'étaient regardés entre eux, et qui se poussaient le coude. Quand Etienne, qui allait partir à la caserne comme Adrien Arnaud, s'était fâché tout rouge, et avait crié qu'Armand était un baveux, et que les types comme lui on les foutrait au poteau en cas de guerre, ça avait failli faire une rixe. Heureusement que l'abbé Petitjeannin n'était pas là! Enfin, à la sortie, c'était dimanche, quatre des conscrits, un petit gros qui rigolait tout le temps, un long qui avait les lèvres minces, et deux autres, des solides, un avec de gros sourcils, l'autre le nez écrasé, avaient entraîné avec eux Armand, comme un nouvel ami, tout étonnés d'eux-mêmes et de lui, et ravis, et ne sachant plus comment rester ensemble, et se marrer, et se signifier qu'on était des copains, des types prêts à se faire casser la gueule les uns pour les autres, et pas pour leur patrie, ah, non! Alors, pas pour leur Patrie. Le fils à Barbentane. Ça alors! Ils lui avaient payé à boire. Et vive la sociale! Ils étaient tous socialistes, et internationalistes, rouge bon teint, comme disait le petit gros. On leur en ferait baver au service, c'est entendu, mais faut pas croire que ça se passera comme ça. Quand on reviendra dans deux ans, le temps que les tifs vous repoussent, il ne restera plus rien, plus rien de l'armée, on oubliera tout ce qu'ils nous auront appris. Leurs fusils! Tiens, regarde ce que j'en fais, de leurs fusils! Le grand long balayait la table des verres. Le patron intervint, qui c'est qui payera! Moi, dit Armand. On lui fit fête, et là-dessus étaient entrés les musiciens.

Armand regardait la femme avec un attendrissement certain. Elle était jeune, et sa poitrine remuait quand elle chantait. La bière rendait tout assez confus, il faisait très chaud. On apprit le refrain de la chanson.

Non, non! Plus de combats!

Quand le Dr Lamberdesc vit ce tableau de la terrasse, il ne fut pas touché comme d'autres l'eussent été sans doute devant les conscrits, leur jeunesse, et cette santé populaire, cet esprit de révolte qui avait sa grandeur. Non. Il se sentit pris d'une hilarité reposante après cette histoire de cheminot écrabouillé. Il plissa méchamment ses redoutables yeux de velours. Le petit cureton! Celui qui faisait parler la ville pour sa piété, là à brailler avec ces lascars, et saoul comme une grive, ma parole! Il raconta l'histoire en rentrant à Thérèse. Elle voulait justement se remettre au piano pour chanter en s'accompagnant du doigt. Elle s'interrompit. Le petit? le jeune Armand? Elle ne riait pas. Elle avait là-dessus un point de vue de femme. Celui qui se préparait à être prêtre? Oui, oui.

« Si sa mère savait ça! » dit-elle avec un accent de conviction profonde qui égaya Lamberdesc. En même temps, elle était un peu rêveuse. Elle se mit à fredonner : « *Sur la mer calmée...* — Oh, ta gueule! coupa sans périphrase le docteur, viens donc ici qu'on bavarde. »

C'est-à-dire qu'ils se turent aussitôt.

XIX

« Comment pouvez-vous parler et agir ainsi, Armand, vous qui voulez consacrer votre vie à la religion? »

Comme depuis un moment, affalé dans les vignes, et terriblement intéressé par un faucheux dont la démarche rappelait celle d'un de ses professeurs de la préfecture, Armand ne suivait plus les paroles de Suzanne, il ne sut pas si la jeune
mée, les Trois Ans, le Drapeau, les Généraux, la Patrie, ou si
fille s'indignait des propos qu'il lui avait tenus contre l'Ar-
ce qu'elle disait se rapportait à la sortie qu'il venait de faire, parce qu'elle se refusait à reconstituer avec lui ces scènes minutieusement décrites par Pierre Delobelle, dont Pierre était avec Angélique le héros voluptueux.

C'était de l'antimilitarisme d'Armand qu'elle s'indignait. Quel toupet! Et alors se tripoter dans les coins avec une grande sale comme elle, ça, elle trouvait ça tout naturel de quelqu'un qui se consacrait à la religion?

Enfin, ils se fâchèrent. Comme Armand là-dessus s'absenta pour se présenter au bachot, la brouille fut une brouille pour de bon. A Aix, le temps de l'écrit et de l'oral, la tête du jeune homme marcha d'une belle allure. Pas pour ce qui touchait Suzanne. Avec celle-là, c'était réglé. Mais enfin, seul, avec un peu d'argent, déjà comme un homme, il se sentait maître de son avenir. Il songeait au théâtre, aux obstacles du côté famille. Il avait jeté par la portière du train l'insigne de *Pro Patria.*

Pour se prouver son independance et avec ce même goût du schisme qui l'avait jeté dans l'hérésie nestorienne, au débarqué il se munit des journaux qu'il n'eût point osé lire devant les siens : *La Bataille Syndicaliste, l'Humanité.* La lecture de ces feuilles faillit avoir sur lui tout juste l'effet inverse de celui que lui-même y cherchait. Ce maudit esprit de contradiction : non point qu'il le repoussât vers l'église, et les briseurs de grève, non. Mais au fond, blessé de ce qu'il y avait d'outrancier dans les articles qu'il parcourait, sautant ce qu'il ne comprenait point, à cause du jargon, et de toutes sortes d'histoires dont il ignorait le point de départ, Armand se regimbait devant ce qu'il trouvait sommaire dans tout cela. Pour un peu, il en serait devenu radical, comme son père.

Pierre passant latin-langues ne devait se présenter que huit jours plus tard; il n'y avait à Aix que deux ou trois Sériannois, avec lesquels Armand était peu liés. L'un d'eux, Paul Cotin, le neveu de cette dame Cotin, qui avait eu un si bel enterrement en 1911, il le connaissait de *Pro Patria*, et ils s'en furent au café ensemble et fumèrent un cigare offert par Paul. C'était un blond dégingandé, avec des manches trop courtes. Voyant les journaux de son camarade, il s'en choqua vivement.

« Oh une fois par hasard, il faut bien s'instruire! » dit Armand, mal à l'aise. Mais aussitôt il se repentit de façon amère de cette lâcheté, paya les deux consommations et s'en fut.

Oh, il n'avait pas la tête à son examen! Une nouvelle histoire lui montait l'imagination. Et quand il serait socialiste? et quand il penserait comme ci ou comme ça, où serait le mal? C'était comme un nouveau rôle à apprendre. Les journaux, il se forçait à les lire de bout en bout, et à en admettre le ton le plus révoltant. Tout comme il se forçait dans la rue à planter ses yeux droit dans les yeux des femmes.

Il passa son écrit et son oral tant bien que mal. Dans le programme latin-grec, rien ne concernait les nouvelles préoccupations du personnage qu'il s'était mis à incarner. Est-ce qu'il saurait avec des socialistes parler le langage qu'il faudrait? C'était un peu comme jadis avec les fourmis... Mais les mots neufs et maladroits empruntés à la presse, Armand n'était pas sûr de pouvoir les prononcer. Ce n'était pas tout à fait comme avec les fourmis. Cotin disait qu'une chose à faire serait de s'introduire chez ces gens-là et de pousser tous leurs paradoxes jusqu'à l'absurde, alors ça ferait échouer toutes les entreprises des meneurs, parce que les crédules, la masse, vous suivraient forcément. Armand écoutait ça d'une oreille pas tout à fait fidèle, parce que le jeu ressemblait aux siens, sauf que lui il ne se préoccupait pas de faire échouer, mais de faire aboutir. Serait-il pris au sérieux? Quelle sorte d'homme est-ce que ça pouvait bien être, ce Jaurès, à qui son père reconnaissait un certain talent? M. de Loménie disait ordinairement qu'il aurait fallu le fouetter devant tout le monde. Armand se moquait pas mal de cette vieille canaille de propriétaire et de sa vicieuse de fille, maintenant. S'il n'avait pas tant craint les mauvaises maladies, à Aix, il se serait bien arrangé sans elle, *sans eux*.

Entre l'écrit et l'oral, il aperçut Mestrance dans la rue, endimanché. Le marchand de perles venait se réapprovisionner : Sérianne avait épuisé son stock de vénération mortuaire. Armand pensa avec plaisir que pendant ce temps-là, Angélique était toute à Pierre Delobelle. Peut-être comptait-il un peu trop sans les suspicions de Mme Eugène.

C'est comme il répondait à l'examinateur de math, sa faiblesse, que tout à coup l'idée de Cotin lui revint, et la craie au tableau s'écrasa avec un bruit désagréable. Au fond, c'était une saloperie, cette idée-là. Sur le moment, il n'en avait pas eu conscience... « Eh bien, monsieur, le volume de la pyramide? » De quoi se mêlait-il, celui-là? Les pyramides, je vous demande un peu le besoin qu'on a de mesurer leur volume! Comment avait-il été reçu? Le jeune Cotin, lui, n'avait qu'à se représenter en octobre.

Là-dessus, il se reprit à penser à son père, à sa mère, aux Rinaldi de la plaine : qu'est-ce qu'il avait à faire avec tous ces gens? C'est vexant, on les lui reprocherait sûrement, chez les socialistes. Il y avait des phrases dans les journaux qui lui faisaient revenir, comme des bouffées de honte, des conversations de la maison, à quoi il n'avait pas attaché sur l'instant d'importance. Comme on y supputait les biens des Rinaldi, l'héritage, les vignes, et ces actions pour lesquelles son père et sa mère se chamaillaient! Tout cela, quelle profonde, quelle abominable horreur!

Il se jurait qu'il n'accepterait rien des siens. On n'est pas forcé d'hériter peut-être? Il se souvenait pourtant vaguement d'avoir un jour entendu sa mère parler de quelqu'un qui avait refusé l'héritage de ses parents. Un monstre. Mais c'était qu'il ne voulait pas reconnaître les dettes des siens. Alors, ce n'est pas la même chose...

Une lumière nouvelle baignait pour son fils le personnage du Dr Barbentane. Sans doute, dans son enfance, l'avait-il considéré comme l'Antéchrist : mais ça! On ne peut pas dire que ce soit grave, grave. Tandis que maintenant, pour la première fois, à cause de tout et de rien, comme il vivait, comme ils vivaient tous, la famille, voilà qu'il se demandait s'il ne fallait pas le regarder comme un salaud. Son propre père. Vous me direz que l'amour filial ne l'étouffait pas. Mais de là à penser que son père était un salaud. Très honnêtement il en avait la suée. Peut-être que la saison y était pour quelque chose.

En rentrant à Sérianne, il trouva la ville sens dessus dessous. On était en plein dans les élections. On s'était battu dans des réunions, dans le faubourg, entre socialistes et membres de *Pro Patria.* Etienne Delobelle, juste le soir d'avant son départ pour le régiment, en avait rapporté un œil au beurre noir, mais un ouvrier avait reçu un coup de matraque, qui lui avait fendu le crâne. Il délirait depuis trois jours à l'hôpital. Trois enfants. Là-dessus, ça avait fait du vilain à l'usine, à cause de ce qu'on savait bien que *Pro Patria* c'était Barrel qui en était le vrai patron. Il y avait eu une grève des bras croisés en protestation. Barrel était fou de cette histoire. Ce n'était pas un mauvais homme, il se tenait pour un peu responsable de ce crâne cassé, il se tirait sur ses moustaches, ça lui donnait l'air de a'arracher les poils du nez, il ne savait que faire envoyer à la famille des choses absurdes, des gants fourrés. En juillet!

Barbentane, extrêmement agité, racontait le fait, légèrement ironique, à ses fils. Car Edmond était déjà là depuis quinze jours, qui bayait aux corneilles. Ce n'était pas la même chose de jouer avec M. Migeon qu'avec Adrien, maintenant mobilisé. Il prenait ses quartiers au « Panier Fleuri », où M. Robert, le patron, lui faisait des passe-droits : le fils du maire! Il était bien sûr de retrouver ça sous une forme ou une autre. Il y avait là une blonde, Germaine, qui se plaisait à s'envoyer le jeune étudiant, et lui, ça le flattait. Tout le monde était content.

Tout ça faisait une bouillie dans la tête d'Armand. Il était comme un soldat qui rentre à la chambrée, en permission de minuit, quand les autres y sont déjà enfermés depuis plus de trois heures, avec les godasses, la transpiration, les pieds et les fenêtres closes, et que ça chelingue, je vous prie de croire.

Sérianne chelinguait ferme au soleil de juillet.

Mestrance, qui se doutait de quelque chose, battait Angélique. Elle montrait en pleurant ses bleus à Pierre, qui en devenait rouge, puis blême, et serrait les dents. Mais qu'est-ce qu'il pouvait y faire? Elle oubliait vite avec lui les mauvais traitements, « tu m'aimeras toujours, dis, toute la vie ». Toute la vie.

A une réunion, à Villeneuve, où Armand s'était rendu moins par désœuvrement que par inquiétude, le Dr Barbentane, attaqué par le socialiste, avait été sommé de s'expliquer sur l'éventualité des Trois Ans, réclamés par les journaux de l'Etat-Major. Il s'était prononcé avec violence contre toute prolongation du service militaire :

« C'est assez cher nous demander déjà que de nous priver pour deux récoltes des bras de nos jeunes fils. Peut-être rêve-t-on ailleurs à de sanglantes vendanges. Nous, pacifiques travailleurs, nous exigeons que la jeunesse... »

Dans un coin de salle, avec son gros nez et son œil rouge, le vieux Loménie, sardonique, applaudissait à tout rompre. Il criait : « Le service d'un an! Six mois! Et allez donc! » Il fit de loin un petit salut de tête à Armand.

Le lendemain, à Sérianne, à une réunion contradictoire où Barbentane et Delangle se trouvaient à la tribune, le candidat modéré, avec son beau gilet gris, avait parlé de la France d'une façon très touchante, agité le spectre allemand, la loi votée récemment au Reichstag. Il y avait eu quelques sifflets quand le maire s'était levé pour répondre. Il était visiblement ému: « Nous sommes, dit-il, résolument contre tout ce qui peut mener à la guerre, contre l'aggravation de ce qu'on appelle d'une façon sinistre l'impôt du sang. Mais si on nous démontre que la loi du Reichstag met en danger la Patrie des libertés républicaines, si l'Empire allemand menace notre terre de démocratie, croyez-vous, citoyens, que nous refuserons à la République, à la France républicaine, les armes dont elle a besoin? Nous n'oublierons pas, j'en fais ici le serment, nos ancêtres de Valmy, nos pères de 93! » La barbe du docteur se perdit dans les applaudissements.

Armand désormais, chaque sou qu'il avait des siens, chaque repas à la maison lui était un supplice. Evidemment, ça ne durerait plus longtemps, il gagnerait sa vie au théâtre, mais en attendant. Il devait filer à la gare en cachette pour lire ses journaux. En chemin il les jetait après en avoir fait une boule. Son père était-il vraiment un salaud? Il parlait d'argent, très fort, avec sa mère, justement, dans la pièce à côté. Il s'agissait des sommes que Mme Barbentane donnait au curé.

A qui tout de même s'ouvrir de tout cela? Pierre, autant parler à une bûche. Sauf qu'il s'était mis à faire des vers, et quels vers, Dieu du ciel! Dans cette petite ville pourrissante, il n'y avait pas âme qui vive pour Armand. Il imagina de parler à Vinet, le candidat socialiste.

XX

« Ah ça, alors, pour un revenant, c'est un revenant! — Non. faut qu'il y soit tombé une dent! »

On le regardait, on le faisait tourner sur lui-même, avec son petit complet d'alpaga gris, on se le poussait, on rigolait. M. Robert, une espèce de boxeur, avec des pattes aux oreilles, et un veston marron clair, avait claqué dans ses mains, et Madame avait appelé tout le monde au salon. Les portes des étages s'étaient ouvertes, même chez Zoé qui travaillait avec un fermier des environs. On avait tout de suite compris qu'il s'agissait de quelque chose d'inhabituel, une bonne rigolade, et on rappliquait. Les treize pensionnaires du « Panier Fleuri » ramassant leurs bas, leurs voiles de couleur, et leurs chemises de fantaisie, envahissaient l'estaminet, où Mélanie, la bonne, elle-même, avait été admise pour le retour de l'enfant prodigue.

Les consommateurs, trop jeunes pour vraiment apprécier la situation, le fils du maire tout le premier, un beau gosse, le béguin de Germaine, faisaient semblant de saisir de quoi il retournait. Le client qui valait tout ce remue-ménage était schlass, mais ce qui s'appelle schlass. M. Robert le fit asseoir, tout de suite, entre Pierrette, Claire et Bertha, les aînées de la boîte. Madame remontait le phono. Et lui-même se planta devant la table en faisant signe à Mélanie : « Du champagne! Et du bon! c'est moi qui offre! » avec ce clin d'œil dont l'effet était immanquable : tous se tordirent. Oh, ce Robert! Pour un blagueur!

En haut, dans l'escalier, le fermier, en bannière, appelait

Zoé, furieux : « Dis donc, madame, j'attends tes fesses! » Zoé s'excusa auprès de l'arrivant, se remit du rouge et grimpa.

C'était un charmant petit estaminet que l'estaminet du « Panier ». Tout décoré de roses, comme une tonnelle de fleurs, et au-dessus du bar une grande toile, probablement due à un maître célèbre, représentant une jeune fille nue d'une pudeur inquiétante, qui arrivait à cacher ses seins mêmes, et à rendre décentes ses hanches à peine nubiles à force d'ingénuité. Aux tables de marbre, les couples se formaient. On causait. Car, pour le reste, il y avait les chambres, peut-être.

« Alors, dit M. Robert, c'est un accès de revenez-y, ou c'est pour de bon? — Il en a assez de sa bourgeoise, dit Bertha, une grassouillette avec des cheveux beige. — Sa bourgeoise! »

Pierrette haussait ses maigres épaules. « Madame veut faire celle qui est au courant, elle ferait mieux de se taire. — Comment, comment? C'èst un client à mézigue, non? » Claire intervint : « Laissez-le parler, vous êtes bassin, alors! »

Et ça, c'était vrai : elles étaient bassin. Le bouchon de champagne fit paf! et la bouteille bava sur les cuisses à Claire: « Dis donc, mes bas! » Elle s'essuyait, parce que c'est dégueulasse, ce sucré.

Robert frappa sur le ventre de M. Eugène : « Eh bien, ça fait plaisir de revoir les amis. Je le disais l'autre jour, à qui donc? Enfin, ça n'est pas l'affaire, un de ces jours, il en aura marre, et il reviendra... — Et je suis revenu... »

Il était odieusement schlass. Il lampa une flûte de champagne, regarda Robert, et gémit : « C'est toi qui offres? — C'est moi, répondit Robert. — Alors, si c'est toi... si c'est toi... c'est toi. »

Il se reversa une seconde flûte qui prit le chemin de la première. Tout valsait. C'est méchant sur le Pernod, le champagne. Même celui-là, de la tisane. Comment de la tisane? Oh, je dis tisane, et puis ce n'est pas de la tisane. Surtout après le Pernod. Et quand je dis *le* Pernod, c'est *les* Pernod que je devrais dire, ah là là! *les,* on dit *les* pour deux, pour trois et pour quatre, cinq, six Pernod...

« Sans doute les élections dit Edmond à Germaine qui n'en finissait pas d'ouvrir des yeux, c'est un électeur à papa. — Il se saoule comme ça, ton père? s'étonna-t-elle. — Tu veux rire! Ses électeurs seulement. — Tu n'es pas bavard, reprenait M. Robert, en touchant amicalement son client à l'épaule.

— Pas bavard... pas bavard... » Il rit idiotement. « Je suis saoul, mon vieux. »

Il prit ici un air de grand mystère, agita l'index, et demanda à tous le secret d'une mimique évidente. Puis il se renfila une flûte, et commença de divaguer : « Quatre ans... quatre ans... pas un de moins... si j'avais eu un petit bébé la dernière fois avec toi, la Berthe, un petit bébé, un tout petit bébé, eh bien... eh bien quoi, maintenant il aurait quatre ans... je veux dire si nous avions accouché toi et moi, la dernière fois... il pourrait presque aller à l'école... un petit bébé! »

Ah non, ce qu'il était rigolo, ce M. Eugène! Ces dames s'en payèrent sur le mode aigu. Le phono jouait *Cœur de Tzigane*. M. Eugène s'attendrissait : « Un petit bébé... On aurait pu se voir tous les jours depuis quatre ans... Que de temps perdu! Et j'ai vieilli, pas, j'ai vieilli? »

Il avait enlevé son chapeau mou, hagard, interrogateur. On s'empressa autour de lui, mais non, ma vieille, mon chou, mon grand gosse, t'as pas bougé, frais comme une rose. Il se calma : « Un petit bébé... Et pourquoi, pourquoi, dis, que je ne suis plus jamais, jamais revenu? Dis-le, toi, Robert, qui rigoles! A cause d'une Marie-salope, oui, mesdames, d'une Marie-salope, je ne retirerai pas le mot! »

Ces dames se regardèrent, en hochant la tête. Et Germaine, intéressée, dit à Edmond : « Ah, voilà! Il a des peines de cœur. » M. Robert ouvrit une seconde bouteille, et en versa à tout le monde : « Cette fois, c'est sa tournée. — Oui, oui, opina Mestrance, elle a eu une tournée. Et quand je tape, moi, je tape quand je tape. »

Son poing s'abattit sur un verre qui se cassa. Eugène ne remarqua pas qu'il saignait. Claire et Pierrette, avec des petits cris, lui prirent la main. C'était peu de chose. Un coup de torchon nettoya le tout.

« Quatre ans... La garce... Moi, l'imbécile, j'étais doux avec elle, j'y faisais des petits cadeaux... Tu es fatiguée, bon, tu te lèveras à sept heures et demie... Une rien du tout, que je l'ai ramassée, elle chialait... Elle a bouffé mon pain tout ce temps-là... Une souillon... Elle enlevait la crotte au cul du vieux... Et moi, pas dégoûté... Imbécile! Quand c'est plein de jolies femmes dans le monde, et maintenant j'ai vieilli... Les derniers temps, j'avais de la peine à me monter l'imagination... Pas étonnant! Elle se faisait mettre par un blanc-bec, un jean-foutre... Ça vous fait rigoler parce que je suis cocu? D'abord, je ne le suis plus, cocu... La pouilleuse, je l'ai foutue à la porte... après la tournée... je l'ai foutue à la porte, la carne, la carne... Et que je ne te rencontre pas, je te casserais les reins, dégoûtante! Avec un vaurien... Voler l'argent du monde pour se faire... ah, tiens! c'est trop sale, c'est trop sale, le monde n'est pas gentil, maman, maman! »

Le marchand de couronnes mortuaires s'était mis à pleurer.

« J'ouvre la troisième bouteille, dit solennellement M. Robert, en versant à la ronde, parce que tu as besoin de te distraire un peu. »

La figure d'Eugène Mestrance reparut derrière les flûtes, toute en larmes, avec de la morve dans la moustache, et les joues marbrées. Il reniflait le chagrin. L'invraisemblable était qu'il l'avait aimée, cette Angélique. Il n'en savait rien, il le découvrait dans son désespoir d'homme trompé. Il s'était terriblement attaché à elle, et maintenant il l'avait chassée, il avait dû la chasser. Il avait aimé en elle sa propre jeunesse perdue, et ces quatre ans avaient creusé le fossé entre lui et sa jeunesse. Boire... Le champagne, ça fait drôle quand on n'en a pas l'habitude, c'est léger, et puis c'est lourd. Angélique, oh là là, Angélique!

M. Robert sentit que la bienséance exigeait qu'on s'intéressât aux affaires de cœur du client.

« Et comment que tu as appris la... triste nouvelle? »

Ces dames pouffèrent. Robert les rappela à l'ordre, du fameux clin d'œil. Alors ça devint intolérable, on riait, et on ne pouvait pas éclater, moi, je vous dis que c'en était à faire pipi.

« Comment que j'ai... Je ne sais plus... Ah, si! Des lettres. Un cochon alors, celui qui écrivait ces lettres. Mais quelqu'un de renseigné. Il signait d'ailleurs comme ça. Quelqu'un de renseigné. Pauline, elle ne voulait pas me montrer les lettres. Pauline, c'est Mme Mestrance. Non, qu'elle disait, tu vas te faire du mauvais sang. A la fin, je me suis fâché. Pauline, tu es une vache. C'est vrai, c'est une vache. Pour l'argent, on ne se fait pas idée. C'est une vache et un rat, un de ces rats. Donne-les-moi ces lettres, ou je fous le feu à la tôle. Elle a pris peur, j'avais bu. Elle m'a donné les lettres. Quelqu'un de renseigné. Il racontait tout ce qu'ils faisaient là-haut, les deux, dans la vieille ville, par terre comme les chiens. Moi, j'avais bu. J'ai pris les lettres, j'ai giflé Pauline. C'est Mme Mestrance. Je descends quatre à quatre, je me jette sur Gaston qui grimpait, je te vous l'envoie à bas de l'escalier, il hurle. La porte s'ouvre, Angélique entre. Qu'est-ce qu'il y a, un malheur? Ah oui, un malheur. Elle demande s'il y a un malheur! Enfarinée, va. C'est-il vrai, ça, et ça, et ça? Elle n'en revenait paas, elle tremblait, elle se cachait derrière le vieux. Ah, si tu crois que ça me gênerait, le vieux! Tiens, regarde comme j'y crache dessus, au vieux. Pfffchitt! Si c'est salivé, hein? En plein dans les yeux. Il y a assez longtemps qu'il m'enmerde à ne pas crever dans l'arrière-boutique, celui-là! J'aurais pu la suivre, l'épier, les prendre sur le fait, les cochons. Mais non, ce n'est pas mon caractère. Et puis, j'avais bu... Je lui ai demandé à elle. C'est vrai, alors? Elle avait peur, elle a dit oui, que c'était vrai, et tout, dans la vieille ville, par terre, comme des chiens. D'abord je me suis mis à pleurer, elle est venue tout près, attendrie. Alors j'ai tapé dessus, putain de sort, j'ai tapé tant que j'ai pu. Sale garce, sale garce, va te faire baiser ailleurs! Hors d'ici! Hors d'ici! »

Il s'était dressé comme si elle avait été devant lui. M. Robert jugea l'instant venu : « Emmenez-le, dit-il à ces dames, oui, toutes les trois, je connais ses goûts... la chambre aux glaces... s'il vomit, vous m'appellerez. »

XXI

« Je fais monter quelque chose à boire? Si, si. »

Armand était dans la chambre de Maurice Vinet, à l'hôtel Brot, au-dessus du café des Arts. Le candidat socialiste avait préféré garder à cette entrevue un caractère intime; est-ce qu'on sait jamais? Il était guetté par tout le monde, dans cette petite ville, même par les camarades. On pouvait utiliser contre lui la visite du fils du maire, et encore de celui qu'on appelait *le petit curé.* D'ailleurs, son premier mouvement avait été de ne pas le recevoir, ce gosse. Il avait l'air bien exalté, on était à la veille du vote. Un grand garcon, mince, pas très développé, des yeux drôles. Enfin, comme ça, dans la chambre... Une voix au loin chantait *La Tosca.* Par les jalousies baissées il venait assez de lumière pour accuser le désordre du matin dans la pièce, le linge sale mal dissimulé derrière une chaise, un col sur la cheminée, et le plateau avec les restes d'un petit déjeuner. Sur le bord du lit défait, l'homme de Marseille, assis, regardait avec intérêt ce gamin avec lequel il bavardait depuis une demi-heure environ. Sa redingote sur un dossier de chaise avait l'air d'un personnage abandonné. En bras de chemise, le candidat ne se ressemblait guère, plus jeune, et plus peuple.

« Voyez-vous, mon vieux, il faut m'excuser si du premier coup je n'ai pas compris ce que vous me vouliez. Moi, je suis un fils d'ouvrier, enfin de contremaître. Boursier. Une enfance dure. La haine autour de moi des autres lycéens parce que mal fringué. Pas le sou, comprenez? Mon père avait déjà de la peine à payer les bouquins. Pour faire mon droit, m'a fallu bourlinguer à côté. Commis de librairie, puis ça prenait tr[illegible] de temps, des adresses à domicile. Même travaillé dans une usine. Un été à La Ciotat, aux chantiers. Alors, comprenez, tout naturel que je sois ce que je suis. Le père s'est retiré à la campagne, chez des cousins paysans. Un brave vieux. S'il ne buvait pas tant... »

il n'y avait qu'à le traiter comme ce qu'il était, ce gosse! Un jeune bourgeois, qui faisait partie, il y avait encore quinze jours, d'une organisation de briseurs de grève! Qu'est-ce qu'il y avait besoin de chercher midi à quatorze heures? Oui, mais voilà : tout en répondant, un peu à côté, pour n'être pas trop brutal, décidé pourtant à lui dire que son père *était* un salaud, Maurice Vinet se laissait entraîner par des sentiments humains. Cet enfant...

« Comprenez, mon vieux, comprenez, personne n'est ni tout à fait un salaud, ni tout à fait le contraire. Serait trop simple. Je ne dis pas ça pour votre père. Peut-être bien que c'est un salaud complet. M'étonnerait, je dois le dire. S'imagine probable un tas de trucs, se raconte des histoires... »

Il faisait très chaud, il y avait un gros frelon qui se heurtait au plafond, et tombait brusquement sur les chaussettes. Vinet eut le brusque sentiment qu'il plaidait pour lui même, et pas devant cet enfant, mais devant les autres, les ouvriers, le Parti dont il avait toujours un peu peur dans ses rêves.

« Tout de même, dit Armand, s'il accepte avec les autres la loi de Trois Ans... »

Vinet eut un geste large :

« Ah ça, évidemment... évidemment... Je ne sais pas s'ils en viendront là... Je dis : *ils*, comprenez? Parce que ça ne dépend pas d'un seul homme. Il sera enchaîné, c'est sûr. Vous autres, les jeunes, ils vous enverront à la boucherie. D'ailleurs, qu'est-ce qu'on peut faire en régime capitaliste pour empêcher la guerre? Là-dessus, je suis bien de l'avis de Guesde, pour une fois... Je me dis certains jours que nous perdons notre temps avec nos discours... Quand *ils* vous enverront vous faire tuer, vous verrez bien que votre seul espoir, votre seule planche de salut, c'est la classe ouvrière, et le parti de la classe ouvrière... »

Bon, est-ce qu'il se croyait dans un meeting? Fichue habitude. Comment parler à ce gosse des ouvriers, humainement, lui faire entrer dans la tête... Il dit quelque chose de la guerre à venir, et puis des massacres de 1871, la Commune, Gallifet... Ce n'était pas le chemin. « Dites-le donc une bonne fois, sans vous gêner, c'est un salaud? »

Armand avait jeté cela avec quelque impatience. Drôle comme il ne s'intéressait qu'à son père!

« Eh bien, non, là, je ne le pense pas. Peut-être que je le

dis, comprenez, que je le dirai encore. Mais c'est histoire de simplifier. Pour la foule, les électeurs, il faut être simple, pas de psychologie, tant pis si on est injuste. En gros, oui, c'est un salaud, socialement parlant, mais tous les bourgeois à ce compte... Et bien entendu qu'il y en a qui sont des braves gens, si on les considère isolément, ils ne feraient pas de mal à une mouche, et puis ils vivent du sang et de la chair de l'ouvrier... »

Vinet s'arrêta parce que les derniers mots avaient mal sonné dans son oreille. C'était vrai pourtant ce qu'il venait de dire là, il le pensait, mais les mots étaient trop directs pour la circonstance. Ouf, heureusement que les campagnes électorales ne demandaient pas tant de nuances! Evidemment, le Dr Barbentane était tout de même un radical, pas un réactionnaire. Au point de vue classe, ça ne faisait pas grande différence, mais humainement parlant, humainement... Vinet s'écoutait avec une certaine stupeur. Etait-ce du même homme qu'il parlait, qu'il avait dénoncé l'autre jour à Villeneuve avec une violence passionnée? Ce Barbentane, élu grâce au patron Barrel et aux bonapartistes, ce démagogue qui aidait les patrons à asservir les ouvriers, à pressurer les vignerons comme leur vigne? Il s'épouvantait un peu de découvrir en lui toute une casuistique inconnue, qui était peut-être la préfiguration des raisons qu'il se donnerait un jour de trahir ceux avec qui il était alors de tout son cœur, de toute la force de ses origines et de ses révoltes. Voilà qu'il se prenait un peu trop souvent à vouloir comprendre l'ennemi. D'abord, cela avait été dans les vêtements, les manières qu'il voulait imiter, pour mieux pouvoir servir les siens. Puis il avait passé aux sentiments. Il les sentait se glisser dans ses veines au point que parfois, parlant avec des ouvriers, il ne les comprenait plus, eux, comme autrefois. Etait-il possible qu'un jour lui aussi, comme les autres... Il y a des idées qui ne s'achèvent pas. On ne peut pas songer à Millerand, à Viviani, à Briand, à Etienne, sans un haut-le-cœur. Jamais, jamais. Bon sang, il y avait dans le Parti assez d'autres exemples pour le rassurer. Jaurès. Et les millions d'hommes qui croyaient en eux.

« Qu'est-ce que je suis là à le défendre contre vous, votre père, après tout? Ce que j'en pense, c'est clair. C'est pas compliqué. Voilà... »

Sa main montrait la table, l'affiche : *Canailles!* Il était lancé maintenant : « A qui est-ce que ça peut faire quelque chose d'ailleurs qu'il y ait une petite fleur bleue dans le coin de son cœur, à cet homme? On est d'un côté ou de l'autre et voilà tout. Les ouvriers restent les ouvriers et les maîtres sont les maîtres. Pour eux, il n'y a qu'une alternative, celle qu'a posée George Sand : *Le combat ou la mort, la lutte sanguinaire ou le néant!....* »

On frappait à la porte. C'étaient deux cantonniers, qui venaient pour parler avec le candidat. Ils ne connaissaient pas Armand, au grand soulagement de Vinet. Le jeune homme sentit qu'il était de trop. « On se reverra », dit gentiment l'avocat comme son visiteur murmurait une excuse.

XXII

Le scandale avait pris Sérianne à la gorge. Depuis le matin, toute la partie haute de la ville en parlait. On avait ramené Mestrance de « cette maison », dans un état, faut voir! Il y avait eu des cris dans le logement au-dessus de la boutique. Mme Mestrance qui n'avait pas fermé l'œil, persuadée qu'il était arrivé malheur à Eugène, avait alerté dès l'aube toutes les commères d'alentour. Pensez donc, combien d'années qu'ils étaient mariés, Eugène n'avait jamais découché. Et ça sur cette histoire d'Angélique. Oui, il l'avait mise à la porte hier soir. Allez, je savais bien de quoi il retournait. Nous autres, femmes, qu'est-ce qu'on ne supporterait pas pour la tranquillité?

Les grosses épaules de Pauline Mestrance remontaient de tristesse et de peur. La chair lui faisait des bourrelets aux poignets, courtaude, et brune, brune, comme une Espagnole. Elle devenait blafarde avec le matin, si bouffie que l'œil ne perçait presque plus. La voisine, la femme du charpentier, une maigre et rouge dans son petit caraco à pois noirs sur blanc, s'agitait avec un des employés des *Nouvelles Galeries*, un de ceux que le fils Arnaud avait entraîné dans *Pro Patria*. C'est alors qu'apparut le costume moutarde de M. Robert qui portait par les pieds Mestrance, dont un soldat qui s'était attardé au « Panier Fleuri », un artiflot, soutenait la partie supérieure.

Toute la ville se rassasia de l'histoire. On poussait une pointe jusqu'au magasin que Pauline était obligée de tenir. Elle vendit près de dix casquettes dans la matinée, pleurant, racontant sans fin son malheur. « Et voilà qu'il retourne dans cette maison maudite! Est-ce qu'on devrait tolérer des choses pareilles dans une société civilisée? Ah! si une femme honnête y mettait le feu un jour, c'est moi qui applaudirais! » Et cætera.

Mais tout de même, le clou de ses plaintes restait Angélique.

« Quand je pense que, tout en sachant très bien à quoi m'en tenir, je ne lui ai fait aucun reproche, jamais, je la traitais comme une sœur. Quand elle m'apportait mon petit déjeuner, bien souvent, je pensais, tu es une idiote, Pauline, cette fille se moque de toi avec Eugène. J'avais des envies de tout lui envoyer par la figure. Eh bien, je n'y ai jamais cédé. Il faut la chasser de Sérianne. C'est une fille publique. Elle couchait avec tout le monde. Et qu'est-ce qu'elle m'a fait de mon homme, Dieu de miséricorde! »

Avec ça que c'était samedi, c'est-à-dire jour de marché. Sous le soleil, sur la place, les tables dressées avec les parasols de fortune, les ânes et les chevaux dételés dans les coins, une odeur de crottin, de fruits, de fromage et de paille, une foule s'agitait qui pesait, achetait, se disputait avec des clameurs jacasseuses où se mêlaient la politique, le prix des œufs et le scandale. Le provençal donnait joyeusement aux conversations leur allure chantante. Les paysans brûlés et secs, les femmes avec des mèches sous la paille foncée, sévèrement habillées d'un noir poussiéreux, glapissaient en offrant des pastèques et des grenades. De petites figues blanches chauffaient, odorantes, juste en face du magasin Mestrance, et Pauline aurait bien été en acheter, sauf que dans sa situation...

Elle avait envoyé Gaston chercher le Dr Barbentane. Naturellement, il n'était pas si facile à trouver que tout ça : la veille de l'élection, ça se comprend. Eugène soufflait, l'air hébété, bafouilleur, avec la gueule un peu de traviole, et il ne tenait pas très bien sur ses pieds. Un autre jour, Pauline aurait regardé deux fois à la dépense du docteur, mais la veille de l'élection, il ne se ferait pas payer, pour sûr.

De porte en porte, le scandale avait gagné les Reboul, et le marchand de meubles qui avait bu la veille avec Mestrance en fut saisi au ventre. Ce que c'est que de nous! Il se regarda dans le miroir avec inquiétude, la moustache inquiète, et il lui sembla que le fond de cette envie poilue qu'il avait sur la joue gauche avait pris une drôle de couleur. Le colosse renonça même à une vente dans un village, un vigneron saisi, où il avait l'intention d'aller pousser les enchères, dit à Marie : « Je reviens » et se précipita place du Marché.

Il y trouva Respellière qui traînassait là, jaunâtre, parmi les couvre-chef et les couronnes, s'arrêtant devant la grande glace pour vérifier sa calvitie, tandis que Pauline s'affairait. Comme un fait exprès : on n'avait jamais vu tant de clients. Eugène était là-haut tout seul. Le vieux, dans le fond, geignait, appelant Angélique, je vous laisse à penser l'effet... Avec ça, natuellement, que la boutique n'était pas propre, propre, dans ces conditions. Il y avait même une jeune dame de la rue Longue dont la belle-mère avait un petit cancer, qui durait : elle était venue, comme ça, en passant, regarder les couronnes, pour se faire une idée. Elle demandait les prix.

En attendant Barbentane, Reboul grimpa garder Eugène. La chambre était encombrée de tout ce qu'on entasse avec les années, souvenirs de foire, photographies, pots de fleurs rangés sur des étagères, avec des roses de porcelaine en relief, des petits marins dans des coquillages ornés, une terre cuite représentant une idylle enfantine, et au mur au-dessus du lit une reproduction de la Salomé d'Henri Regnault. Là-dessus, le lit Louis XV et l'armoire à glace assortie, orgueil de Pauline, les vêtements d'Eugène en désordre, et dans le lit, plus blême que les draps, avec un rouge violacé trop haut dans les pommettes, la pauvre face tordue du maître de maison, la moustache noire soulevée par un soufflement, toute en désordre, et non plus comme à l'habitude avec son bout soigneusement roulé. « Alors, mon vieux, ça ne va pas? » dit Reboul avec gaucherie. L'énorme marchand de meubles semblait emplir la pièce, prendre au malade tout l'air et la lumière filtrée par des rideaux jaune et rouge. La tête roula difficilement sur l'oreiller : « ...on, ...on, ...a mieux... » Il voulait se soulever, Eugène. Reboul l'aida maladroitement.

La ville en général plaignait Pauline. Qu'est-ce que les femmes ont de leur mari, je vous demande? Ils leur reviennent quand ils ne savent plus où aller. Songez un peu que la malheureuse, avec un fils pas élevé, si elle restait comme ça avec deux infirmes sur les bras? Evidemment, du côté de l'église, on voyait une punition du ciel dans cette affaire : Mestrance n'était-il pas franc-maçon? Et côté loge, on rappelait qu'avec tous ses défauts Mestrance était un bon républicain. Enfin, dans l'ensemble, la réprobation allait à la coupable de tout, cette Marie-ruisseau, un danger pour les familles. Qui sait combien elle en avait pourri des jeunes gens? Tout de même, la prostitution est réglementée, et à Sérianne il n'y a pas de filles en carte. Alors...

Le Dr Lamberdesc se trouvait au « Panier Fleuri » où Madame l'avait fait appeler. Depuis quelque temps, le matin, elle rendait une espèce d'eau longue, rance, jaunâtre, filante. Ça lui faisait mauvaise haleine. Et puis de ces soifs! M. Robert, inquiet, parce que c'était Madame qui avait la licence, assistait à l'examen. On parlait naturellement de Mestrance, le cochon, qu'est-ce qu'il avait bu! Puis les filles s'étaient affolées quand il était tombé par terre. On le croyait saoul, mais il ne se relevait pas, il ne pouvait rien dire, il faisait des efforts surhumains pour articuler deux mots, sans y parvenir. « Même qu'il était assez comique! » observa M. Robert. Tandis que le médecin agitait sa moitié pour se rendre compte de ce qu'elle avait dans l'estomac, il ajouta rêveusement : « Ça fait rien, où vous mènent les femmes! Celle-là, j'espère qu'on va la foutre à la porte du chef-lieu, elle nous fait une concurrence déloyale! » M. Robert appelait toujours Sérianne le chef-lieu. Ça fait riche.

Une qui était enragée contre Angélique, c'était la petite Mme Migeon. L'agent voyer, un grand dépendeur d'andouilles, tout rouge, lui avait conté la chose, et entre lui et le maigre M. Migeon qui fumait sa bouffarde, elle ne décolérait pas : « Il faudrait lui arracher les yeux, lui casser les dents, qu'elle soit défigurée, qu'elle n'en prenne pas d'autre, cette traînée! Détruire un foyer, la santé d'un homme, la vie d'une femme, salir la jeunesse! J'espère bien qu'on va la mettre en prison? — En quel honneur? dit Migeon, placide. — Comment en quel honneur? Ah ça, tu n'es pas dingo? Vous l'entendez, cher ami » elle se tournait vers son amant, l'agent voyer, « vous l'entendez? Un homme sans principe, un cynique! Ah, fumer, ça c'est son fort! Quand il n'est pas à ses boules! Cette pipe! Par une chaleur pareille! — Allons, dit l'agent voyer, calmez-vous, Pulchérie. — Ma pipe! » Migeon se fâchait. « Et alors, c'est mon droit, peut-être, de fumer ma pipe à cette heure! J'en connais qui ne valent pas mieux que cette Angélique... — C'est ça, insulte-moi! Allez, allez! Ne te gêne pas! Etre dénaturé! — Bon, dit l'agent voyer, vous ne vous disputerez tout de même pas à cause de cette sale fille? »

Où avait-elle passé dans tout ça, cette sale fille? Battue, en larmes, saignant du nez, elle était partie en courant, sans rien emporter de ses affaires, qui encombraient toujours le placard du vieux. Elle s'était enfoncée dans la nuit, et personne ne se demandait où elle avait dormi. Pas en peine pour trouver des lits chez les autres, ces paillasses-là.

Son nez lui faisait mal, et aussi la tête : Mestrance l'avait battue sur les oreilles avec un tabouret. Il lui avait flanqué des coups de pied dans les seins quand elle était tombée à terre. Son corsage était déchiré, il y avait un accroc à sa jupe, elle n'avait rien sur la tête, rien pour s'essuyer, pas de mouchoir. Le sang s'était caillé sur sa lèvre, dans l'obscurité elle ne pouvait pas voir si le corsage rose qu'elle avait était taché ou non. Elle se sentait surtout tremblante, et comme ankylosée, difficile de fuir. En évitant le monde par les ruelles, elle avait filé vers la ville haute, par habitude. Dans cet état, elle ne songeait pas à se montrer à Pierre Delobelle. Qu'est-ce qu'il aurait pensé? Mais d'instinct elle regagnait les cachettes où elle avait été heureuse avec lui, elle se réfugiait dans les caves des maisons détruites, là-haut, sous le ciel. La nuit était d'une beauté exceptionnelle, chaude, et si intense, sans lune, avec toutes les étoiles au grand complet, et la pâleur d'un lait d'astres soudain. Une espèce de brise féminine cédait dans le front démantelé de la ville. Seule, Angélique un instant se tranquillisait. Pourtant, quand elle se fut accroupie, calmant son cœur, sur la terre dure, elle fut reprise d'une peur sourde, et lente, et croissante, et ne fit plus rien qu'écouter monter en elle cette marée. Elle laissait filer le temps, sans rien se demander, de peur de ses propres réponses. Dans sa tête primitive et simple, les choses avaient du mal à se former. Les oreilles lui battaient, douloureuses, le silence était plein de souvenirs confus et de menaces. Angélique, lasse à mourir, les yeux grand ouverts, tombait dans la nuit comme dans un rêve. Elle n'imaginait ni les gestes ni les pensées qui allaient suivre. Elle ne pourrait pas revenir chez Mestrance, il l'avait chassée. Et alors où vivre? où travailler? Personne ne la reprendrait dans la ville. Aller ailleurs une autre fois... Mais cela voulait dire perdre Pierre. Pas un instant elle ne pensa qu'il pût la suivre où elle irait. Elle savait bien, humblement, à quoi s'en tenir. Pauvre Angélique. Pierrot, Pierrot... Il était sa seule pensée, l'angoisse au fond des ténèbres, la chose qui lui broyait le cœur, Pierrot, mon petit Pierrot, mon amour. Oh! ce mot terrible et misérable, amour, ce mot tardivement formé sur des lèvres malhabiles, sur des lèvres ignorantes, mais sur lesquelles sa bouche à lui était si douce, et dure aussi, quand il faisait son méchant dans les baisers... Pierrot. Elle s'endormit comme ça, sans savoir...

Suzanne de Loménie était venue en ville pour le marché, et aussi pour reprendre aux demoiselles Barrel un modèle de carré de filet pour des coussins. Elle rencontra Thérèse Respellière, et bien que les relations se fussent beaucoup refroidies entre elles sans que Thérèse comprît pourquoi, ce fut Suzanne, d'humeur gracieuse, qui entama la conversation : « Enfin, chère madame, on va en avoir fini avec tout ce remue-ménage des élections, Sérianne reprendra son calme... » Mais quand la perceptrice lui eut dit en trois mots l'histoire des Mestrance, elle se flanqua dans tous ses états, son chapeau de travers, une charlotte crème, son grand sac en toile brodé tango, brinqueballant dans ses courtes jambes, les seins animés, avec de petits éclats de voix. Jésus-Marie! Des choses pareilles! Quelle horreur! Et sait-on qui était l'amant de cette Angélique? Non. Pour moi, ça doit être ce petit Armand... vous ne croyez pas? Comment, il veut être curé? C'est un dissimulé, il court après les filles, oui, oui. Il vous dit tout bas des choses d'un sale. Mais... elle hésita : « Et les lettres? Sait-on qui a envoyé les lettres? » Mme Respellière n'avait pas parlé de lettres. Quelles lettres? On ne lui avait pas parlé de lettres, à elle. Suzanne rougit, et se mit très vite sur le chapitre des élections. Tout de même M. Delangle était un homme bien distingué. Ah! j'oubliais que M. Respellière vote pour le docteur...

Inconsciente de toute cette agitation, Angélique accablée était revenue à elle dans sa cave, il faisait grand jour. Mon Dieu! De quoi avait-elle l'air? Elle ne pouvait pas aller chercher ses hardes, traverser toute la ville comme ça. Comme elle allait sortir de son trou, des gens passèrent. Elle se dissimula. Elle tourna plusieurs heures par les ruines, effrayant des enfants qui coururent, avant de se décider. Son cœur battait, la chaleur du matin pesait sur la terre asséchée, il y avait en l'air comme une buée. De temps en temps, l'idée de Pierre lui déchirait le cœur. Si elle suppliait quelqu'un de la garder, elle travaillerait pour rien, pour l'apercevoir. Et si Mestrance savait qui il était... si Mestrance allait le frapper, le battre, son grand, son tout petit, son chéri. Dans l'amour d'Angélique, il y avait tout le désespoir de la mère dont l'enfant était mort en nourrice, au loin, chez des étrangers. Les deux images se confondaient. Comme il lançait ses petits pieds roses, vers elle, le démaillotant! La scarlatine. Ce mot étranger était entré dans sa conscience comme un coup de poignard avec la lettre qui lui apprenait la mort de l'enfant.

L'horreur. Si Pierre allait mourir... Oh! non, ça, elle ne pouvait pas le supporter. Tout tournait autour d'elle, elle frappa de ses poings un vieux mur, où grillaient des herbes poussées entre les pierres. Elle se souvint tout à coup d'un être humain, d'une voix pitoyable dans le vaste monde. Le doux visage de Marie Reboul, une bien jolie, et douce... Celle-là la recevrait, la conseillerait, elle pourrait se laver le visage, très vite, chez elle. Evitant le monde, elle se laissa glisser vers la ville.

Le Dr Barbentane était enfin arrivé avec Gaston. Il l'aurait bien envoyé à tous les diables, Mestrance. Mais un électeur. Le tumulte des paroles du gosse, en chemin, était un peu confus. Barbentane ne comprenait rien à toute cette histoire. Il fallut se la faire redire par Mme Mestrance. Celle-ci, une fois qu'elle tenait le médecin, se mit à donner son grand spectacle. Et allez-y des nerfs! Je la tuerai, je la tuerai, cette Angélique, la gueuse! Heureusement que Respellière et Reboul avaient débrouillé l'écheveau. Bon, on allait lui donner un coup d'œil à Mestrance. C'était bête, cette histoire-là, la veille de l'élection. Si le marchand de couronnes allait ne pas pouvoir se lever... une voix de moins...

A vrai dire, Eugène allait déjà mieux. Il était assis sur son lit, il faisait un drôle de sourire tordu. Il retrouvait un à un ses mots, mais en même temps la peur de ce qui s'était passé, une panique rétrospective qui l'étranglait. Sentant se retirer de lui l'aile de la mort, il la reconnaissait. Quand le médecin lui dit de siffler, cela dut soulever en lui des souvenirs médicaux, des visites de Barbentane au beau-père, et il éclata en sanglots. Puis il fit des efforts terribles, se prenant les lèvres dans les doigts, pour former un sifflet possible. A coup sûr il avait le sifflet embarrassé. Mais enfin il s'en sortait tout de même. Le docteur qui rabattait le drap, il venait d'examiner les réflexes, rassura le patient d'un sourire.

« Allons, nous pourrons nous lever demain, faire un petit tour jusqu'à la mairie! »

Quelque chose d'insensé brilla dans les yeux du malade.

En descendant, avec Reboul et Pauline, Respellière était resté en haut à son tour, Barbentane les calmait. Oui, naturellement, une petite attaque. Oh! ne vous effarouchez pas du mot, madame. A partir d'un certain âge, les attaques sont monnaie courante. Et puis il y a attaque et attaque. Il commença d'expliquer le cerveau, les lobes, etc. Cette fois, pas de crainte à avoir. Evidemment, une autre fois. Mais les réflexes n'étaient pas mauvais, la langue se dégageait. Au fond il l'avait échappée belle, Mestrance, et peut-être que cette attaque-là, c'était une attaque fort heureuse, salvatrice. Elle évitait pire.

« Toujours est-il que demain, il pourra très bien aller voter. Très bien. Peut-être faudra-t-il un peu le soutenir, mon cher Reboul, si vous aviez la gentillesse de rendre à notre ami ce service... Non, c'est trop naturel, je suis venu tout de suite, dès que le petit m'a eu dit... C'est ça, si vous croyez utile... oh! je ne le pense pas! Evidemment je suis très pris ces jours-ci, alors demain, n'oubliez pas, Reboul..., chère madame Mestrance, toujours heureux de vous revoir, et vos pieds? Encore enflés. Bien entendu... Qu'est-ce que vous dites? Angélique! Oh! bien, naturellement, elle n'a qu'à disparaître, celle-là! Non, vous n'êtes pas obligée du tout de la garder huit jours... Une prime à l'immoralité, il ferait beau voir... Si elle vous fait des ennuis, faites-le dire à mon adjoint... de rien, de rien. » Un homme supérieur, dit Reboul quand le maire se fut éloigné. Pour lui, il s'excusait, Mme Reboul l'attendait à déjeuner.

XXIII

Il ne rentra pas cependant directement chez lui. Il fit un détour par le Café des Arts, pour excuser Respellière. Il y trouva Migeon (nul au billard s'il était fort aux boules), le boucher, le receveur de l'enregistrement. De la place venaient le bruit de grands coups de marteau, des hennissements et des appels. Je ne m'arrête pas, juste le temps de prendre un verre. Comme il s'asseyait, il vit sortir de l'hôtel Brot le jeune Armand Barbentane. Il lui fit un signe d'amitié.

Armand quittait à l'instant le candidat socialiste, mécontent de lui-même et mécontent à tout prendre de celui qu'il avait été visiter. Ça le travaillait encore, ce qu'il avait dit de sa mère. Et puis zut, à la fin! On parle, on parle. Ça n'engage à rien. Qu'est-ce qu'il attendait donc de merveilleux de cette entrevue pour en être déçu? A supposer que Vinet ne fût pas un aigle, qu'est-ce que cela prouvait pour le socialisme? Il traversa la place où, sous les platanes, des hommes en maillot rayé installaient un manège et des balançoires pour la fête de Sérianne qui tombait le jour des élections.

Il redescendait rêveusement vers la sortie de la ville. Il était grandement l'heure de déjeuner. Des voitures de paysans, des carrioles le dépassaient, rentrant du marché. A un coin de rue, il débusqua en plein devant un couple de jeunes filles sous une ombrelle à carreaux blancs et noirs : Suzanne de Loménie et Jacqueline bras dessus, bras dessous. Trop tard pour les éviter. Il se sentit rougir jusqu'aux oreilles. Il salua gauchement.

« Oh! Armand, s'écria Suzanne avec tout le naturel du monde, comme s'il ne l'avait jamais traitée de garce, vous allez m'aider à porter ce paquet! »

Elle soulevait péniblement le sac brodé où elle avait enfoui ses achats de la matinée. Armand, les yeux sur Jacqueline, bafouilla une excuse. On l'attendait. Jacqueline, avait l'air ironique, elle avait sa robe rose, mais sans jaquette et un chapeau de jardin, en paille bise avec un velours noir. Ses cheveux étaient si légers qu'on s'étonnait qu'ils ne soulevassent point le chapeau, comme une écume. Suzanne donnait des raisons pour qu'Armand l'accompagnât, tant pis si la famille attendait. Jacqueline savait-elle ce qu'il y avait eu entre Suzanne et lui? Peu probable, pourtant comme elle était distante.

« Est-ce que vous avez vu votre ami Pierre ce matin, Armand? dit Suzanne, que la malice plissa dans sa robe de tussor, comme au petit fer. — Non, pourquoi ça? »

Les deux jeunes filles se regardèrent. C'est agaçant, ces manières des filles entre elles. Jacqueline lui parut un peu sotte, soudain.

« Pour rien, reprit Suzanne, mais vous n'avez donc parlé avec personne en ville? »

Non, il n'avait parlé avec personne. Le poids du sac et la méchanceté exagéraient l'inégalité des épaules de Suzanne. Elle prenait son genre mandragore. Sa voix se fit tout à fait aiguë : « Eh bien! n'attendez pas que des jeunes filles vous racontent ça, vilain garnement! » Elles le plantèrent là, riant, pressées l'une contre l'autre. Il les regarda disparaître sous l'ombrelle, qui se retournèrent deux ou trois fois. C'était peut-être très drôle, mais pas pour lui.

Comme il poursuivait son chemin, une voiture corna derrière lui. Il était si plein de l'image de Jacqueline qu'il ne se déplaça pas. La petite auto fit un crochet de justesse, c'était la Peugeot de Lamberdesc. Et comme il passait à côté de lui, le jeune médecin se pencha du côté de l'étourdi, narquois, chantant :

Non, non, plus de combats!

Dans la voiture, quelqu'un rit assez fort, Delangle, le candidat modéré, que le docteur emmenait pour une tournée, de dernière heure, qui devait durer tout l'après-midi : on ne peut pas refuser ça à un vieux camarade.

Armand avait été vu avec les conscrits. On devait en causer en ville. Mais tout de même qu'est-ce que Suzanne voulait dire à propos de Pierre? Les Delobelle n'habitaient pas bien loin. Tant pis, il serait en retard. Pour changer.

Le bouc gris du professeur et ses bandes molletières apparurent dans la porte. « Alors, jeune triomphateur, nous voilà bachelier. *Quo non ascendas!* Tu cherches Pierre? Ah! lui, il doit partir lundi. Je redoute fort qu'il n'ait pas ta chance. Il est derrière la maison, dans le jardin... »

Le jardin des Delobelle, mi-potager, mi-plaisance, avait l'avantage d'un puits, et d'un très vieux figuier à l'écorce blanche, sur la basse bifurcation duquel d'habitude Pierre composait ses poèmes. Pour l'heure, à califourchon à sa place coutumière, il semblait réfléchir la tête dans les deux mains. Le pas d'Armand sur le gravier lui fit pointer son museau soucieux.

« C'est toi? Je t'ai cherché, chez toi. Tu sais ce qui se passe? »

Armand ne savait pas. Angélique avait disparu. Comment? Pierre connaissait mal les détails. L'histoire lui était revenue déformée par la cuisinière, qui la tenait de Mme Coquelombe, la propriétaire des Respellière, qui la tenait de Thérèse. D'abord, il avait voulu faire une enquête. Il avait une pauvre mine, remarqua Armand. Parlant, il ne cessait pas, nerveux, de se gratter le tranchant des dents du haut avec l'ongle de son pouce gauche.

« En même temps je ne savais pas si on parlait de moi dans tout ça, je n'osais pas trop me montrer. J'ai été jusqu'au marché. Tout le monde en jase. Ça fait un foin du diable. Ils hurlent tous après Gélique. Ils disent qu'il faut la fouetter. On n'a pas l'air de me mettre en cause. Mais personne ne sait où elle est. Depuis hier soir. J'ai tout de suite pensé au vieux Sérianne. J'y suis grimpé. Pas de Gélique. Tous nos coins, j'ai tout visité. Autant chercher une aiguille dans une botte de foin. — Mais enfin, qu'est-ce qui s'est passé au juste? — Je ne sais pas. De ce qu'on m'a dit, il y a une histoire de lettres qui me chiffonne. Des détails.. »

Il regardait bizarrement son ami. Il hésita

« Dis-moi, Armand. Si je te demande quelque chose... tu répondras? — Sans doute. Qu'est-ce qui te prend? — Voilà Dans ces lettres, il y avait des détails que je n'ai racontés à personne. Sauf à toi. »

Il se fit un pesant silence.

« Alors... Réponds. Est-ce que tu as répété à quelqu'un mes confidences? Tu sais surtout, cette histoire, dans la cave, que je t'ai dite... d'une chose bizarre avec Angélique... tu te souviens? »

Armand se souvenait, et aussi qu'il avait parlé de cela à Suzanne, pour l'engager à une expérience similaire. Suzanne... Qui sait? Non, impossible. Pourtant, ces agaceries tout à l'heure. Mais il n'était pas sûr. Il ne pouvait pas la mêler à ça, la trahir. Ce n'était pas chevaleresque.

« Non, dit-il, à personne... »

Il n'y avait pas un souffle de vent : « Alors, murmura Pierre, je ne comprends pas. » Et il regarda son interlocuteur avec une insistance gênée. Est-ce qu'il allait le soupçonner?

« Ecoute, Pierre... Mais tout ça, c'est du romantisme. L'important, c'est de la retrouver, elle doit être dans un état épouvantable... Qu'est-ce que tu as? »

Pierre pleurait. Il pleurait comme un gosse à qui on a cassé son beau jouet : « Tu ne peux pas comprendre, dit-il, en se mouchant, ce n'est pas de la retrouver qu'il s'agit. Qu'est-ce que j'en ferais maintenant? Ne secoue pas la tête! Tu n'as pas entendu les gens. Elle ne peut plus vivre ici, à Sérianne. Et je ne peux pas la faire vivre. Je ne peux pas parler à mon père, il m'enfermerait. Ou il me mettrait quelque part en pension, comme interne. Et puis tout ça, quelle horreur... J'y pensais le moins possible, je savais bien que cet affreux Mestrance... Mais on m'a raconté des choses. Oh! tu ne peux pas savoir! Je crois que j'aime autant ne plus la revoir. Non, tu comprends, ils me l'ont salie... »

Il se reprit à pleurer. Armand le regardait avec un certain mépris.

« Alors, tu la laisses tomber? »

Lui-même ne savait pas quel conseil donner à son ami. Sans argent, que faire? Avec ça que dans les propos rompus de Pierre perçait une certaine lassitude. A laquelle n'était peut-être pas tout à fait étranger un sentiment naissant, dont il faisait grand mystère. Une jeune fille, une vraie. Ah sans toutes ces saloperies de boniche.

Le mot lui avait échappé. L'ongle de son pouce se cassa contre ses dents. Tu n'as pas des ciseaux? Il s'était mal cassé, de travers, jusqu'à la matrice. Mme Delobelle appelait par la fenêtre : « Pierre, le dîner! » C'était une femme autoritaire, avec un visage fatigué, blondasse, et les traits longs, comme à la serpe. Sa matinée à petites fleurs vertes s'agitait au-dessus de l'embarras des deux amis. Enfin, Pierre leva les yeux : « On m'attend. Tu sais, ils sont à cheval... »

Comme pour confirmer le fait, la voix bourrue de Maurice à l'intérieur gueula : « Pierre, on la crève! »

La Wisner était déjà devant la porte, et d'aussi loin qu'il la vit, Armand se prit à courir. Reste d'obéissance enfantine. Son père était arrivé, tout le monde était à table. Le docteur avait l'air préoccupé, Mme Barbentane pestait contre Marthe, la cuisinière, qui avait laissé tourner le lait. Quant à Edmond, il était dans ses meilleurs jours d'indolence et d'inattention. Vers le dessert, il dit négligemment à son père : « Tu ferais bien de faire un tour par l'hôpital, papa. Il y a un type qui est bien fichu de clamser dans la soirée. » Mme Barbentane protesta : « Tu pourrais employer d'autres mots... » Le docteur eut l'air ennuyé : un jour qu'il ne savait où donner de la tête. Tout le monde apparemment connaissait le scandale, personne n'en parlait. On prit le café au jardin. « Veux-tu me rendre un service, dit le docteur à Armand, parce qu'aujourd'hui j'ai encore à passer en dix endroits, et les malades par-dessus le marché... »

Armand acceptait, le docteur s'en fut dans la maison écrire un mot que son fils porterait à Respellière. Edmond, sans veston, avec une chemise bleue, les manches relevées, se balançait dans le rocking-chair de paille. Il remontait avec complaisance son phalzar de flanelle sur des chaussettes dont il était visiblement content. Armand ne put se retenir de penser que son frère était le modèle accompli qu'on avait raté avec lui. Mme Barbentane, toute en noir, lisait les *Annales*. Armand n'y tint plus, il dit à son frère : « Tu sais cette histoire, chez Mestrance? — Oui, je l'ai vu hier au soir, quelque part. Il était plutôt cuit. — Tu n'as pas entendu parler de ce que l'Angélique est devenue? »

Edmond éclata de rire : « Monsieur l'Abbé s'intéresse à la pécheresse? »

Le retour du docteur coupa court à l'altercation qui allait éclater.

« Tiens, dit-il, voilà cette lettre. J'ai reçu tout à l'heure la réponse du ministre à la demande que j'avais faite, du relèvement de la pension que touche Respellière, à cause de ses fièvres paludéennes. La réponse est favorable, ça tombe bien, juste aujourd'hui. Je n'ai pas grande confiance dans la fidélité électorale de Respellière, c'est un hésitant. Mais avec ça, il y a de quoi le décider pour demain. Et puis je lui demande de passer chez Mestrance, pour le mener à la mairie, dans le cas où Reboul oublierait... »

Tout cela autant pour lui que pour ses fils, avec lesquels il se sentait toujours gêné de parler. Edmond riait sous cape et jouait avec le chien. L'atmosphère de la maison n'était vraiment pas possible : Armand saisit avec plaisir le prétexte de s'éloigner.

XXIV

Une chaleur de tonnerre de Dieu. Sous la poussière crayeuse, la rampe du boulevard montait vers la ville au-dessus de la rivière asséchée où les pierres d'un gué avaient l'air des colonnes détruites d'un Pompéï miniature. Sérianne dormait en plein jour derrière ses persiennes closes, comme une nuit artificielle au cinéma. Dans une maison, une jeune fille s'exerçait au violon, avec une phrase toujours recommencée. Les affiches électorales bariolaient inexplicablement cette île déserte. Le soleil pesait sur la tête d'Armand comme un genou. A une petite fontaine, le jeune homme se lava le visage, et ouvrant sa chemise y fit couler sur son corps le jet d'eau froide.

La Grand'Place était déjà prête pour la fête du lendemain. Manège et balançoires attendaient sous des bâches de toile verte passée. Des roulottes dételées, les bêtes attachées à un platane, et près de la fontaine, des forains penchés sur l'eau, solides et sombres, avec des femmes dont l'une allaitait une petite chose goulue. Dans le café, quelqu'un s'exerçait à des carambolés, on entendait le choc clair de l'ivoire. Les platanes, comme des êtres écorchés, grillaient en expiation des péchés des hommes. Ils faisaient près des maisons des couloirs d'ombre sèche que suivit Armand jusqu'à la maison Coquelombe, où habitait le percepteur. Les notes très lasses du piano s'interrompirent quand il laissa retomber le marteau de la porte ouverte, des pas traînèrent dans la profondeur du logis, et une voix de femme demanda : « Qui est là? » d'une façon chantante d'étrangère, puis le rideau de perles de bois se divisa sous une main blanche, avec un bruit tintant et léger. Une robe chinoise, d'un bleu vif, avec de grands oiseaux jaunes et des fleurs longues, révéla Thérèse. Ses yeux larges et rieurs reçurent le soleil, comme une vague, et elle porta sa main à ses cheveux défaits qui formaient autour de sa tête un halo frisé, une boule : « Oh! monsieur Armand, vous m'excusez, entrez donc. »

Dans l'ombre du vestibule, Armand ne voyait plus rien. Il avait une sorte de buée sous ses paupières, et il se cogna contre le porte-parapluie.

« C'est une lettre pour M. Respellière... — Mon mari est sorti. Il est chez ce pauvre Mestrance. Mais entrez donc, entrez donc. Vous prendrez bien quelque chose... — Non, non. C'était seulement pour la lettre. — Bon, je la lui donnerai. Mais vous ne pouvez pas refuser. Du café... — Je viens d'en prendre. — Alors, un verre de madère. »

Le petit salon où était le piano donnait en arrière sur une cour plantée, où l'ombre des deux étages faisait une fraîcheur de cave. Les meubles étaient vulgaires, et mêlés Louis XVI laqué et sièges de jardin. Il y avait de minuscules bronzes d'extrême-Orient sur des étagères de bois noir, et la *Femme inconnue* en stuc sur un coffre à applications de nacre. La lettre du Dr Barbentane tomba, près d'un hippogriffe, sur un plateau laqué.

« Asseyez-vous... Vous voilà forcé de me faire une petite visite... »

Armand, gêné, se débattait, jouait contre mauvaise fortune bon cœur. Il démêlait encore mal le décor et son hôtesse, il se trouva, non loin d'elle, sur un sofa couvert de coussins de toutes les formes et de toutes les couleurs. A terre, sur les malons, il y avait une natte de bambou. Au mur, Respellière en uniforme, agrandissement dessiné d'après photographie, était encore un tout jeune homme dans un cadre baroque, à la limite du Régence et du Modern-Style.

Thérèse apportait le vin et les verres. Le kimono très long qu'elle portait très croisé pour ne pas marcher dessus, de la main gauche, elle le maintenait fermé. Elle n'était pas grande, malgré des mules à hauts talons qui claquaient à terre, sous des pieds nus. Pour Armand jusqu'alors, elle était de l'autre côté de l'âge de l'amour, trente-trois ans, songez donc. Soudain ses dents très blanches l'avaient rapprochées de lui, et le négligé de la tenue, ce sac de soie bleue qui pouvait à tout instant s'ouvrir sur un être qu'on sentait menu, et vif.

« Je crois bien que je n'ai jamais bu de madère de ma vie », dit-il, son verre déjà vide, parce que c'était sucré, et qu'il était gourmand. Elle riait, versant à nouveau.

« Vous savez, je vous vois souvent de ma fenêtre. Je pense toujours que vous allez venir chez nous, et puis vous tournez n'importe vers où, et je me demande où vous courez. Vous avez quel âge déjà, quinze ans? — Seize. — Pardon. A seize ans, on a encore des excuses pour ne pas s'apercevoir que des femmes vous regardent derrière les jalousies. »

Comme il se sentait mal à l'aise... Le madère insinuant et lourd et ces paroles gênantes lui faisaient désirer de changer de place. Il cherchait un prétexte pour s'en aller.

« Je ne sais comment vous demander... poursuivit-elle, on dit que vous voulez être prêtre... »

Il eut un geste très évasif, et un petit rire qu'il jugea lui-même assez déplacé. Elle le regarda, et lui prit les mains. Il trouva cela très naturel, parce que ses mains à elle étaient fraîches, et douces : « Qu'est-ce que cela veut dire? — Je ne veux pas être prêtre, proféra-t-il la voix un peu rauque, je veux être acteur. »

Comme elle marquait de la surprise, il se jeta à parler, retenant les mains qu'elle allait retirer. « Je vous dis ça, et je ne l'ai dit à personne, jamais. Je ne sais si vous me garderez mon secret. Mais je ne veux pas vous mentir à vous, bien que je ne vous connaisse pas. Je ne sais pas ce que c'est, il fallait que je vous le dise. Ce n'est pas parce que vous êtes une femme, il y a beaucoup d'autres femmes, Après tout, c'est peut-être le madère... »

Elle rit encore, d'une façon un peu contrainte, et se dégagea. Il en eut comme une déception. Voilà qu'elle portait ses mains à son front. Cela fit un silence. Puis elle parla, d'une voix toute changée : « Je ne sais pas ce que j'ai... la chaleur... le vin... »

Il se levait, stupide. Brusquement elle se renversa dans les coussins, un de ses pieds battit l'air, et la mule retomba. La jambe, ronde, sortit de la robe bleue qui avait glissé, Mme Respellière avait perdu connaissance. Armand s'affola. Que faire? Il regardait la porte, il dit : « Madame », prit une des mains, il allait appeler quand il vit que le kimono s'était tout à fait ouvert et que Thérèse était nue. Il n'avait jamais vu de femme dans une telle liberté.

« Imbécile, soupira-t-elle en l'attirant dans ses bras. »

★

Quand Marie Reboul entendit le pas de son homme sous la voûte, elle eut le cœur qui battit la chamade, et fit filer Angélique par la porte de derrière. Angélique avait pu se désaltérer, et manger un oignon et de la fougasse. Marie la regardait avec un mélange d'horreur et de piété. Elle s'était disputée à cause d'elle avec Mme Migeon, pourtant l'histoire du paralytique et de M. Eugène la faisait frémir. Comment était-il possible qu'une femme descendît si bas... Elle lui aurait posé mille questions, mais Reboul ne devait pas la trouver là. Avant le scandale, il l'avait battue pour recevoir Angélique. Alors maintenant...

Angélique regagna donc le haut de la ville. Elle aurait voulu voir son Pierre, mais elle n'osait pas affronter les gens. Déjà ce que Marie lui avait raconté, lui faisait craindre le pire d'une population moins prude qu'hostile aux putes de son genre. C'est ainsi qu'elle gagna le sommet de la colline, où il y avait la tour.

La tour au-dessus de petits champs en espalier, où poussaient des oliviers maigres, au feuillage d'étain, surmontait la ville, et du côté de l'est, elle était limitrophe avec la limite supérieure du jardin des Barrel. C'était une drôle de tour, dont l'extérieur avait gardé des Romains l'architecture d'un poste de télégraphe optique. Les premiers chrétiens l'avaient transformée en chapelle, et pourvue de cryptes. Puis étaient venus les Maures qui en avaient fait une mosquée. A nouveau les chrétiens, dont l'idéal artistique avait pris de nouveaux cintres, y avaient réinstallé leur divinité. Tour à tour, les hérésies sanglantes, un retour des Infidèles, et finalement la Réforme, avaient attribué à des passions opposées ce curieux bâtiment que les hommes refaçonnaient sans cesse à leur changeante fantaisie. Temple de la Raison, pendant la Révolution française, réaffecté au culte sous Louis XVIII, ce n'était plus depuis 1870 qu'un débris curieux de l'histoire. Quand au seize mai, le Midi s'était apprêté à résister par les armes à une trahison du maréchal de Mac-Mahon, on avait empilé des munitions dans la tour. Cela avait été la dernière minute d'héroïsme.

Rien de cette longue histoire n'y attirait Angélique, mais

seulement une certaine idée de l'antique droit d'asile. Là-haut, c'était une sorte d'église, et personne n'y toucherait la fugitive.

Elle y parvint, essoufflée d'avoir monté, et elle se dégrafa un peu, à cause de la chaleur. On entrait là dedans comme dans une rivière gelée. La terre du sol enfonçait sous ses pas. Elle distinguait mal toute chose, une ogive inachevée au-dessus d'un trou de soleil, tout au fond, par où entraient du flanc du coteau des branches vertes. Elle avançait. Elle entendit des voix et se figea. Qui donc à cette heure de la sieste, où tout Sérianne somnolait, avait gagné la vieille tour?

Un couple. Deux êtres jeunes, charmants, debout l'un près de l'autre, leurs mains se tenaient, ils étaient dans un abandon innocent, où ce qui saisissait était comme un parfum de l'enfance. Près de l'ouverture qui donnait au-dessus de la vallée, dans l'encadrement de soleil qui faisait de leurs cheveux, elle blonde et lui nimbé d'or, mais noir à contre-jour, comme un accord de l'ombre et de la lumière, ils appuyaient leurs fronts l'un contre l'autre. C'était un geste qui se retrouve chez de très jeunes animaux, des petits chevaux tendres. Les voix venaient comme une source dont on approche, et les notes plus graves des mots masculins retinrent le cœur d'Angélique.

Elle ne voulait pas y croire. Elle n'y croyait pas. Ses oreilles étaient folles. C'était un jeu de l'obscurité, des rayons. Elle ne voulait pas y croire. Elle avançait pour se détromper, sur la pointe des pieds, dans l'ombre. La chanson de la source se faisait plus nette, plus proche et passionnée. Elle ne voulait pas y croire. Encore un pas et l'illusion allait tomber. Est-ce qu'on peut croire à sa propre mort, à une pareille horreur, à une aussi simple abomination? Elle ne pouvait pas y croire. Pierrot...

Il était là qui parlait avec une jeune fille, toute rose, et les cheveux mousseux. Il lui parlait, on n'avait pas besoin d'entendre, les mots ne pouvaient rien y changer, et Angélique savait ce qu'il disait, chaque intonation, chaque arrêt réveillait un souvenir à lui briser le cœur. Il lui parlait d'amour. Comme elle était jolie... Ce n'était pas une servante, celle-là; une demoiselle, et jeunette... Il lui parlait d'amour... Avec sa voix précipitée, un peu bougonne. Angélique vit glisser le bras de Pierre autour de son nouvel amour.

Elle pouvait regagner la ville. Elle ne craignait plus rien. Qu'est-ce que les gens pouvaient bien lui faire maintenant? Dans l'ombre, elle sortit de la tour sans qu'eux l'aient entendue. Elle retrouva la chaleur écrasante et le grand jour. Elle aurait voulu crier. Elle était sans voix. Elle tremblait comme au gros de l'hiver. Pierrot, Pierrot... Qu'est-ce donc qu'elle avait été rêver dans la vie? Est-ce qu'elle n'avait pas toujours su cela, qu'il n'était pas pour elle? Il disait... mais l'avait-elle jamais cru, voyons, dans l'humble fond de son cœur? Cela devait venir. Rien de terrible. Rien. L'attendu. Le normal. Mais cela faisait une douleur dans les bras, dans les bras fatigués de laver à terre, dans les jambes lasses des fardeaux portés, dans les reins cassés par de longues complaisances. Les petits sanglots doux d'une pluie d'orage montaient en haut de la colline dans une fille blanche comme la peur.

★

Dans un geste familier, Emile Barrel se pinça la lèvre supérieure, ce qui rapprochait les deux grosses touffes châtaines de sa moustache.

« Non, dit-il au sous-préfet Rateau qui dégustait sa chartreuse, de la vraie s'il vous plaît, M. Delangle n'a pas grand' chance, entre nous, les probabilités sont pour le ballottage, et Barbentane au second tour. Il faut regarder les choses en face. — Oh! vous savez, je ne me pendrai pas pour si peu! Vous deviez avoir une fameuse collection de bouteilles, pour qu'il vous reste encore de cette chartreuse, qui fait chaque fois mes délices. De toutes façons, je me borne à observer envers M. Delangle une neutralité bienveillante. — Dix douzaines. C'était juste avant l'expulsion des Pères, ils liquidaient leur stock. — Le ministre m'a dit simplement que sans être un ami de M. Delangle, il ne voudrait pas que celui-ci ait l'impression que, pour des raisons politiques, le gouvernement ne lui a pas laissé courir toutes ses chances. — Ah! c'est vrai, Delangle est administrateur de cette affaire marocaine à laquelle Steeg, Millerand, Quesnel s'intéressent... D'où le Nicham. Je me demande s'il fait aussi chaud au Maroc que chez nous. Est-ce que Lyautey est bien l'homme qu'il faut? — Ce n'est pas de refus. D'autre part, Steeg ne voudrait pas se mettre à dos les Rinaldi. — Vous croyez que Charles

Rinaldi tient tant que ça au cousin Barbentane? — C'est-à-dire qu'il y a une combinaison avec Perrot qui va se présenter dans les Basses-Alpes. »

Avec ses hautes persiennes bien fermées, la salle à manger des Barrel, maintenant que ces dames y avaient laissé les messieurs bavarder, était d'un calme tel qu'on n'en serait jamais parti. M. Rateau fumait de la contrebande suisse. Un esprit original. Barrel préférait tout de même ses londrès. Comme il se levait pour prendre son coupe-cigare sur la desserte, il soupira. Tout de même, il sentait l'âge à l'heure de la digestion.

« Vous savez, mon cher préfet, ajouta-t-il, je ne voudrais aucunement gêner la politique du gouvernement. Bien que mes idées religieuses me fassent taxer de vieux réactionnaire, vous avez pu comprendre combien chez moi le Français cède le pas sur tout autre personnage. Notre gouvernement, pour imparfait qu'il soit, n'en a pas moins à sa tête un homme que je respecte, et qui est le chef que je souhaite à ce pays. Par conséquent, bien inutile d'y aller avec moi par quatre chemins. Si on pense à Paris qu'il y a un intérêt quelconque à faire voter pour Barbentane... »

Le sous-préfet faisait très élégamment des ronds de fumée. « Oh! dit-il, répondre par l'affirmative serait de ma part assez présomptueux. Nous autres, fonctionnaires, nous ne sommes pas dans les secrets des dieux. On nous laisse entendre les choses d'une façon si enveloppée, qu'enfin c'est presque nous qui en décidons, affaire de rapidité d'esprit. Pour passer d'un sujet à un autre... c'est au Maroc que j'en reviens. — Quelle chaleur! Je plains nos pauvres petits soldats. — Sans doute. Mais j'ai un peu hérité récemment, de mes cousins Rateau, vous les connaissiez... — Peut-être. — Eh bien! cela me fait des soucis. Alors j'avais pensé vous demander conseil. — Faites, faites. — Voilà. J'hésite entre ces terrains de Casablanca, et du russe. Vous savez qu'on fait un nouvel emprunt. Je suis perplexe. — Les deux sont des affaires sûres. A patriotiquement parler, il est difficile de choisir. Ma vieille amitié pour Joseph Quesnel me fait pencher pour Casablanca. L'Afrique du Nord, tout de même, c'est l'avenir de la France... Pourtant, vous savez mon éclectisme d'amitiés, le sénateur Perchot, un des piliers du radicalisme, m'affirme que de nouveaux accords avec la Russie... — A cette allure-là, cher monsieur, vos dix douzaines... J'ai rencontré à Lyon l'autre jour le Révérend Père... — Mon cousin Louis? C'est un homme d'une haute élévation d'esprit, et avec cela un lettré. Les dominicains sont l'élite de l'Eglise. — Oui, nous avons passé une soirée charmante, dans l'intimité bien entendu. Le Révérend Père a des vues extrêmement subtiles sur la politique extérieure. Au fait, il m'a chargé de vous dire qu'on s'attendait à un scandale avec les laiteries Maggi, et que cela touchait peut-être votre industrie... — Maggi? Non, pas directement, sauf que ces laiteries sont sans doute liées avec des concurrents suisses... — Vous êtes très lié avec Joseph Quesnel? Alors, peut-être pourriez-vous me dire si le projet pour lequel il était venu dans la région tient toujours... Le remplacement des tramways par des autocars... — Vous savez la difficulté? La Compagnie des Tramways se défend. Autrement cela ne fait pas de doute que l'intérêt local serait de... — La question sera soulevée à la prochaine session du Conseil général, à la revision du cahier des charges. — Sans doute. Si le Conseil n'écoute pas autre chose que la loi du progrès... Vous n'ignorez pas que Quesnel a tout à fait partie liée avec Wisner. Ils ont déjà établi les services dans plusieurs départements. Cela marche très bien. Pour mon compte, par Mme Barrel, je suis même un peu parent des Quesnel... — Je me demande si Delangle voterait contre la Compagnie des Tramways... — Pourquoi ça? »

Le sous-préfet se tut un moment. Puis il se pencha vers son hôte : « M. Arnaud... le propriétaire des *Nouvelles Galeries*... est personnellement assez lié avec Delangle... si, si, je le sais : d'ailleurs il est, au point de vue électoral, la pierre angulaire des chances de Delangle à Sérianne... si je ne vous compte pas. Or, M. Arnaud est du Conseil d'administration de la Compagnie des Tramways... — Barbentane, évidemment, sera toujours partisan de nouvelles machines, d'améliorations techniques.. — Alors, le dernier, cette fois. Oh! vous avez la main lourde! De toutes façons, vous serez plus facilement écouté si vous dites à vos contremaîtres qu'après tout il n'y a pas d'antinomie entre les affaires du chocolat Barrel et l'élection du Dr Barbentane, que si vous leur recommandiez de voter pour Delangle, qu'ils ne connaissent pas! »

★

« Comment va votre malade? »

Le Dr Barbentane avait du cambouis sur les mains. C'est toujours dans des jours pareils que les voitures se détraquent. Il avait fallu se mettre sur le dos en pleine route. Enfin! Il n'était pas venu le matin, il avait chargé Edmond de la visite.

Mlle Rose lui tendait la serviette. Elles étaient trois qui avaient accepté pour continuer à soigner les malades d'abandonner le vêtement religieux. Que pensaient-elles de cet ogre d'impiété qu'était Barbentane? Mlle Rose disait son chapelet pendant les opérations. Elle soupira.

« Mal, très mal... »

L'expression amène du docteur s'évanouit. « Comment? La température persiste? Diable, diable. »

C'était un vieil établissement congréganiste qui avait été repris par la municipalité. On avait abattu des cloisons pour faire une grande salle, mais on n'avait repeint que l'inévitable. Au premier, les hommes à gauche, les femmes à droite. En bas la consultation, la salle d'urgence, et les cuisines prolongées dans la cour par un baraquement. En haut, Barbentane avait un petit laboratoire, à côté duquel couchaient les nonnes. Tout cela puait l'iodoforme et la ratatouille mêlés. Une fille de salle soulevait une poussière qui retombait sur les malades, sous prétexte de balayer. Les draps de la quinzaine précédente encombraient, jetés en bas, le palier des salles.

« Il est seul? » dit Barbentane, en s'essuyant les mains.

Mlle Rose, choquée, agita son bonnet noir. Le règlement est formel. Passé une heure, plus personne...

Barbentane enfila sa blouse. Ça le changeait, une blouse. Il était un autre homme, il oubliait les vicissitudes électorales. Voyons...

La salle. De grosses mouches tournaient au-dessus d'un vieillard. Plus loin, un gosse sourit pauvrement au passage du docteur, le pied suspendu dans un appareil à poids.

Un lit de fer à la peinture écaillée, avec à la tête un numéro 7, et la pancarte. Vilaine courbe. Pas de rémission matinale. Dans les draps jaunes et raides, l'homme était sans connaissance, les yeux mi-fermés, la peau sombre de sueur. Une barbe de quatre jours, bleue et drue. La gaze enveloppait le crâne et tournait autour du cou, croisant devant les oreilles. En séchant elle avait pris cet aspect miteux, roulotté, qui donne au pansement ancien un air de saleté, de tristesse. Le malade respirait bizarrement, la lèvre molle soulevée à peine, puis plus fort, plus vite, plus vite, pour retomber au rythme premier, imperceptible. C'était comme une succession de courses affolées. Barbentane se retourna vers Mlle Rose : « Cheyne-Stokes », murmura-t-il. Elle prit l'air de savoir ce que c'était.

A quoi bon examiner ce malheureux? Sans trop penser à ce qu'il faisait, Barbentane avait machinalement soulevé le drap. De la chemise d'hôpital remontée sortait le corps solide, les jambes velues : « On aurait pu lui laver les pieds », dit le docteur en laissant retomber le drap. Le pauvre bougre, il luttait ferme dans ses ténèbres pour continuer sa vie de chien! Les poings serrés, énormes, parurent au médecin une dérision. Il haussa les épaules : « Si les siens veulent le voir, à n'importe quelle heure, il faut laisser entrer. — Ah! dit Mlle Rose, c'est donc ainsi... »

Barbentane regarda encore la pancarte. Il déplia la feuille de température. Sans jouer au prophète... Au bas était écrit, en anglaise appliquée, Mlle Clémentine apparemment, les nom, prénom, âge, profession, domicile de l'entrant. « Terrassier », constata le docteur. Cela expliquait le développement exagéré des muscles de la jambe droite, qui enfonce la pelle. On ne saurait jamais qui avait frappé d'un coup de matraque. La bagarre avait été confuse. D'ailleurs qu'est-ce que cela y aurait changé? Chez les femmes, rien à signaler. La vieille 15 déménageait. Oh bien, que voulez-vous, à son âge!

En s'éloignant dans sa Wisner cahotante, par la route de Villeneuve, le maire repensait à l'agonisant. Il peut passer d'un moment à l'autre. Le père se félicitait que le bachot eût éloigné son cadet de Sérianne. Dire qu'il aurait pu être mêlé à cet assassinat! La folie nationaliste! Et naturellement, les curés là dedans!

De toute façon, le terrassier Joly était un homme mort. C'était seulement le devoir de Barbentane d'imaginer les retentissements de ce décès. Prévoir, éviter les réactions trop

THE MISSING HOURS

Books by Emma Kavanagh

The Missing Hours

I Am Watching

THE MISSING HOURS

EMMA KAVANAGH

KENSINGTON BOOKS
www.kensingtonbooks.com

KENSINGTON BOOKS are published by

Kensington Publishing Corp.
119 West 40th Street
New York, NY 10018

All Kensington titles, imprints and distributed lines are available at special quantity discounts for bulk purchases for sales promotion, premiums, fund-raising, educational, or institutional use. Special book excerpts or customized printings can also be created to fit specific needs. For details, write or phone the office of the Kensington Special Sales Manager.: Kensington Publishing Corp, 119 West 40th Street, New York, NY, 10018. Attn. Sepecial Sales Department. Phone: 1-800-221-2647.

Kensington and the K logo Reg. U.S. Pat. & TM Off.

ISBN-13: 978-1-4967-1372-8
ISBN-10: 1-4967-1372-9
First Kensington Hardcover Edition: March 2018
First Kensington Trade Edition: June 2018
First Kensington Mass Market Edition: March 2019

ISBN-13: 978-1-4967-1373-5 (e-book)
ISBN-10: 1-4967-1373-7 (e-book)

10 9 8 7 6 5 4 3 2 1

Printed in the United States of America

For Ma and Auntie Debs
Your courage in dark times has shown us all the light.

The Disappearance of Selena Cole

Heather Cole—Tuesday, 7:45 AM

It was the silence that frightened Heather. It seemed to come from nowhere, a creeping, drowning vacuum racing across the playground, down the muddy bank toward where she sat, both feet planted firmly in the rocky brook. One moment the air had sparkled with her younger sister's laughter, the aching creak of the swing, then nothing.

There was a thrumming in Heather's chest, like a small bird had flown in there and was trapped, its wings beating against her rib cage, only Heather couldn't tell if it was the anger that bubbled up inside her seemingly all the time now, or if she was afraid.

It was anger. She screwed her face up, scowled at the water's surface. Thought for a moment that the water reared back in terror.

Anger was easier, she had learned.

She looked down at her feet, where her red patent shoes shimmered beneath the bubbling water. Mummy would be so cross with her. She had told her not to wear the shoes, that they were for school, that they weren't to play in. But Heather had screwed up her face, made her eyes all small and stern, had said she was going to wear them anyway. Had waited for the thunder, her mother's face sliding into that flat expression, the one that said she was up for the fight, waited for her arms to cross across her narrow waist, the look that said, "Fine, I can stand here all day." Heather would have given in then. Honest she would. She would have puffed and rolled her eyes until they ached, but she'd have pulled the red patent shoes off, slipping her feet instead into the warm embrace of her wellie boots.

But that hadn't happened.

Instead, Mummy's eyes had got full, the way they did when she was thinking about Daddy, and she had turned away, shrugging her shoulders. And Heather had stood in the hallway, staring at the red shoes, thinking how pretty they looked against the twisty tiles, and wishing she had just put her wellies on anyway.

Heather Cole sat on the bank, the tree stump hard against the small of her back, and listened, as hard as she possibly could. She cocked her head to one side, as if that way she could make the laughter come back. She glanced behind her, up toward the top of the embankment. Maybe Mummy was coming to find her. Maybe she'd taken Tara out of the swing and they were on their way to get her, only she couldn't hear their steps because of the water.

That could be it.

"I don't know, Orl. Heather is just so angry. All the time. It's like . . . ever since we lost Ed . . . she . . . it's like she hates me."

Heather had stood in the silent hallway, hadn't moved or breathed, just pushed her ear against the living room door. Could hear the tears in her mother's voice. Heard Auntie Orla sigh.

"She doesn't hate you, Selena. Really she doesn't. She's just . . . she's seven. She's grieving and she doesn't know how to handle it. Of course, she's taking it out on you. You're all she has left."

"I know. But she was such a daddy's girl. Sometimes I wish . . ."

"What?"

Then her mother had sighed like a giant gust of wind. "Nothing. It doesn't matter."

Maybe they had left her. Had Mummy taken Tara and simply gone home? She had said that Heather was angry all the time. Heather knew what that meant. She was naughty. Daddy used to call her his little spitfire. Heather preferred that word. It sounded better. Maybe Mummy had left because she just couldn't deal with Heather anymore.

Heather scratched at the dirt beside her, watching her white nail turn slowly black. No. Mummy wouldn't do that. Would she? But then nothing in Heather's world worked the way it used to work, and so now she simply didn't know.

The bird's wings beat faster now.

Heather pulled her feet free from the water, the rushing cold making her shiver. She began to clamber up the bank, steeper than it had been when she climbed down it, arching hand over hand. It will happen now.

Now. Now. She strained. Was that it? Was that Mummy's voice? Wasn't it? No. It was just the wind. As the ground flattened out beneath her fingers, she raised her head to see the cloud-soaked sky, the dew-slicked slide, the swing hanging slack.

She stood looking around the empty playground. She wondered if she was dead. It seemed that her breath had stopped. Was this how it had been for her father? That he had simply . . . stopped? That everything had fallen silent and then he was just gone? But no. She had heard the whispers, the word that Mummy and Auntie Orla were so careful never to say when they thought she was listening. Bomb. She was seven, only seven. But she knew what a bomb was. In her mind there was noise, more noise than seemed possible. Heat. Fire. And then nothing. So perhaps it did all come back to silence in the end.

Heather Cole pulled herself up, stood on the crest of the bank. She tried to breathe, the way she had seen her mother do when she was trying to stay calm, when fear was only inches away. She sucked in a breath through her nose, held it, then exhaled, the sound whistling into the silence.

They were gone—Tara, Mummy. She was alone.

She felt tears prick at her. Felt her lip shake.

It was the shoes. It was the stupid red shoes. If she had just put the wellies on like she'd wanted to really, they would still be here. Heather looked down at her sopping wet feet, hating them now.

Then there was a sound, a wail that punctured the silence.

Heather swiveled her head, left to right, trying to locate the source of the sound. Then she saw it. Tara sitting in the slack swing. She was still there. Tara was still there. Heather pushed the awful shoes into the long grass, took off at a run across the playground, ran like her life depended on it, past the slide, the empty roundabout, to the limp-hanging swing and her three-year-old sister.

"Tara! Tara! It's okay! I'm coming!" She slip-slid on the gravel, her voice coming out small, and even to her own ears she sounded younger than her seven years.

Tara's head snapped toward her, and she stared at Heather with those huge blue eyes, their mother's eyes, so everyone said. Her face had pinked up, the way it always did when she cried, her lower lip jutting forward, shuddering.

"Mama, Heafer. Mama's gone."

Investigating a Vanishing

DC Leah Mackay—Tuesday, 9:46 AM

"She was here? When the girls saw her last?"

I sense rather than see the PC nod, because I'm not looking at her. My gaze has been trapped, caught on the empty swing. It has begun to rain, soft drops, more like a mist than anything with any guts to it, and the water is pooling on the red plastic of the seat, transforming the rusting chain into a Christmas garland. Dr. Selena Cole would have stood here, just where I am standing. Would have reached out her hands, wrapping them tightly around the metal chains, her three-year-old daughter sitting beneath them. Maybe they were laughing, the little one thrilled and a little scared as her mother pushed her, backward, forward.

I take a breath, feel the emptiness chase me, diving in, down my throat, nestling in my lungs. The vacuum where Selena Cole once stood. I look at the mountains that tower around us, dwarfing the tiny hamlet of Endleby. Hereford feels so far away from here, and yet it must be, what, five miles at most?

"The little one, Tara, was on the swing." The PC, Sophie I think her name is, tucks her chin inside her jacket, voice disappearing into the fabric. "Mother was pushing her. Heather, the seven-year-old, had gone down to the stream." She indicates a shallow rise, an infant summit climbing to an oak tree, then dropping away out of sight. "There's a little brook there, over that hill. When the girl came back, her mother was gone, sister was alone."

"Heather didn't hear anything?" I look down toward the road, my eye following its gentle curve. Twenty meters, thirty maybe, and then the house, stone-built, double-fronted, screaming of age and money, immediately abutting the playground. Selena Cole has vanished so close to her home.

"Nothing. The neighbor—Vida Charles—found the girls, must have only been a short time later, sobbing their hearts out."

I nod, and as I nod, I try to find the line, the one that delineates my life, separating the mother from the detective. Her girls, Selena Cole's. Not my girls. Mine are fine. Mine are safe. I shake myself, pull myself up taller, like the extra inch will make a difference. It's baby brain. I'll blame baby brain. Can you do that when your babies are nearly two years old? I guess if it's twins, then you get an extension.

"The girls okay?" I ask.

Her girls, Selena Cole's girls, aged three and seven.

Sophie shrugs. "As okay as they can be, I guess." She sighs, nods toward the house. "The neighbor is in there with them. I've got a call in to their aunt, and she's on her way."

"The father?" I ask. My gaze moves from the swings across the gravel, the grass, down toward the road. Where did Selena Cole go? What happened? Did something just snap in her? The demands of parenthood or marriage or just life suddenly overloading her, so that in the end she couldn't remember exactly who she was, couldn't push through the noise and the responsibilities and the chaos. Did she stand here, one daughter on the swing, the other playing, and then just turn, walk away? The road is right there. Did she get into a car, drive off, leaving her children behind?

"The father is dead."

I look at Sophie. "He's dead?"

"Do you remember that terrorist attack in Brazil last year? He was there—Ed Cole. Apparently, they ran some kind of consultancy business together, he and Selena. Pretty successful by all accounts. They were at a conference when it was hit. She survived. He didn't."

"God!"

"I know. Those poor kids." Sophie says it abstractly, as if it is a story she has read.

I study her for a second. Decide that she doesn't have kids.

I look back at the house. Think of the weight resting on Selena, the grief. Was that it? She was her girls' world, their security, their sanctuary. But a support beam can only hold so much weight. Did Selena collapse in on herself, her knees buckling from the pressure of it all?

I glance at Sophie. "We need to get the word out. We may be looking for a body."

She nods slowly. "Suicide?"

I stand where Selena stood, reach out my fingers, touch the chain of the swing that she touched, imagine that I can hear the belly laugh of a little girl, the flip-flopping footsteps of another.

Selena. What have you done?

I pull my coat tighter around me. The rain has finally decided to put some effort in, large drops softly plunking against the swing in an easy rhythm. Even though it is early in the day, the sky is the color of battleships. "I need to speak to Heather and Tara."

The lights are on in the house. All of them, it seems. The wide-eyed bay windows gaze outward, spilling an orange glow into the small walled garden. I can see the children inside, bundled together, still wearing their coats and buried so deep in the cushions on the sofa that it is hard to distinguish them from it. The elder holds the younger within her arms, her long, biscuit-blond hair spilling over her like a shawl. Her lips are moving, and I study her, trying to make out what it is she says. Then her face is transposed with that of my Georgia and suddenly I realize that she is singing, her mouth shaping the words to "Let It Go." Tears prick at my eyes. I think of Georgia, spinning around the kitchen, a clumsy pirouette, singing the *Frozen* song loudly and keylessly. But it's not Georgia. I shake my head, a sharp, hard movement that makes Sophie look at me, curious. It is not Georgia, but Heather Cole, seven years old, cradling her sister, Tara Cole, three years old. And their mother has vanished.

"Shall we?" Sophie gestures to the door.

I nod.

The house is warm, uncomfortably so after the chill of the outside. The hallway is wide, autumnal Victorian floor tiles giving way to hard wood trim, the walls a deep luscious red. I cannot help but feel that this is what it must be like to stand inside the ventricle of a heart. There is a strip of pictures in heavy iron frames. Heather and Tara, two slender blond girls, their heads together, smiles all but identical. Heather and Tara again, but this time they hang off a woman—late thirties, her hair dark, cut into a chin-length bob so that it swings, trailing across her lips. I stand, transfixed by the image of Selena Cole. I wouldn't call her beautiful, rather striking, with her large eyes, her full lips, her slightly uneven features. I stare at her, wondering where it is that she has gone.

There is another picture, a third to complete the triptych. Heather and Tara and Selena with a man. Ed Cole, I presume. I breathe in, inhaling the loss this family has had to bear. He is handsome in an offhand kind of way, broad and rugged, a nose that looks like it has been broken once, or even twice, his head shaved, lower face swathed in a beard, light veering to red. There is a sparkle to him, so much life that it seems impossible he could be dead.

I find myself thinking of Alex. We have a photo on our mantelpiece, the four of us knotted together, Georgia on my lap, Tess on Alex's, taken when the girls were eighteen months old, everyone laughing even as Tess tries to squirm away, her eye caught by a nearby cat. It was a good day. A bright day. Before I came back to work, when I could still legitimately claim to be a mother, a detective. After all, it was a career break. A break. That means you are returning, that you will come back exactly as you left, not as some impoverished facsimile, there in body but not in spirit.

I hear Sophie enter the living room ahead of me, realize that I have taken too long.

The girls are still huddled together on the sofa, an elderly woman perched beside them, her back straight, fingers plucking at her thick wool trousers. She looks up as I enter, expression serious. The neighbor, I guess. The one who found the children.

"Mrs. Charles? I'm Detective Constable Leah Mackay."

She nods her head once, firmly. "Vida Charles. I live a couple of doors down. Their neighbor," she adds, redundantly. "Mind, my house isn't like this. Only a little one, mine. My husband was a postman. Retired now, of course. So, you know, we couldn't afford a big house. Not like this one . . ." She trails off as if she has forgotten how the thought ends.

I nod, smile. But I'm not thinking about her. I'm thinking about the children. The little one, Tara, isn't looking at me. She is holding her sister's hand, her gaze far off, as if the enormity of what has happened is simply too much for her little mind to process. But Heather is looking at me; her gaze has not left my face.

I sink down, sitting on the sofa beside her.

"Heather? I'm Leah."

She studies me appraisingly. "Are you a policeman . . ."—she catches herself—"lady?"

I nod. I keep the smile, as if it will somehow ease her pain.

"You're going to find my mum." It isn't a question. It is a statement. She says it as a mantra, one hand stroking her little sister's hair. "She'll come back then."

She is Tess, asking another police officer where I have gone. She is Georgia, instructing another police officer to find me, to return me to her.

I nod again. Try to forget that I want to cry.

A Start in Kidnap and Ransom
Dr. Selena Cole

(Originally published in London Us *magazine)*
It began with a kidnapping. A woman, thirty-five-year-old Astrid, readies herself for work one fine London day. She kisses her husband, Jan, and her four-year-old son, Gabriel, good-bye, and then hurries to catch her train. By the time she returns, a little over eight hours later, both her husband and her son are gone. Vanished into thin air.

Astrid is my sister.

You do not go looking for kidnap and ransom. It comes looking for you.

I was on the train when she called me, watching the sun sink on a satisfying spring day. It had been a day like any other, my world replete with the walking wounded, returning servicemen fresh from war, trying to make sense of the world they had returned to, how much of themselves they had left behind. It is about finding a new normal, I would tell them. Learning to live in the world as it is now, in the body you have now.

The words are easy. Empty. You do not understand the weight of them until your normal also disappears.

"Selena . . . my baby. He's gone."

The police tracked them as far as Poland. Have there been any problems? they asked my sister. In your marriage? Your lives together?

I thought we were happy. I thought we were all Jan wanted.

Is parental kidnapping still a kidnapping?

Looking at my sister, her world ripped from beneath her, I would have to say yes.

I have never been known for my patience. I began to examine my brother-in-law, to look at his life in a way I never had before. Did you know about the other women? About the drugs? But Astrid was too far gone by that point, sunk so far into herself that my words failed to reach her. What did she have to live for now? Her whole world had vanished.

You reach out when you are in darkness. You grasp at any hand you can find. In reaching, I found Ed's hand. I took it and never let go. That, however, is another story.

I know people, Ed said. Let me make some calls.

Two weeks after the vanishing of my brother-in-law and my nephew, Ed and I boarded a flight to Krakow. They are staying in a house in Katowice, Ed told me, a couple of blocks from Jan's parents. There is a woman with them, young, attractive. I'm putting money on it being a girlfriend. How about we pop over for a visit? Have a little chat with your brother-in-law?

I didn't tell my sister I was going. Now that I have children of my own, I wonder at that, at the temerity of it. But then it made sense to me. I had to keep this clean, clinical, unassailed by the emotional baggage that my sister would inevitably bring.

We can simply take Gabriel, you know, said Ed. Rent a car, scoop him up, make a run for the border. If it comes to it, we can get him out.

I looked out of the airplane window at the rolling greenness below. No. It's too dangerous. If it were to go wrong . . .

So, asked Ed, what's the plan?

I shrugged. I'm going to talk to Jan.

It would be my first ever negotiation.

I think I knew, as soon as Jan opened the door, what the outcome would be. In retrospect, I would see it written plain across him: the exhaustion, the fear, the sense of one who has gone too far, walking too heavy on a ledge that will not hold much longer. Ed calls it my gift. My ability to sense the pressure points, to see where my opponents will give, where they will stand firm. But I still think it all came from that day, from the desperate need to make this right. It had to work. There was simply no other choice.

We talked for hours, Jan and I, as my nephew lay sleeping in the next room, Ed sitting watchful and waiting. Until, in the end, an accord.

He had only meant to leave. He had a girlfriend. He wanted to be with her. He hadn't meant to take Gabriel, that had never been the plan. But when push came to shove . . .

You know how it goes.

But my nephew had cried for his mother every day for two weeks. Had dug his heels in, becom-

ing recalcitrant, intractable, as only a four-year-old can.

He needs to go home, Jan had said finally. I made a mistake.

We left early the following morning. Jan drove us to the airport. Kissed his son good-bye.

In the years that followed, I have often questioned what I was thinking when I went there. How far was I prepared to go? Would I have kidnapped Gabriel in return?

Yes.

I would have done that and more.

And yet I learned a powerful lesson. That persuasion can work better than force. That words can ease the road to freedom, can allow the kidnapper to believe that a release is for their own greater good. That not all manipulations are bad.

And when I doubt myself, I think of Astrid, her suddenly small figure curled on the sofa, barely glancing at us as the door opened and we walked in, and then something, some mother's instinct, telling her to look up, to see me carrying her son's sleeping form, and that change—relief, ecstasy, wholeness—flooding through her. When I fear that I will fail, I think of my sister. And then I know that I will not.

The Body

DS Finn Hale—Tuesday, 9:55 AM

You don't forget the smell of death. Not ever. It has a familiar quality; even if you've never smelled it before, there's a sense that you've known all along what it will be like.

I study the body, a corpse in name only. Because from here, on the narrow road on the mountain, all I can see is gray fabric, a flash of skin, shockingly white against green grass.

It has been dumped; there is no other word for the end of this human. The road is narrow, used only rarely and then with care. On one side, steepness, leading higher and higher until the rocky crags vanish into a net of cloud. On the other, a narrow shelf of grass and shrubs and then the fall. The body lies on the shelf. Like someone has driven by, opened a car door, shoved it out, and then left.

That irritates me, more than the rain, the mist, the frigid cold. The carelessness of it all. That whoever did it, ended this life, was too busy, in too much of a hurry, to hide the body. I look to the curve of the road, where a car would have traced the lines of it, slowing, stopping, a door opening, and the deceased—whoever they were—pushed, lifeless, to the roadside. Death should be about more than that.

I walk slowly along the tarmac, feet squelching with each step. The rain has started, moving straight into high gear. It bounces off the surface, plopping on my suit sleeves. A heavy mist is rolling in across the valley with the inevitability of the tide, pressing down on top of me, everything beyond the next few feet a blur. I balance my steps, a boy walking along curbstones, my overshined shoes keeping tight to the black line of the road, and it feels like a game, that if I lean a little too far to the left then I will be gone, tumbling into that bowl of greenness.

There are no houses here.

If you follow the arc of the road, tracing it down the hillside that is about to be swallowed in cloud, the eye struggles to pick out anything, just layer upon layer of green. No towns. No villages.

Nothing.

What the hell were you doing up here?

I glance back to the body, the mysterious dead, my gaze snagging on Willa as she moves about it, white forensic suit stark against the gray of the day.

"Nearly done?" I yell. My words slip away, fighting with the rain.

She stops, looks up at me, and I hear her voice, distant, reedy, straining against the wind. "Patience is a virtue, Sergeant. You should try it some time."

Sergeant.

Eighty-two days. I have been a detective sergeant for eighty-two days.

I'm working very hard to pretend I know what I'm doing.

I nod, although I'm pretty sure she can't see it. "Okay. Carry on."

I hear the flutter of a laugh, so out of place in the wind and the rain and the smell of death.

What were you doing up here? How did you, whoever you are, manage to get yourself killed on a mountain in the middle of God's green nowhere?

"Hey, Willa?"

"Sweet God! What?" She is looking up at me, her hands on her hips.

She's fine. That's her "I'm listening" pose.

"You seen any cars pass by since you arrived?"

I can just about make out a heavy sigh. Or it could be the wind.

"No, Finley. I haven't noticed. I've been too busy chatting to you."

I grin, wave. "Right. Sorry. Carry on."

Eighty-two days. I shiver, rain seeping beneath my collar. It's my first murder as a detective sergeant. That's no surprise. We don't get that many murders here, buried on the border of England and Wales, surrounded by mountains and countryside and sheep. It's hardly Mogadishu. But the call came into the office: a dead body on the mountain road, a little way outside Hereford.

We all sat up a little straighter—you do when you're in the Criminal Investigation Department of a small force and someone says the word "murder." I looked for Leah, my eyebrows raised in silent communication, but she had already gone, on her way to the missing person case.

And the pieces slid into place for me. The missing person, found.

I blink the raindrops away. Think that I need to call my sister, give her a heads-up that her missing person may not be missing anymore. She laughed when I handed the case to her. A nice easy one, she said. Grown woman pops to shops without telling anyone, will saunter back in an hour or two wondering what the hell CID is doing in her living room.

I look at the body. I don't think anyone is going to be sauntering anywhere anytime soon.

"Sarge?" The uniformed officer hurries closer, ducking under his hat, like that will make a damned bit of difference to the rain, and I glance over my shoulder, looking for the sergeant. The person in charge. Then I realize. It's me.

The patrol car is parked at an uneven angle, blocking the road, its blue light swirling. The back door is slightly ajar. I can see the foot, wet from the rain, twitching, a tan work boot tapping against the door.

"Sarge?" says the uniformed officer. "The witness, he wants to know if he can go."

I look from him to the car and the tapping foot. You and me both, mate.

"I'll come and talk to him."

The witness is chewing his nails, has brought them down to the quick. He is broad and rugged, I'd guess maybe fifty, fifty-five. He looks up at me, down, his eyes darting back through the windscreen to where the body lies.

"Darren Crane?"

He nods, and I can see the muscles in his jaw, pulled so tight that you'd swear it was lockjaw.

"I was only going to work," he says, not waiting for me to ask. He isn't looking at me, is staring through the windscreen, his eyes clamped on Willa, on the body. "I drive this way every day. You never see anything on this road. Quiet road it is. And I'm driving along slow, because of the weather, and I see this, well, pile of clothes, so I thought." His words come too fast, each chasing the tail of the one that came before it, his breath quick, unsteady.

Is he about to have a heart attack?

"I don't know why I pulled over. Not really. There was just, there was something about it. Something not right, you know?"

He looks up at me, eyes seeking reassurance. I shuffle through responses in my head. I'm not really the reassuring type. But he's looking at me and he's waiting, and so I arrange my face into what I hope resembles a smile, and wonder if he believes me.

"So, I pulled in." He gestures, to the grass verge, the body, his words coming easier now. "I thought it was clothes, see. I thought . . . we have problems with illegal dumping sometimes. They come up here, dump stuff, and I thought that was what it was. Then, it was weird, it was like the whole thing shifted, and then I could see . . . well, it was a body, like."

He stops, coughs, and I suddenly realize it is to cover a sob.

Jesus.

I wish my sister was here. She's the people person. I'm more the doer.

"You, ah, you okay?" I ask.

He coughs again, wiping his face with a hand. "Aye, well, shock, see. You don't expect it, do you? To find a body, I mean."

I should call Leah, warn her. That her missing woman isn't going to be coming home. There were kids, too. Two of them. Two girls. Just like Leah's twins.

Dammit.

"Poor bastard, though. I mean," Darren Crane looks at me, expression searching, "what do you think he did? You know, to end up here?"

"Well, I . . ." Then I hear what it is that he has said.

He.

My thoughts sputter, and now I feel like I've been walking down a staircase and the bottom step wasn't where I was expecting it to be. I take a long breath, sucking in the smell of death.

"Finn?" calls Willa. "Detective Sergeant! Any chance?"

"Stay here, please," I mutter.

I head back to the car, pull on the white Tyvek suit, the cold wind wrapping its way along the mountain road tugging at it. Place a mask over my face.

Willa studies the scene at her feet, her head circling as she scans it for any details she may have missed, her lips moving in private calculation. I step closer, feeling the tension race up my back, across my shoulders. Knowing that at any moment she is going to turn and walk back toward me and tell me what she has found, and then, just like that, it will become my problem. Well, not my problem. The problem of about forty of Hereford's finest. But it will feel like my problem.

I guess that's the trouble with having been a sergeant for eighty-two days. Everything feels like your problem. There has been no time for the shifting ground to settle beneath my feet, no time to settle in, to establish myself in this new role amongst the people who were my friends eighty-three days ago. They look at me differently now, like dug-up World War II ordnance. It may be harmless, inert, just a lump of old metal. On the other hand, it may blow up and take your leg off. Who knows?

Willa waits, looking at home here, in amongst the death and the odors. An attractive girl, dark and, appropriately, willowy. You wouldn't look at her and think that she spends her days surrounded by dead people and bodily fluids.

I cough, awkward suddenly. "You all done?"

"For now." Her voice is muffled by the forensic mask. "You want to see?" She doesn't wait for me to answer, just moves aside, pointing toward the inert form.

The body is lying on its side, and for a moment, you could fool yourself that he was asleep, curled in on himself as he is. I see dark hair, cut neatly, a steel-gray suit, skin so white that it seems to glow. Oozing darkness, blood that has seeped from a wound in the neck, settling around his collar.

"Can you believe it?" asks Willa.

"No. Well, yes." I feel like I have walked in halfway through a conversation. "What?"

"Well, I mean, I don't know him well, but still . . ."

I move, with careful footsteps, closer to the dead body and the edge, closer to the drop down below. His eyes are closed, his face is slack. He looks different from the way he looked when I saw him last. More dead, mostly.

"Shit," I say.

"Yup."

Auntie Orla

DC Leah Mackay—Tuesday, 10:12 AM

I close the front door softly behind me, ease it onto its catch. I cannot bear to let it slam, to have the Cole girls be startled by the sound. They have enough to be afraid of. It's stopped raining now, but the memory of it still hangs in the damp air. I stand there on the doorstep and breathe in the chill autumn air. Look to the mountains, their peaks lost in cloud. I feel like I am waiting for her, that if I just stand here long enough, the low metal gate will swing open and Selena Cole will come walking through it. That there will be a reason, something that explains and absolves this vanishing.

Selena Cole has been missing for two hours. Two hours away from her little girls. She doesn't know where they are. She doesn't know that they are safe, that they aren't just sitting in the playground, on the rain-sodden grass, waiting for her to return. She has to return. She has to come back so that she can find them, usher them into the warm.

But it's been two hours, and she hasn't come back.

Which makes me think that she cannot. Which makes me think that something is very badly wrong here.

Heather sat, her sister curled into her so close that there was no daylight between them, and watched me like I had the answers, her face creased into a frown far too old for her years.

"She was wearing jeans. She had a white sweater on." She handed the information to me, a precious parcel, and you could see her thinking that this stuff was critical; it was what would bring her mother back to her. "Her hair was down."

I sat alongside them, tried not to notice when the younger girl shuffled away from me, still closer to her sister, even though I wouldn't have believed that was possible. "How was Mummy when you saw her last? Was she happy or sad?"

The elder girl thought, her gaze resting on her little sister's fingers, wrapped inside her own. "She was sad."

"Is Mummy sad a lot?"

A stricken look flitted across her face, and I wanted to kick myself, wanted to take it back, to make it okay, but I could do none of those things. The little girl stared past me, at the red patent shoes on her feet, and tears filled her eyes, spilling down her cheeks.

I stand on the doorstep. Simply breathing. In. Out.

Where are you, Selena?

Did you walk or were you dragged?

I went through the house, an intruder, rummaging through drawers, opening cupboards, looking for something that might hold a secret. I stood in Selena's bedroom, longer than I needed to, gazing out of the low windows, the framed view of the hills beyond.

This would be her sanctuary, a space of her own. The bed had been made, the cover pulled straight and tight, pillows stacked at its head. Did she do that this morning, in amongst the noise and life of two young children? Or was the bed not slept in at all?

Two bedside cabinets, painted in a distressed white. On one, the detritus of life: a book, a glass of water that had begun to accumulate dust, hand cream, the top not quite screwed on. On the other, a shrine to death: a family picture, the four of them preserved in a gilt frame, a hardback book, its angle so perfectly square that it must have been lined up that way. The husband's side, I presumed.

I stood, watching the dust motes dance in the light, taking a moment to breathe. Then I pulled open the drawer. Looking for a diary. A letter. Something. Anything.

What happened to you, Selena? Was it the grief? Or did that monster get you? The one that chases mothers, the one that screams that you will never be enough, that you are failing, that your children will lose simply because their mother is you. Did it overwhelm you finally, forcing you to stumble, fall?

I thought about last night. Sitting on the floor of my laundry room as the washer whirred, the dryer shook, my head aching with all I had to do. Wanting to cry and knowing that I couldn't, because Tess and Georgia still needed their bath, still needed their story and for Mummy to do the voices they loved. Still needed so much. And that fleeting, traitorous thought of how easy life used to be, in the before.

I searched through the drawer. Jewelry boxes, perfume, a photo album. And a small bottle. I pulled it free, squinting at the faded writing in the low light. Cipramil.

Selena was taking antidepressants.

I tucked the pills into an evidence bag, just in case. There was a name on the bottle, the prescribing physician, Dr. Gianni Minieri. I made a quick note in my notebook, wondering what Dr. Minieri would have to say.

I stand on the doorstep, look at the tumbling hills, and think. Selena was grieving. Selena was depressed.

I look to the garage door.

It is closed.

I stand there, staring, my feet seemingly unwilling to move. It is Schrödinger's cat. If I do not open the door, then Selena Cole is both in there and not in there, both alive and dead. If I do not open that door, then we can stay balanced on this knife edge, and I will not have to tell her children that their last remaining parent is gone.

But the problem with balancing is that sooner or later you always fall.

I walk slowly across the drive. The rain has soaked the crisp autumn leaves, slippery beneath my feet. The ground feels treacherous, the wisdom of my senses no longer to be trusted. I reach out for the handle, a pre-emptive catch for a fall that has not yet happened.

I grasp the handle, turn, push.

The garage door slides upward, revealing darkness. My brain screams, rushing through the new experiences. Is that death? That smell, the one that never leaves you, is that it? Or is it my brain filling in the blanks, handing me what I expect to find? The formless shapes in the gloom, is that her, her body hanging from a makeshift rope attached to the rafters?

I blink, feel the darkness diminish.

No.

There is the car—a red Range Rover Evoque. Nice. Expensive. There are shelves, neatly stacked with tools, seed boxes.

There is nobody. No Selena.

I breathe, allow my heartbeat to settle.

Move into the gloom.

The smell that I first thought was death is simply oil. It hangs here, stale, musty. The shape that I thought was a body is just some drop cloths, flecked with blue, hanging from a shelving unit.

Nothing to see here.

I feel the hood of the car. Cold. Look inside. A coffee cup has been abandoned on the center console, a pair of sunglasses on the passenger seat. In the back, a booster seat and a child's seat. No Selena Cole.

Thank God.

And yet . . . she is not here, and her car is. Where did she go? How did she get there?

There are answers somewhere. People do not simply vanish.

I look around the gloom, waiting, as if it will change, as if the answers will spring out at me from the balsa-wood shelves, the box of tools that sits open. But all that happens is that the cold garage gets colder still, and a shiver runs through me.

I slip under the garage door, ducking my head. Where is she? Her babies are waiting for her.

The road is quiet still, little traffic passing. The world

seems empty after the sound of the rain. Waiting. Then I hear the scream of a car engine, see a Mini Cooper swing around the bend and come to a sudden halt outside the Coles' house. The driver flings the door open, long, copper braid swinging violently. She sees me, stops.

"You're the detective?"

I cross the drive, meeting her at the small metal gate. Smell cigarette smoke carried on the wind that whips at her skirt, the navy fabric snapping against her thick wool tights. "DC Leah Mackay. You are?"

"Orla. Orla Britten." Her accent is pure north, her voice loud, jarring to me after the quiet. "Selena, she's my sister-in-law. Did you find her?"

I shake my head. "Not yet."

She stares at me, and then says, "Is she dead?"

The word catches me, the hard accent making it harder still. I feel my guard rising.

"Why? Why would you think she was dead?"

She looks from me to the still-open garage, to the house, and back. Sighs heavily. "I'm sorry." This comes out more quietly, her head dipping down until it almost touches her chest. "It's . . . it's been so hard lately, there's been so much. So when we got the call . . ."

"We?"

"Me and my husband. Seth. Only it wasn't we. He's on his way back from New York. Was working there. It was me. I was on my own." She has drifted off, seems to have lost the thread of the thought.

"You were saying?"

She shifts, giving herself a visible shake. "It's been a bad year. Or two years. My brother, Ed . . . he died.

And it just . . . we don't seem to have been able to pick ourselves up from that. You know?"

I cross slowly to a bench that sits beneath a stunted wooden overhang, press my hand flat against it. Dry enough. I glance at the woman, pat the bench beside me. "You want to sit?"

She looks at me for a long moment, then moves closer, carefully tucks her skirt underneath her. There's a hole in her tights, small and round, just above the knee. She plucks at it with her fingernail, worrying at the loose wool thread.

"I'm so sorry for your loss," I offer. "Your brother, I mean."

"It . . . it was a shock."

"I'm sure." I study an apple tree that stands in the corner of the front garden, its trunk scarred with age. Think how nice it would be to have an apple tree like that.

"What do you do, Orla?" I ask.

"I'm the financial director for the Cole Group."

"Selena's company?"

Her gaze flicks upward, and there is something there, words that sit right on her lips, but then she looks down again and they vanish. "Yes. Hers and my brother's."

"So," I say, "what exactly is it you guys do?"

"We're a kidnap and ransom consultancy practice. It's small, just Selena and Ed initially, but they gradually expanded, took more people on."

"Kidnap and ransom?"

"Kidnap for ransom is big business in some parts of the world," Orla says, her voice distant. "Most of the companies who operate there—say Mali, Nigeria, places like that—take out an insurance policy on their workers that covers them against kidnapping. The Cole Group trains companies on the best ways to protect themselves, helps them establish crisis management plans. But if things do go wrong and someone is kidnapped, we are dispatched to handle the situation. Selena's a psychologist, a doctor. With that and Ed's military background . . . it's a good company. We have a good reputation."

"So . . . ," I say, "you negotiate with the kidnappers?"

Orla shrugs. "Sometimes. Depends on where in the world we are."

"And Selena runs the company?"

"Selena used to run it. But after Ed . . ." She glances at me. "Things are different now. Selena's taken a back seat. My husband, Seth, and I, we run things day to day."

I nod, let the silence sit for a little while. "Orla, is it possible that your sister-in-law has simply left? Walked out?"

She looks at me, a flash of anger distorting her features. "No. She would never do that. Never. She would never leave those girls."

A gust of wind blows through the apple tree, its nearly bare branches dancing. "I need to ask you something else. Why was your first thought that Selena was dead?"

Orla purses her lips, like they are holding a cigarette, and I can see her fingers dancing, pulling at the hole in her tights. "She's . . . like I said, it's been hard. For all of us. I've been helping out as much as I can, with Selena, the girls. But there's only so much you can do." The hole is bigger now, the size of a fifty-pence piece. "I've tried to get her to talk to me. She's private. Always has been. But I can tell sometimes that she's been crying, even though she'd never say. She'd rather die." She catches herself, the word ending abruptly, and looks at me. "I didn't mean it like that."

"Is she suicidal?" I ask, my voice soft.

Orla shakes her head slowly. "I don't know. I hope not."

Case No. 8

Victims: William, Oscar, and Genevieve Arthurs
Location: Dubai, United Arab Emirates
Company: Global Comm Tech
21 April 2005

Initial event

Lisbeth and Stephen Arthurs returned to their villa in Dubai Silicon Oasis at approximately 11:15 pm on the night of Thursday 21 April. Dr. Stephen Arthurs is a UK national and senior manager for Global Comm Tech who has headed up their Dubai office for the past two years. Mrs. Lisbeth Arthurs, also a UK national, works for Emirates Travel, a tour company operating throughout Dubai.

Upon returning home, Mrs. Arthurs went to look in on their children, William, aged nine, Oscar, aged seven, and Genevieve, aged four. She discovered that all three of the children's bedrooms were empty. Further investigation established that the family's nanny, Nada Al Marri, had also disappeared.

Mr. Arthurs immediately notified the local authorities of the disappearances. He then contacted a colleague at Global Comm Tech, who subsequently placed a call to GCT's insurance provider, Everguard. The Cole Group was notified by Everguard shortly after.

Response

The response team in this case was made up of myself (Ed Cole), Selena Cole, and Orla Cole. This was Orla Cole's first case for the Cole Group. The team arrived in Dubai within eighteen hours of the disappearance and immediately attended the Arthurses' home. Local authorities were already in attendance and had, shortly before our arrival, received initial contact from the kidnappers, demanding that a ransom of $1.6 million be paid for the return of the four hostages.

Immediate priority was establishing the circumstances of the kidnapping. CCTV footage was unavailable; it appeared that the monitors had been turned off at source. Discussions with Mr. Arthurs established that the family had received a number of threats over the previous six months and had attempted to make security provisions to protect themselves. Those provisions had failed.

Questions were raised over the fourth hostage—the nanny, Nada Al Marri—in terms of whether she should in fact be considered a hostage or whether she was complicit in the kidnapping. The Arthurs family remained staunch in their support of Ms. Al Marri, who had been with them for four years and who had a wide range of excellent references. Local authorities' investigations into her background suggested no evidence of criminal wrongdoing and no ties with criminal gangs. She was thus officially designated the fourth hostage.

Both Mr. and Mrs. Arthurs were understandably deeply distressed, and Selena Cole became their primary point of contact, thereby allowing her to provide support and information to the family. We made strenuous efforts to encourage local authorities to begin a negotiation process in order to ensure the safety of the children. Both myself and Selena Cole were clear in our opinion that a negotiated settlement was by far the most realistic option and the one most likely to ensure the safe return of the hostages.

However, we met with a significant degree of resistance on this point and were informed in no uncertain terms that paying the hostage-takers would not be permitted in this case.

At this point, Lisbeth Arthurs suffered a total collapse and was rushed to the hospital.

It is fair to say that there was a high level of tension, as both Global Comm Tech and the Arthurs strongly advocated the payment of a ransom. The local authorities, however, with little regard for the concerns of the parents, began planning a tactical assault.

At this point, Orla Cole felt unable to continue with the case and returned to our accommodation.

I pressed local authorities to, at the very least, demand proof of life so that we could establish the well-being of the children. At this point, all three children were placed on the phone to their father, who was able to positively identify them. All three children showed signs of extreme emotional distress. We were, however, unable to obtain proof of life for Ms. Al Marri. This raised many questions, primarily whether she had in fact been killed early in the kidnapping. The Arthurs family were clear on the level of affection felt by the nanny for the children, and were of the opinion that she would have put herself in harm's way in order to protect them.

The proof of life call had enabled us to establish that the children were being held in the same location as their kidnappers, and following investigations by the local authorities, a likely safe house was identified a little over twenty-four hours later. A trace on a subsequent call, purportedly to negotiate a ransom, confirmed the investigators' suspicions and an immediate tactical assault was called for.

I remained with Mr. Arthurs while the raid was under way, while Selena Cole stayed with Mrs. Arthurs.

What follows is a report received by local authorities.

A tactical entry was made into the safe house in which the hostages were believed to be held at 3:15 am, Sunday 24 April. Initial surveillance had indicated the presence of two male hostage-takers in the premises. Both of these were shot and killed upon entry. The tactical team progressed through the house and eventually located the hostages in a bedroom at the rear of the house, where they were being guarded by a third hostage-taker. This hostage-taker was also shot and killed. One of the hostages received a gunshot wound to the upper thigh. The other hostages were deemed to be in good physical health.

Note

William Arthurs was shot in the course of the tactical rescue while trying to shield his younger siblings from danger. The wound he received was life-threatening. He was immediately hospitalized, and after some hours in surgery, doctors were able to save both his life and his leg. It has, however, been indicated by medical staff that he is highly likely to walk with a limp and to have some considerable pain for the rest of his life. Following three weeks in the hospital, he was eventu-

ally reunited with his parents and younger siblings, both of whom survived their ordeal without any sign of physical harm.

It wasn't until some hours following the tactical entry that a full and complete understanding of events was conveyed to both the Cole Group and the Arthurs family. The third hostage-taker shot in the assault was Ms. Nada Al Marri. She was found in the bedroom with the children. While reports from the scene are unclear, it was suggested that she was armed. Later conversation with the Arthurs children, however, indicates that she was in fact trying to protect them, and that she placed herself between them and the gunfire.

Further investigation revealed that one of the male kidnappers was in fact Ms. Al Marri's cousin. Eyewitness reports indicate that Ms. Al Marri was seen sitting in the passenger seat of the kidnap vehicle, thus suggesting that she had some role in the unfolding events. However, the children remain staunch in their defense of their former nanny. Their account is that she attempted to protect them throughout.

While officially it has been recorded that Nada Al Marri died a criminal and a hostage-taker, it seems likely that the truth will never really be known.

The family as a whole has been deeply traumatized by their experiences. Following these events, the Arthurs returned home to the UK and are currently receiving counseling from Selena Cole in order to help them recover from the severe trauma they have suffered.

It is the opinion of the Cole Group that had a ransom been settled on, no physical harm would have come to the children in this case. The hostage-takers, while clearly operating within a criminal mind-set, *had nonetheless provided for the children's physical well-being while they were in captivity. They were well fed, clean, and showed no signs of physical abuse. The final call between local authorities and the hostage-takers had reduced the ransom to $30,000. Everguard Insurance has indicated that this payment would in fact have been lower than the ultimate cost of the Arthurses' medical bills, generated as a result of the tactical rescue. This, coupled with the ongoing pain experienced by William Arthurs as a result of his injury, leaves me in no doubt as to the wisest course of action in this case.*

A formal complaint has been filed with the UAE authorities. As of this time, no reply has been forthcoming.

Those Left Behind

DS Finn Hale—Tuesday, 11:00 AM

"Did you know Dominic well?" Willa asks. The rain has stopped now, although the clouds still hang over us, around us, waiting to descend. We stand beside my car, Willa turning so that her back is to the chill wind sweeping across the valley.

I settle my gaze on the body on the ground. Not a body now. A person. Dominic Newell, defense solicitor. They are just words. And yet they change everything, when you realize that the dead body is someone you have seen walking and talking and laughing. How do you compartmentalize that?

"I dealt with him a couple of times. Seemed like a nice guy. He had a good rep down at the station. Worked hard for his clients." I look down. "Leah knew him better than I did. She liked him."

Willa nods, a silence descending. She has pulled her mask off, is wearing lipstick, a cherry red, stark against the gloom of the day, the scent of death. She gives me a look, seems to be looking right into me. Unnerving. And . . . something else.

I look at Dominic Newell again. I expect him to stand, to push himself up, dust himself off, give one of his famous movie-star grins. But he won't. He's dead.

What the hell happened to you, Dominic?

I sigh.

"You okay?" Willa's voice is soft, supportive, jarring almost in its tenderness.

"I'm fine." The words fly out, a kick when the knee is tapped. I'm always fine. It's a standing joke in my family. That the day I am less than fine, the sky will fall. I give Willa a quick smile. "You know me."

She studies me, appraising. "This your first murder as a DS?"

"Yup."

"Stressful."

"Mm-hmm."

"But you're fine."

I grin. "Of course. Never better."

She nods, pursing her lips, like she is thinking of pushing me. Am I a challenge to her, I wonder, a puzzle to be unraveled? Or is it something else? But I bat that thought away quickly enough.

My phone buzzes.

Willa watches me. "Everything okay?"

"Dominic's next of kin." I flash the screen at her, Christa's response to my earlier question highlighted in blue. "Isaac Fletcher." I scroll through the address. "Looks like I'm driving to Cardiff."

I shift the car keys in my hands. Only dimly aware of Willa's presence now, my mind already on its way, telling Dominic Newell's partner that his body has been found dumped by the side of a lonely mountain road. "Right," I say. "Better get on with it."

I drive off steadily, my gaze searching the verges as I go. Do I expect to see Dominic's car simply parked, waiting for me? The murderer standing beside the precipitous drop, hands out, waiting to be cuffed? That would be nice.

I look for houses, industrial units. Anything that might, by some obscure twist of fate, have CCTV, ANPR, something to provide me with some insight into the death of Dominic Newell. But all I see is the gathering clouds, the valley below.

What were you doing up here, Dominic? Or were you already dead when you arrived?

Traffic slows me as I hit Cardiff, a long line of cars snaking its way along North Road, brake lights adding some color to the dreary day. I hit speed dial on my phone.

"Hey."

"All right, sis?"

Leah's voice is quiet, echoing, and I hear a door closing. "Yeah. Still nothing here. The kids . . . they're taking it pretty hard."

The missing person.

"I bet," I reply, because I can't think of anything else to say. I know my sister. With her, this case will be all about the children. Every case is now, since the twins. I guess it's a parent thing. I really wouldn't know. "Um . . . Look, I have some news."

"You're getting married?"

"Ha ha. Right." The traffic has ground to a halt now, enmeshing me in a twisting mass of roadwork. I sigh, lean back against the headrest. “No. The thing is . . . we found a body.”

There is a silence on the line, heavy enough that it dawns on me what I have said. “No, no. Not your body. I mean . . . not your missing person’s body.”

“Finley . . .”

Dammit. She’s full-naming me.

“Is the body a woman?”

“No.”

Leah sighs heavily. “Christ, you scared me. Okay, so . . .”

“Lee, it’s Dominic Newell.”

Another silence. Then, “Dominic Newell the defense solicitor?”

“Yes.”

“You can’t be serious?” The words are little more than a breath out.

“I just came from the scene now. Looks like he was stabbed in the neck and then dumped. Right there on the side of the road.”

“Oh my God! I . . . Poor Dominic. I just . . . I can’t believe it.”

“You were friends, right?”

A silence, then a sigh. “Not friends. Not really. We would chat when he came into the station. I mean, I liked him. He seemed . . . kind. But I didn’t really know him.” Another sigh. “Jesus, Finn.”

“Yeah.”

“Have you told . . .”

“I’m on my way there now.”

“Poor guy.”

“Yeah.” The lights turn to green, traffic beginning to creep forward, and I ease the hand brake down. “I know. Lee, you better wrap it up there. The senior investigating officer is pulling everyone onto this. They're going to want you back at the station."

I move into the traffic, my gaze catching on the workmen as they stand amidst orange cones, laughing. So it takes me a moment to realize that she hasn't replied.

"Lee?"

Then, "Finn, I think something is wrong here. This woman, Selena Cole, I don't believe she just walked away. She has two little girls. She's a widow, so there's no father on the scene . . . I just don't buy it."

A squeal of tires, the car in front of me braking hard. I slam my foot down, skidding to a stop just inches from its rear bumper. My heart racing.

"Jesus . . ." I suck in a breath. "Okay. Look, I get that. But this is going to be huge. You're going to be needed on this one."

"But . . ."

"Lee, I know you don't want to think that she's left willingly. She's a mother. You're a mother. But she's not you."

"I didn't say she was."

The car in front of me stalls, the rut, rut, rut as its driver tries to turn the engine over. Typical. I consider my words, a skill at which I am woefully out of practice. Get back to the station. That's an order. But then I think of childhood fights, Leah with three years on me, a hellcat temper, carrying me bodily from her bedroom when I just would not leave. Yeah. Maybe not.

"Okay," I say, attempting a softer approach. "Look, I just think you need to be careful. Not get too emotionally involved. You know?"

The car in front has moved off, sputtering black smoke in its wake, and I follow, keeping a safe distance in case the thing explodes.

"Leah?"

"Yeah. No, I know. Look, I've got to go. I'll see you later."

And she is gone. I suppress a sigh.

I pull into the parking lot that skirts the modern high-rise Dominic and his partner called home. Gulls dip and glide toward the gray waters of Cardiff Bay, its color matching the sky, hard to split the two apart. Seems like it is closer to midnight than to noon. As I climb from the car, cross toward the apartment building, I listen to the birds caw, think that for the rest of my life, whenever I think about this murder, I'm going to think about those damn gulls.

I stand for longer than I should, staring at the rows of buzzers. One button up, one button down, and someone else's world is changed forever. But not today.

I press the buzzer for Dominic and Isaac's apartment.

One beat. Two.

"Hello?"

"DS Finn Hale. I'm going to need to speak with you."

Is this the moment? These words, are they enough for Isaac to know that his world will never be the same again? A long silence. An "okay." The buzz of the door unlocking itself.

I grasp the handle. Here we go.

As Isaac opens the door, I know that he knows. Maybe not the specifics, what particular catastrophe I have brought to him. But I can see the fear.

I say the words, quickly, as if that will make it any easier, pulling off a Band-Aid to minimize the pain.

It doesn't work, not with death.

Isaac sits with his head in his hands. His fingers dig into his dark hair like they are looking for a way to burrow through the scalp, tear out the news I brought him. He is crying, but it is a silent cry, marked with the tremor of shoulders, a sudden gasping intake of breath.

The apartment is large, immaculate, with floor-to-ceiling windows that give out onto the gray of the bay. From somewhere, I hear a radio, music playing, a reminder of an easier time. And of course, those damn gulls.

I sit next to him on the long leather sofa.

"This can't be happening."

"I'm sorry."

"I just don't believe it."

"I know."

"We're going on holiday. In two weeks." His accent has a twang to it that, in the context, is hard to define. "We . . . It's booked." He looks up at me, his pale eyes liquid, saying it like it will somehow make a difference, as if now that I know this, I will take back my words. Your boyfriend, Dominic, is dead.

I shake my head. "I'm sorry," I say again.

Isaac looks beyond me, empty eyes watching the seagulls wheel.

"Isaac, I need to ask you, when did you see Dominic last?"

"Yesterday. Before he left for work." It is American, the accent, the edges of it rounded down so that it is flecked with Welsh. His voice sounds hollowed out, like he has gone already, left his body behind.

Is he picturing the rest of his life now, empty of the man he loved? Or is he seeing Dominic's body, slumped and useless?

I lean forward, trying to catch his eye, pull him back to me. "He never came home last night?"

"No."

I hang on that word. No. You always look to the spouse first. Because marriage, partnerships, they will strip you bare, sometimes leading to an anger that can slide out of control.

So I am told, anyway.

"Were you concerned?" I say the words carefully. Gently. Gently. "Worried about him?"

He turns his gaze back toward me. "I thought he was working. He works long hours."

"But for him not to come home at all. Was that unusual?"

"I guess."

"You weren't worried, though?" I keep my voice easy, try to keep the accusation out of it.

"No."

He didn't come home. Dominic didn't come home. And yet his boyfriend did nothing. Why?

"Are you sure?" Isaac asks.

"I'm sorry?"

"It might not be him. Are you sure it's him? Maybe it was somebody else."

I think of the body, folded in on itself. "We will, of course, ask you to come in and make a formal identification." Isaac sits up, a look of hope flooding his features. "But I must tell you, Isaac, I'm very confident that the body is Dominic's."

I watch his face, look for the lie in the display of

grief. But all I can see are the tears. His hands are over his mouth now, long, slender fingers stoppering it up.

"Can you think of anyone who would want to hurt Dominic?"

He gives a bleak laugh. "He's a solicitor. He deals with scumbags every day."

"So, has he had problems?"

Isaac shrugs. "They get angry when things don't go their way."

"Do you have any names?"

"There was someone, a guy Dom's been representing for years. He's been causing trouble, got aggressive with Dom."

"His name?"

"Um, Beck, I think? Beck Chambers."

What the Darkness Takes

DC Leah Mackay—Tuesday, 11:02 AM

We walk into the house slowly, our footsteps a funeral dirge. I hear Orla draw in a breath as she stands in the open doorway, and I can tell that she is steeling herself, gathering her resolve for what is to come. She steps over the threshold, pulled forward on an invisible string toward the sound of voices that seeps beneath the closed kitchen door. Not voices. One voice. The neighbor. She is twittering, a flow of words that has become a monologue thrown at an unresponsive audience.

Orla pauses before the door, placing one hand flat on its wood panel. It is like a blessing. Or maybe a prayer.

I stand behind her, and ridiculously, I feel tears prick at the back of my eyes.

Please God, let me find Selena Cole. Let me bring her home.

Orla breathes again, then twists the handle, pushing it inward. The kitchen is warm, the overhead lights battling against the dark, dreary day. The girls sit at the kitchen table, Tara's legs dangling uselessly above the floor. There are glasses of Kool-Aid, dark enough that you know one sip will make your teeth hurt. A plate of plain digestive biscuits. The girls, though, are simply sitting there, waiting.

I grit my teeth in anticipation of what will inevitably come.

Their heads snap around, drawn by the sound of the door, their faces a battle of expectation and fear. Then they see us. And, like an act that has been rehearsed, their heads sink.

Tara recovers first, pushing herself awkwardly from her chair, her small bare feet slapping against the cold kitchen floor as she runs to her aunt, her face crumpled. I watch Heather as Orla takes the younger girl in her arms, watch as she studies the knots in the wooden kitchen table, digging her thumbnail in so hard that I know it must hurt. I am expecting her to cry. But instead she simply sits there, stabbing at the table with her fingers.

"A'tie Ora? Did you bring Mummy home?" asks Tara, releasing her aunt from her grip so that she can peer behind her, face expectant.

"Not yet, sweetheart." Orla sounds like she will cry, like there is a battle for control raging within her.

I carry on watching Heather. She is still wearing those red patent leather shoes. She is still wearing her coat. I feel the neighbor—Vida Charles, is it?—looking at me, glance up to see her shrug, shake her head. It occurs to me that she seems irritated that her kindness and maternal generosity have gone unappreciated.

"Heather?" says Orla. "Are you okay?"

The little girl nods. She has dug a gouge now into the untreated table, and I sense Vida notice it, see her mouth open to object. I don't know why. It's not her table. An objection on general principles, I suppose. I catch her eye, shake my head once, and she subsides, her mouth moving like she couldn't quite catch the words in time and that even unbidden they have escaped her.

"Can I have a cuddle?" Orla opens her arms to her elder niece, waits.

Heather sits, staring down at the gouge, then pushes herself back from the table, her head down, footsteps those of a man facing his execution. Her aunt enfolds her in a hug, and I think that the little girl will relent, but her back is stiff, her arms pokers at her sides.

Then I hear Orla, her voice a secret that only Heather is meant to hear. "She's coming home, Heather. Mummy is coming home."

The little girl goes even more rigid, if such a thing is possible, looks like someone has sent a jolt of electricity right through her, and her expression breaks, the flat sea suddenly flaring up into a storm. She starts to cry, long, shaking sobs, her face buried in her aunt's shoulder.

I look away. God forgive me, I look away. I cannot see any more.

My eye catches Vida's, and I indicate the door, an invitation and a summons, turning before I know that she has accepted, until I am in the quiet sanctum of the hallway. I can still hear Heather crying, but it is quieter now, and the jagged edges that rip into my heart are blunted.

I look to Vida. "Let's go into the living room, shall we?"

It is quieter in here, dark. I move toward the window, look to the sky. The clouds are massing again, dense, a storm waiting to break upon us. It feels like a portent.

"Well," says Vida, "awful, isn't it? Just terrible for those poor children. Imagine losing your father like that, at their age too. And now their mother gone off who knows where. It just breaks your heart. And they're such pretty little things too." She stops, considers. "Well, the younger one is. I could just take her home with me. Sullen, the older one. Spoilt, I dare say."

I think of Heather, her narrow arms holding her little sister tight, singing to her, not letting herself cry, because she is the eldest and she must be the protector now, and I feel anger bubbling up inside me.

"She's under an awful lot of strain," I say, my voice harder than I have heard it in a long time. "I think she is holding it together admirably, given that she is only seven."

Vida glances at me quickly, then nods. "Oh yes. Terrible times. Like I said, poor things. So," she said, "do you think it's tax fraud?"

"What makes you say that?"

"Well, there's no shortage of money here, is there? Big old house, fancy car. That Range Rover of hers is brand-new. I said to my Henry, there's something funny about her. No sign of her going out to work, car doesn't move from day to day. Where's the money coming from, eh?"

I nod, biting my tongue. I don't know why it bothers

me. I don't know Selena Cole. What this neighbor is saying could be entirely true. But the truth is, it bugs me, this plucking at the missing woman, gets right under my skin.

"It's not tax fraud." But a little voice whispers to me that I don't know this. I don't know anything, only that Selena Cole is missing. Tax fraud. I test the words, like prodding a filling with your tongue. And the thing is, you don't know anything until you actually know it. So it could be. It could be that there is something else here, something darker that I'm just not seeing yet.

I gesture to the sofa, take the wingback chair nearest the fireplace.

"So," I say, "do you know Selena well?"

"Well, no. Not well. She's . . . Mrs. Cole and I are from different walks of life, you see. Me and my husband, we've been here, ooh, must be forty years now. Seen the area change, we have. Well, you do, don't you? Used to be a time when we knew everyone in the hamlet. Our children used to all play together in the fields out back. But now . . . I mean, you know how it is. People die, people move on. It's all different now. Henry and me, we don't know anyone anymore."

"So you don't know Selena?" I snap the words off at their stems, thinking how Finn would laugh at me, how I chide him to be gentler, more patient, and here I am.

Vida leans toward me, tone low, conspiratorial. "She always strikes me as very stuck-up. They've only been here a couple of years. There used to be a husband, you know. Handsome man. Dead now, of course. He was nice enough. And Mrs. Cole used to be all right, if you like that sort of thing. But now, no, she never bothers." She drops her voice to a whisper.

"Proper snob if you know what I mean. Would walk right by you on the street without so much as a hello."

I see it as if I was there. Selena Cole, magically alone, alive, here. Walking. Just walking. Maybe her sister-in-law has taken the kids for an hour, told her to go out, get some air, grieve. Selena walking, and although her footsteps are falling on these pavements, not being here at all. Instead being in Brazil when a bomb has gone off and the air is dense with sirens and screams. Or perhaps at a graveside, one where she goes to place flowers, even though she knows her husband is not really there, because what killed him was a bomb—do you even get a body back after something like that? Do you get anything? And this stupid, silly woman marching into her grief, demanding to be noticed.

"No." Vida leans back against the sofa. "You mark my words, she's done a runner."

I'm going to slap her. I swear to God.

"Why would she have done that?"

"You know how these women are. Careers, that's all they care about. Selfish, I call it. Like being a mother isn't the most important job in the world. It was different in my day. I stayed home, I raised my Theresa myself. I never had a day off. Never asked for one, either. You don't if you're a mother, do you? Not like that these days. All these women, their children coming second to whatever nonsense they're up to all day, shipping the little ones off to day care, grandparents, whoever will have them, it seems to me. No." She nods triumphantly, the expression of one who has solved an enigma. "You mark my words, she's walked out. Dumped those little kiddies."

I look out of the window, watch as the wind whips at the branches of the apple tree, and feel like I have taken a body blow. That this vicious, judgmental bat has reached inside me and taken hold of the worst of me, pulling it to the surface and then throwing it back into my face.

"Mind"—Vida's voice startles me, flicking its forked tongue against my consciousness—"you know about the psychiatrist, don't you?"

"What?" I grip the arms of the chair tighter, partly to prevent me from launching myself at her.

"Selena was seeing some psychiatrist, up in London."

I study her. "You said she didn't speak to you. How would you know that?"

The elderly woman tosses her head, a light blush creeping across her features. "There was a card, from a Dr. . . . Mini-something, in the kitchen. Psychiatrist." She looks up at me. "Well, I couldn't help it. It was just lying there."

"Maybe it's someone she works with." I suggest. "Selena is a psychologist."

"No, she's definitely seeing him. There was an appointment on her calendar for next week."

"Right. And where's her calendar?"

This time she at least has the decency to look shamefaced. "The office."

I feel the sinking begin to recede. This woman is not a credible source of judgment, for me, for Selena. I watch as her eyes dart around the living room, from the tasteful, expensive furniture to the family pictures taken in exotic destinations, and can see her lips tightening in disapproval. She is someone who is disappointed in life, loaded with bitterness. She is not someone who should be allowed to define success. Not mine. Not Selena's.

I stare at her, let the silence hang. "You went into her office?"

"Well," she says, blustering. "I was just . . . checking."

"Checking?"

"In case Mrs. Cole was in there."

She stares at me, bold, the faintest flush of red to her cheeks.

"Right," I say.

Case No. 16

Victim: Victor Cannon

Location: Beirut, Lebanon

Company: Cannon-Kane Financial Services

3 September 2006

Initial event

Mr. Victor Cannon, founding partner of Cannon-Kane Financial Services, failed to arrive home from work on 3 September. Mr. Cannon is a UK national, but has operated his business out of Lebanon for the past ten years. At 7:15 pm, Mrs. Hala Cannon, Mr. Cannon's Lebanese-born wife, became concerned for her husband and contacted his office. Concerns were further raised when it was ascertained that Mr. Cannon had left his office at 4:45 pm, indicating that he was returning directly home. According to Mrs. Cannon, he should have arrived by 5:30 at the latest. All attempts to raise Mr. Cannon on his mobile or to identify any locations in which he might have stopped were unsuccessful.

A search of the local area was conducted. Mr. Cannon's car was found in the car park in which it was usually left, with no sign that he had in fact returned to it.

At midnight, Mr. Cannon's business partner, Mr.

Soad Kane, raised the alarm. An initial call was placed to Cannon-Kane's insurers, Biltstrom, in which Mr. Kane expressed fears that Mr. Cannon had been kidnapped en route to his vehicle. This fear came on the back of a series of kidnap-for-ransom events experienced by employees of the Cannon-Kane company in previous years.

Response

The response team consisted of myself (Ed Cole) and Selena Cole. Having received the initial call at 2:16 am on 4 September, we were on the ground in Beirut twenty-four hours later. The Cole Group was familiar with both Mr. Cannon and the Cannon-Kane company, having provided consultancy services on all three previous kidnap-for-ransom events experienced by the company in its recent history.

Upon arrival at the scene, a command room was immediately put in place within the buildings of Cannon-Kane, and contact was made with all relevant parties. What then followed was highly unusual within the case history of the Cole Group.

We received no contact from the kidnappers.

Seventy-two hours passed, in which the emotional state of Mrs. Cannon became increasingly fragile. No calls were made to either the Cannon home or the Cannon-Kane offices. No ransom demand was received.

At the end of this seventy-two-hour period, Selena Cole put forward the idea that there might be more to this kidnapping than first appeared. As a consequence, she spent some considerable time sitting down with Mrs. Cannon, Mr. Kane, and the various employees and acquaintances who made up Mr. Victor Cannon's daily life. Her goal was to obtain as full and complete an understanding of the hostage as possible.

Within a relatively short period of time, Dr. Cole had reached the conclusion that Mr. Cannon's state of mind prior to his disappearance was unstable enough to cause her no small degree of concern.

It became apparent that Cannon-Kane was in fact close to financial collapse, and that the most likely outcome for Mr. Cannon would then be bankruptcy. Although reluctant to discuss such personal matters initially, following much prompting, Mrs. Cannon revealed that she and her husband had recently discussed separating and that their marriage had been going through an extremely difficult time of late.

A search of Mr. Cannon's office and questioning of his employees revealed that he had been drinking heavily and had made, on more than one occasion, references to the fact that the world would be improved should he be removed from it.

Another search of the local area was organized, this one concentrating on isolated spots, abandoned buildings, etc. Five days after the initial call was placed, Mr. Cannon's body was eventually located in an unused warehouse approximately half a mile away from the Cannon-Kane offices. He had hanged himself.

Note

In the aftermath of this case, ongoing psychological support was set up for Mr. Cannon's wife and colleagues by Selena Cole. Following our experiences in the Cannon-Kane case, the Cole Group expanded its portfolio of services to offer training in trauma risk management (TRIM) for each of its clients, as well as establishing a crisis line available 24/7 for those employees in a state of immediate crisis.

Eighty-two Days

DS Finn Hale—Tuesday, 5:36 PM

I flop into my chair. The office is still busy, people coming, going, even though the light is beginning to fade. I look out of the window, my own reflection looking back at me, lines of traffic crisscrossing my face, people heading out after a long working day. It's different for us. We won't be going anywhere anytime soon.

"Christa," I call. "You get anything back on Beck Chambers?"

She looks up at me, seems to take a moment to shift from what she's doing to what I'm asking her. "Chambers . . . no. Not yet. He paid us a visit this weekend. Spent the night in one of our superior rooms after a night of heavy drinking. Was released Monday lunchtime and has, apparently, vanished into thin air. We've got a team trying to dig him out." She glances at the clock, spares me a quick grin. "They'll be racking up the overtime tonight."

"Won't we all?" I mutter.

I glance at Leah's desk. Still empty. She should be back by now. I pick up the phone. Put it down again. Then stare at it. Like that will make a difference.

I called my neighbor on my way back to the police station. A retired teacher, Stan says he's getting fat, that the sedentary lifestyle doesn't agree with him. He laughed when he heard my voice. Another late one, then? Ah, you youngsters. Yes, I'll get the dog, take him for a good run. I'll not be running, though. Just to clear that one up.

I look at the photo stuck to my computer. Strider. A long-haired German shepherd. He was supposed to be a police dog. That, it had seemed, was his destiny. But his trainer said he was just too stupid. Lovely dog, affectionate as the day is long. Unfortunately, dumb as a rock. It's been, what, four years now?

He's still stupid.

It hadn't taken Isaac too long to run out of tears. It took him less time still to run out of words. So in the end, we just sat there, me and him, sharing a stultifying silence.

"Is there someone I can call? Someone you would like to be with you?" I asked. It feels a lot like guilt, this awareness that you have changed a person's life simply by the act of arriving at their door. This man, this seemingly ordinary man, was living a perfectly normal existence, and then I show up, bearing my basket of bad news. You want someone else to come sweeping in, some overbearing mother, some calm and collected best friend, hell, some hobo that you picked up off the street. Anyone who can diffuse the impact.

Isaac made a sound. For a second, I thought he was

crying again; took me longer to figure out that it was a laugh.

It's funny what it does to you, the sound of laughter in the middle of a murder. An effect similar to footsteps in a dark alley.

I watched him closely.

He looked up at me, a rictus smile. "There's no one." Shook his head.

"Okay . . . Parents?" I floundered, grasping at straws, still trying to fit him into a category, because in grief he was the victim. Then he laughed again, and the walls of that category juddered.

"My parents are back in the US. Wouldn't matter much if they lived next door. They don't speak to me. They don't approve of . . ." He waved his hands, indicating himself, the room, the world. "Well, they don't approve of me. I went home, after I met Dom. I wanted to tell them face to face. Be a man about it. Fess up to being gay." He laughed again. "My dad punched me. Broke my tooth. Told me they were done, that I had upset them enough."

I nodded, shifting in the quicksand of the conversation. "Okay. Friends?"

Isaac looked at me, shook his head. "There is no one else," he repeated. "There was only Dom." Then another smile, and my hackles rise further. "It's ironic, isn't it? You worry so much that you will lose them, because you love them so much, that you cling and cling, and then you lose them anyway."

I nodded, my thoughts elsewhere. "Isaac, would you mind if I just took a quick look around? See if I can spot anything that may give us a clue to what Dominic's plans were, how this happened to him?"

He agreed with a wave, head sinking back into his hands.

I moved through the apartment. Everything modern and shiny, all squared away. Thought how different it was from my little barn conversion, a slice of paradise in the middle of the countryside. A slice of paradise with a used cup on every surface, takeaway cartons ruling the kitchen counters, and the ubiquitous smell of dog. Yeah, I thought. I could wreck this apartment inside an hour.

I kept my expression flat, my eyes roaming the kitchen counter, the knife block. Five slots. Five knives. Across the floor, looking for signs of blood, an attempt at a cleanup. Into the bathroom, scanning the sink, the bathtub, looking for any indications that someone had got themselves covered in blood, washed it away. Pawing through the dirty laundry and thinking that life does not get much more glamorous than this.

I'm not sure what it was I expected to find. Whatever it was, it wasn't there.

I am getting the sense of being stared at. I turn away from the window, look back into the office with its banks of desks, long-outdated computers.

"All right, Finn?" Oliver asks.

We were friends once, me and Oliver. At least, I think we were. He is a mercurial guy. You never entirely know where you are with him. At one time I thought he was, well, kind of cool. Sharp-witted, smart. I liked him. But then you realize that those sharp wits are not as much fun when they are pointed right at you, that the smart is not so appealing when it is being used to undermine.

Oliver wanted the sergeant's post. My sergeant's post. He failed his boards. I didn't.

We're not friends anymore.

"Yup," I say, careful to shift my expression into neutral. I pull myself up straighter. Glance around. Looking for an inspector, a chief inspector . . . the chief constable. Anyone that means I am not the highest rank in the room. But no. Of course not.

I suppress a sigh.

"So, where are we up to now, guys?" I try to sound confident, but I can tell by Oliver's eyes, the way they narrow, the rise of his eyebrows, that he has seen straight through that ploy. He glances across at Christa at the desk next to him and I see the silent message he sends her. I know what it says. What a prick.

No. I'm pretty sure we are no longer friends.

"Well, Sarge." Oliver drags the word out, resting heavily on it. "Uniform found Dominic Newell's wallet. It had been tossed out on the road, a couple of miles from the body. No money in it, but credit cards, ID, and such were all there. Still no sign of his keys, though."

"And the car?"

He shrugged. "Who knows. It's not at his apartment, it's not where he normally parks it at work, and there's no sign of it in the surrounding area."

"Okay. Who's on that? We need that car."

Oliver gives me a long look. "You mean you haven't used your sergeant superpowers to find it yet?"

Yeah. And I'm the prick.

I flick on the computer, ignore Oliver until the urge to punch him recedes. Think of Isaac. You look to the spouse in a murder. It's pretty much the law. You look to the spouse first because they are the person closest to your victim, and there is a thin line between love and hate. So your first consideration has to be: what makes it evident that this person is not the killer?

I think of Isaac's raw grief, the shock, then that laughter, so out of place. Is it possible that he is a murderer? I think of his hands, large, the kind of long fingers that my mother would describe as pianist's fingers (a comment that always prompted much hilarity when I was a teenager). I looked for cuts, scrapes, anything that would suggest that he had been wielding a knife lately, that it had slipped.

But there was nothing, no neon lights showing me the way.

Could he have done it?

Of course he could. In theory.

I think of the photos in the apartment, a gallery of couple shots, Dominic and Isaac pressed cheek to cheek. They looked happy. They looked like they were in love.

But it is impossible to judge any relationship from the outside. Like trying to reconstitute a cake when all you have remaining is crumbs. You take a picture, you smile for the camera, you set the scene for the way in which you want the world to perceive you and your love.

It's all a lie, when you come right down to it.

My sister knows my views on this. The Facebook generation. All dedicated to capturing their version of true love's dream. But none of it is real, I complain. That's not for you to determine, Leah says. Their relationships may not be exactly like those pictures or those statuses suggest, but perhaps there are moments of truth. You have to have a little faith, Finn. Sometimes things, people, really are as good as they seem. My sister has way more faith in people than I do.

"Christa," I say, "did you know Dominic?"

She is concentrating on something, doesn't hear me right away. "Huh?"

"Dominic. You knew him?"

"Well, yeah. I mean, I knew him well enough to chat to in the station, or if we saw each other out and about."

"What did you make of him?"

"Seemed a good guy."

I think of Dominic Newell, living and breathing. He was, or at least he seemed to me, confident, together.

"He talked about his partner a lot," she offers.

"Isaac? What did he say?"

"Oh, you know. This and that. Talked about the holidays they went on, how he was doing in school—he's a teacher, you knew that, right?"

I study her. "What was your impression?"

"Of their relationship, you mean?" She shrugs. "Good. Seemed solid. If you'd asked me yesterday, I'd have said they had a happy relationship."

"And today?"

She looks at me, grins. "Always look to the partner first."

I grunt.

"I still can't believe it, you know." Christa has leaned back in her chair, her dark curls billowing out around her head like a pillow. "I mean, Dominic dead.

I was talking to him on his way into the station just yesterday morning."

I push myself up in my seat. "Wait, where was this?"

"Here." She gives me a flat look. "He was here for Beck Chambers."

The Rescuer

Tobias Kender

(Originally published in *K&R Today*)

They were building a road, a swathe of asphalt that cut through the blasted desert lands of northern Colombia. Night had begun to creep closer, the searing blue sky staining crimson as the sun began to set over the plains. They should have finished by now. It was always a good idea to be out of the way by the time evening came, to head back to the bare-scrubbed hosteria with its paper-thin walls and narrow beds. But on that day, there had been a delay, a problem with the materials. And so they were stuck there, on the plains of La Guajira, as the sun began to set.

You have to wonder if they were twitchy. If they were looking over their shoulders, waiting for the other shoe to drop. Colombia's reputation as the kidnap capital of the world is hard earned, with more than 3,500 recorded cases in the year 2000. Things have settled down a little since then, though, and with the peace accord between the government and FARC, kidnappings dropped to a somewhat less terrifying level of 299 in 2013.

Not that those statistics helped. Not on that day. As the sun began to sink behind Sierra Nevada de Santa Marta, the workers of Baeliss Construction noticed a dust storm approaching from the north. Only it wasn't a dust storm. It was a convoy. Three pickups. Innumerable men with guns. They tumbled out onto the dusty plain, waving their AK-47s in the air, shouts staccato and unintelligible to the foreign workers who only wanted to build a road.

They took five in the end. Five men, all but one UK nationals. Loaded them onto the pickups and took off into the setting sun.

There was a time when a Colombian kidnapping was a long-term arrangement. When a victim, often a well-targeted wealthy businessman, would be picked up going about his usual day, would be taken into some remote jungle setting and held, for weeks, months, sometimes years. The trend, however, has shifted. With the reduced role of FARC, the Colombians are seeing more and more kidnaps by organized criminal gangs. They want money and they want it quickly. Secuestro exprés is a thing now—express kidnappings that happen in a flash and are over just as quickly, leaving their victims a couple of million pesos worse off.

But this wasn't that. There was no quick trip to the bank for these five men, no hurried payment of their life savings for a speedy release. They were simply gone.

What came next was what comes next in many of these cases. A flush of barely organized chaos.

A flurry of calls to the UK, insurance companies scrambling, negotiators hitting the ground with barely a second to figure out what country they are in.

If you ask anyone, they will tell you that there was a plan. That there was always a plan. If you're going to do business in one of the kidnapping hotspots of the world, you need a plan, right?

The first step involved a company called the Cole Group, a boutique kidnap and ransom consultancy firm with a powerhouse reputation. Its founders, Ed and Selena Cole, have built quite a name for themselves throughout the industry.

And so the call was made, and within thirty-six hours of the kidnapping, Selena Cole, a psychologist specializing in kidnap and negotiation psychology, was on the ground in La Guajira. She doesn't look like someone who belongs in the murky world of K&R. She would look more at home teaching on a university campus, or tending to your tonsillitis in her GP surgery, than sitting in a windowless office in Baeliss Construction's Colombian HQ running a negotiation.

"It's always a tense time when you begin a negotiation with a kidnapper that you have never dealt with before. You don't know them. They don't know you. So in the beginning, it's all about putting them at ease, steadying their trigger finger so that no one gets hurt."—Selena Cole

Based out of Riohacha, a wannabe city with desert on one side, ocean on the other, Selena was walking into a quagmire. You see, there are professionals in all walks of life, people who know how the game is played. And that brings with it a certain level of comfort, that everyone is playing from the same rule book, heading for the same destination. The same is true in the world of kidnap for ransom. The experienced players understand how these things work, that even kidnappers have a certain set of rules they must play by. It is an oddly comforting fact in a world that offers little in the way of comfort. But with the rise in criminal kidnappings throughout Colombia, the rules are changing. You get kidnappers now who simply do not know how much they can ask for, who begin by wanting the moon, who may get dangerous once they realize that they simply cannot have it.

This was where Selena Cole began, with an extreme figure, one that no insurance company would ever pay.

I cannot tell you what that figure is, mainly because I don't know. It's the rule in K&R. You don't talk about the numbers. You don't reveal how much you paid, in case the next guy asks for a little bit more, then the guy after that a little more still.

"Negotiation is about building a relationship, allowing the kidnapper to see that everyone is working toward the same goal—a successful resolution, a safe release for the hostage. It's

just that some relationships are tougher to build than others."—Selena Cole

Day after day, Selena Cole sat in a dark hole of an office and worked the phones, talking, charming, occasionally chastising, until, gradually, the ransom figure began to drift downward.

It's a controversial business, the payment of ransoms to kidnappers. Recent legislation in the UK has made it illegal for insurance companies to pay money to a known terrorist organization. And there is little doubt that the money used goes directly into funding criminal activities—drug dealing, terrorist operations. But those involved in the industry say that, at this time, there is no other way, that the payment of a minimal ransom is the safest and most effective way of ensuring the release of the hostage.

One Wednesday morning, the drop was made.

One Wednesday afternoon, five weary, frightened men were dumped on the outskirts of Riohacha. Exhausted but very much alive.

"In those five days, I thought I was going to die. In my head, I kept saying good-bye to my wife, my three children, over and over again. I thought I would never see them again. But I am alive. And now I get to go home to my family."—Hostage, aged 42

"It is an area fraught with moral ambiguity. You know that part of what you do is funding criminality, and the thought of that, it's tough. And

yet, ultimately, what we are doing is bringing families back together."—Selena Cole

There are no right answers in a question as complex as this. And while kidnaps keep happening, undoubtedly there will be ransoms paid. We can criticize, stand on our soapboxes and deride those who contribute to criminal enterprises, but ultimately we are not the ones who will have to make the sacrifice if they do not. So perhaps we should wait—judge not, lest ye be judged—and ask ourselves, could I make the sacrifice if it was me?

Coming Home

DC Leah Mackay—Tuesday, 10:48 PM

I stare into the dark night. The curtains are open, a gaping jaw framing the darkness beyond, the pinpricks of orange streetlights in the distance. I should close them, should think about going to bed. But still I sit, my knees pulled up tight, laptop balanced on my lap.

I managed to finish on time today, or thereabouts. Managed to get to the day care early enough that the twins weren't the last children there. Tess flung herself at me like she hadn't seen me in a year, Georgia sparing a moment from the doll whose hair she was brushing to throw me a wave. It's always been like this with them. Twins identical in all but their reactions to the world. Georgia fearless and forthright. Tess cautious and clinging.

I finished on time. Leaving Selena Cole still missing.

I stare out at the streetlights, watch them flicker. Is she walking beneath those streetlights? Or is it in darkness that we will find her, her body curled in on itself like a fetus in the womb? Are you alive, Selena? Or is it already too late?

A creak of floorboards above my head makes me start, and I look up, although I know there is nothing to see. It is nearly eleven. Alex will finish work soon, will pack up for the night. Will he come down? Ask me if I'm coming to bed? Or will he simply go, allowing me to fend for myself? My stomach flips at the thought, and I wonder distantly when it all became so damn complicated.

My mobile buzzes. My brother.

Having a nice relaxing evening? Jammy cow.

I know where Finn is, or at least I imagine I know where he is, because I know how these things go. He is sitting at a desk, shuffling papers in a bright artificial light. Or he is sitting in a darkened room, surrounded by screens, watching grainy CCTV footage. It is this way with a murder. The rest of the world stops, cases coming to a grinding halt, families vanishing into a chaos of background noise. You don't eat, you don't sleep, at least no more than a couple of hours a night. You work and you work and you work, until it is solved or until the overtime budget runs out or until something worse happens.

I type a reply, thumb moving quickly across the flat screen. *Yeah. Until tomorrow.*

My baby brother. People laugh at the two of us together on the same CID shift. We have been called Topsy and Tim more than once. And in truth, there seemed little hope that Finn would follow where I led. He had a good career of his own, serving his country. First Battalion, First Fusiliers, armored infantry. A hero soldier. Then came love, a tumultuous relationship that would barely hang around long enough for him to get settled back into British life, and when the dust settled from a particularly stormy breakup, Finn had lost everything. His career. His girlfriend. His home.

I was a PC at the time, drowning in a never-ending series of night shifts, fighting the local drunks at three in the morning, and growing increasingly frustrated with humanity. I had complained about it to my brother, thought I'd done a pretty good job of putting him off policing forever.

Apparently not.

It was, as time would show, a perfect fit for him, a job that allowed him to pick up where he left off in the military, and fairly quickly, he leapfrogged right over my head, Finn chasing promotion while I was laid up, fat and pregnant.

Am I jealous? No. Yes. Mostly I'm just tired. And the jobs I have to do, they're enough for now.

I draw the line at calling him Sarge, though.

I continue to gaze at the streetlights.

I got a message on my way home from day care, a heads-up from the DI. Wrap up your case, you're moving to the murder team tomorrow. The girls were sitting in the back of the car, identically tied in to their identical car seats, singing "The Wheels on the Bus" loudly and off-key. My insides sank. I knew it was coming. You do, when you're CID and a murder comes in. You know that it's all hands to the pump. But I looked into the rearview mirror at my two little girls and wanted to cry. I wouldn't be there to put them to bed tomorrow night. In all likelihood, the night after that and the night after that. I would vanish for them, just as certainly as Selena Cole has vanished for her girls.

I set the phone down, rest my head back against the sofa, old enough and used enough that it is beginning to sag. I think about tomorrow. I think about my juggling, all of the balls that I will be setting down. Motherhood. Cooking. Cleaning. Laundry. Selena Cole. Alex will pick the girls up from day care. He'll bring them home, give them their dinner, put them to bed. They will be fine. But Selena Cole . . . she will simply remain as she is. Gone.

Where are you, Selena? What happened to you?

I stood in the Cole kitchen, kept my voice low.

"Your sister-in-law." My head was close to Orla's, my gaze on the girls, sitting back at the kitchen table now. Orla had convinced them to eat, had made them toast, smeared thick with Nutella. Vida watched, forehead heavy in disapproval. "She was seeing a psychiatrist?"

Orla pulled back, stared at me. "She . . . It was after Ed . . . she needed a little help. That's all. It's nothing. Nothing at all."

"And the antidepressants?"

Orla's mouth moved, an answer that came without words, and then, as always happens with children, Tara said something, pulling her attention away. I let it slide. Perhaps best that she doesn't spend too long thinking of the implications.

In my head, there is an image: Selena Cole, a woman who can take on the world, unstoppable, indomitable.

And then there is the other image: Selena Cole,

drowning in grief, hanging from some rafter somewhere we have not yet thought to look.

Which one is true? Or are they both true? Can she be both one thing and the other?

I scroll down the Google search listings again. It was not a complicated search. My missing person was (or is) a woman of substance. Her name in the search bar, and articles pop up, one, two, ten. The Rescuer, they call her. Like she is some superhero. Perhaps she is. Perhaps her superpower is invisibility. I rub my eyes. I really should go to bed. What, I wonder, would I find if I typed my own name in instead? Very little, I suspect. I've never been to Colombia. I've never been to Poland to rescue my nephew. I spare a moment to think about Finn, what the hell that would be like, him having a son, let alone a kidnapped one.

There is another creak from above me, Alex's footsteps heavy and slow across his study, the groan of the door.

I stare at a picture of Selena that accompanies an article, her hair tied back, her frame swamped in a bulletproof jacket.

How long will she have to wait now before I can find her? It is cold, even for this time of year. So that should preserve the body, if indeed there is a body to preserve. It's not like in the summer heat, when the flesh begins to break down, flies rushing to the scene like, well, like flies to a carcass.

On an impulse, I pick up the phone, dial the number. It is answered on the first ring.

"Orla? It's Leah Mackay. I just wanted to see if you'd heard anything."

She sounds exhausted, her accent heavier now than it was this morning. "Nothing. The kids . . . they . . . they're really upset. I only just managed to get them to sleep. My husband'll be here soon. He's on his way down from London, so . . . things will be easier then." She says it like she is trying to force herself to believe it, and I wonder what it is that she believes this husband will do to fix the situation.

"Orla, look, I've been doing some reading, looking into your sister-in-law's background, what she does . . . I understand she does work in Colombia, places like that?"

"Yes. Not so much lately, but before . . . yes."

"I . . . Orla, I don't want to worry you any more than is necessary, but is there any way she could have been kidnapped herself? I mean, one of these Colombian gangs . . ."

She goes quiet for a moment. "I just . . . I don't think so. I've never heard of them operating outside of Latin America. I mean, yes, the job can be dangerous. It involves going into high-risk areas. But that danger, it's contained, you know? It doesn't follow you home."

"I see." I stare at the photo. "Okay. Look, call me if you hear anything. No matter what time it is."

"I will," says Orla. "And thanks."

I set the phone down, have not even let it go before it begins to ring again, its vibrations dancing an insistent beat against my leg.

"I thought you were working," I say.

Finn snorts. "Yeah, well, someone's got to."

"Anything happening?" What I mean is, have you solved it yet? What I mean is, have you found the murderer of a good, decent man, so that I may return to my wild goose chase?

"Nah." He sighs, and it catches at me. The closest my brother ever comes to sadness is that sigh.

"You okay?" Then I realize what I have said. "Yeah, I know, I know. You're fine . . ."

He gives a bark of a laugh. "Always. No, just got back from identifying the body with the boyfriend."

"I'm sorry."

"Well, it is what it is. Hey, I've got a question for you."

"Yeah?"

"You know him?"

"Who? Isaac?" I shift a little, setting my laptop down on the seat beside me. "Not really. I've met him a couple of times."

"You think he could have done this?"

I think of Dominic, his voice bubbling with affection when he spoke Isaac's name. Another floorboard creaks above me, then another, on the stairs this time. "I don't know, Finn. I would like to say no, but then I guess you never know what goes on inside another person's relationship."

The living room door opens, and Alex slips in, running his fingers through his dark hair so that it stands on end. He gives me a quick smile, and I mouth the word "Finn." It occurs to me that my husband is handsome, with his dark hair that remains thick, bright blue eyes that, if you are lucky, seem to laugh. Strange, isn't it, to think that way about a man whose life you have shared for eight years. But then I suppose it goes that way sometimes, that life forces you to step outside of yourself, looking in at your marriage as a stranger rather than one who is buried within it.

"Yeah," says my brother. "I guess I'll have to defer to your judgment on that one. You know that briefing is at eight, right?"

"Mm-hmm."

"What?"

"What what? Nothing. I'll be there."

"You squared away your missing person, right?"

"Well," I say, "she's still missing, so not really."

A hefty silence, and I can tell that my brother is debating whether to put his foot in it or not.

"Lee, it's a murder."

Foot in it it is.

"Yes, Finlay. I'm aware of that."

"No, I'm just saying . . ."

"Look, I have to go." Alex is staring out of the window, his arms folded, trying to look like he isn't listening. "I'll see you at eight."

I hang up, watch Alex as he pulls the curtains tight shut. It feels wrong somehow, shutting the night out. Who will be watching for Selena now?

"Everything okay?" he asks.

I nod, close the laptop, and lean my head back against the sofa. "How was work?" He's an IT consultant, a wizard in a world of things I know nothing about.

He shrugs. "You know . . ." He looks smaller now, younger. Opens his mouth, closes it again. "I'm off to bed."

I could just stay here. My hand rests on top of the

closed laptop. I could stay up, keep digging, wait for him to fall asleep. I could do that.

"You coming?" He sounds hopeful. Fearful.

How the hell did we get here?

"I . . . yes. Yes. Okay."

The Reappearance of Selena Cole

DC Leah Mackay—Wednesday, 5:55 AM

When the phone starts to ring, it shakes me awake, making my heart thunder in my chest. I turn, wildly at first, trying to remember where I am, look to the clock. My hand reaches out, groping for the phone that vibrates hard against the bedside cabinet.

Alex groans, covers his ears with his arms.

"Sorry," I say, picking up the phone. "Hello?" My voice sounds slurred to me, like I have been drinking.

There is an intake of breath on the other end. "Detective Mackay?"

"Yes?" I'm trying to place the voice, female, a hard edge.

"It's Orla Britten. Selena's sister-in-law?"

"Oh, hi." A vague recollection of handing Orla my card, telling her to call at any time. "Is everything okay?"

"Yes. We . . . we found her. We found Selena."

When I hang up the phone, I sit, for an unsteadying moment sure that I have dreamt it.

"Who the hell was that?" Alex's voice is heavy, thick with sleep.

I push back the covers.

"Lee, where are you going?"

"My missing person. They found her."

"Okay. So?"

I pull on my suit trousers, hastily buttoning my blouse. I don't look at him. Because he has a point. Missing person found. That's it. Job done. The case is over. What happens next is nothing to do with me. Yet still I carry on getting dressed.

"Jesus, Lee." He has turned away from me, and I can see the bulk of his arms over his head.

"Are you okay to get the girls to day care?" I hover by the bed, hesitant now that it is time to leave.

Alex grunts, not looking at me.

I hurry along the long hospital corridor, my heels clacking loudly. It is quiet in the ER. Just one other cubicle is in use, the curtains tugged tight around it, the soft sounds of snoring coming from inside. I have been here, time and time again, with prisoners in handcuffs, the complainant left with a bleeding head wound because "she's a slag, i'n she?" I have never seen it this quiet before. It feels right somehow that it should be like this for the reappearance of Selena Cole, that the world is holding its breath, waiting to fill in the blanks.

She is stretched out, a pale figure, skin almost translucent against the dark of her hair. People move around her, a man in a white coat, his hands dancing quickly across the surface of her body. Orla stands to one side, her eyes red and lined.

I feel my steps slow, almost like I am afraid to go any further, see what I will see next. But my low heel catches, thrown off by the change in my pace, and scrapes across the linoleum floor, the sound shockingly loud in the silence. They turn to look at me, the doctor, Orla.

And Selena Cole.

I stare at her. I know that I am doing it, and yet still I cannot stop. She is alive. She is before me, but the image of her is fluttering—one minute her inert body is swinging from a homemade noose, the next she's alert, watching me. It seems that my brain cannot catch up, its expectations confounding the truth before it.

Selena is watching me with navy sinkhole eyes. She looks like I imagined, and yet at the same time she does not. There is the dark hair, a shimmer of red, that falls to just above her shoulders. But it isn't sleek like it should be; instead, roughened wild strands snake their way across her face as she lies on the hospital bed. There are the same wide features that I saw in the photographs, uneven and looking like they shouldn't work, and yet somehow, when taken as a whole, coming together to make her look striking. But her lips are dry, chapped, her skin pale, like she has spent too long in the cold. Her cream sweater is blotched with mud, giving it a dappled effect. She has been crying.

The doctor spares me a quick look. We have met before. Medical staff, police, different sides of the same coin. We gravitate to the lame, the weary, the crazy. I can see him frowning, trying to place me, and I say quietly, "Stabbing in Hereford. Twenty-six-year-old male."

The frown deepens, then vanishes, and he gives a quick, brisk nod. "That's right. Good to see you."

"Everything okay?"

He knows what I'm asking. Like I said, different sides of the same coin.

"No serious injuries. Some bruising, bumps and scrapes. No sign of concussion. Which is, well . . ." He lets the words trail away.

I'm about to ask. I'm about to say, well, isn't that a good thing? But I don't get the chance, because then the doors fly open and a gurney hurries past us in a blur of metal and groaning and blood.

"Be right back." He turns, his coat billowing behind him like a cape, and I spare a moment to consider the lie. It's what we all say—just a second. Even though we know that what lies in front of us is bigger than a second could possibly encompass.

Now there are only three of us left. Me, the sister-in-law, and the woman who vanished.

I smile. "Hi, Selena. I'm DC Leah Mackay." She nods. Her navy-blue eyes dart back and forth across my face, reading me. I can see now that there is mud in her hair, across her face, that her fingernails are stitched with it. She seems stunned, unsteady, is gripping the metal bars of the hospital bed like she is on the deck of a storm-tossed ship.

"Hi." Her voice is throaty, the words fully rounded, singing of a decent school, a good family. "You're the detective?"

I nod. Yes. I'm the detective. It is so clear then, so

uncomplicated. I'm the detective, responsible, capable, whole.

"We've been worried about you," I say.

Selena Cole nods. Her eyes are swimming with tears, a dam that is one moderate rainfall from bursting.

"Are you okay?" I ask.

Selena looks at me. Takes a deep breath. And then it's like she changes in front of me, her expression tightening, eyes becoming calm, as if she has simply shrugged off her victimhood. "Yes. My girls . . ."

Orla moves by me, takes her sister-in-law's hand. "They're safe. They're asleep. Seth is with them." She glances up at me. "My husband. He arrived back from New York yesterday."

"Selena," I say softly, "can you tell us what happened?"

She stares at me, her lips moving like she is struggling to form the words. "I . . . I don't know."

"You . . . what do you mean?"

"I don't know. I don't remember what happened."

I had prepared myself for many answers. Yet I had not anticipated this one. I nod slowly, even though I have no idea what I am agreeing to. Now I'm thinking head injury. But the doctor, he said no concussion. I look around, trying to find him, even though I know that he vanished through the swinging trauma-room doors, that even now he will be up to his knees in blood.

"Okay." I'm playing for time, trying to get my brain to catch up with events. "What is the last thing you remember?"

Selena shifts her gaze, staring up at the ceiling tiles

above her, the long, narrow gaudiness of the strip light. "Heather. Heather wanted to go and play. She was . . . she had so much energy. You know how they wake like that sometimes? Like a fizzy drink and someone has shaken the can? I thought, well, I'll take them. I mean, it was early, but we'd been up early because Tara couldn't sleep and she'd woken the house up. So I thought, what does it matter what time it is? I'll take them. Before the rain comes." Her fingers pull on the bedsheet, plucking it from the mattress, releasing it, plucking it again. "I remember putting their coats on. Heather, she wanted to wear her good shoes. They were supposed to be for school, but I . . . she was so determined. I remember closing the door behind us."

"And then . . ."

She turns toward me, looks at me dead on, a single tear sliding down her cheek, splashing silently onto the linoleum floor. "Then there's nothing."

Orla gives a low cough. "A taxi driver found her sitting on the bank of the River Wye at about three AM. She had no coat, no handbag. He said she seemed confused. He brought her to the hospital."

"I remember being beside the river." Selena looks at her hands, at the mud that stains her fingernails. "It was so cold. I don't know how I got there. I just . . . I didn't know where my girls were or what had happened. Then the taxi driver passed me and he stopped and . . ." She closes her eyes, covers them with her hands, and lets out a sob. "The girls. I left them alone."

I hang there for a minute, floating between two worlds. Then Orla sweeps forward, clutching at Selena's hand, shushing her as you would a small child.

"It's okay, Mogs. It's okay. They're fine. Vida found them right away. She took care of them. They're fine."

I think of the Cole girls, sitting together on the sofa, wondering how their world had shifted this time. "Fine" is perhaps overstating it.

But I don't say that. What I say is "Mogs?"

Orla looks up at me, her face flushed like she has been caught out. "It's what my brother used to call Selena."

Selena wipes her eyes and smiles a small smile. "It was after Mog the cat. I told him on one of our first dates that they were my favorite books when I was a kid. It kind of stuck." She shakes her head slowly. "I'm sorry. I wish I could tell you what happened. But I can't."

I don't know what it is, maybe a shift in the light, maybe a small movement that Selena makes. But I am staring at her sweater, at what I took to be mud.

Selena sees me looking, sits up a little straighter. "What?"

"Dr. Cole," I say, "is that blood?"

A Good Man

DS Finn Hale—Wednesday, 9:15 AM

I hang on the pavement, with Cardiff traffic roaring. The door to the offices of Hartley and Newell stands ajar. I am, I admit, steeling myself, bracing for what comes next.

People flow past me, some stopping to give me a look, the rock in their particular stream. That would have to be my Native American name.

But then perhaps they are looking at me like that because they aren't blind, because they can see that I look like a bag of boiled dog shit. As it were.

It was past two when I got in last night. Even Strider was too tired to care, a brief glance, a quick wag of the tail, nothing more. I tumbled into bed, still fully clothed, lay there wishing I'd thought to turn on the heating timer, wishing that this old building had something even vaguely resembling insulation, and then, when I got really pathetic, wishing that I had someone who could have turned the heating on for me. I fell asleep at that point, insomnia a useless force against the need to escape introspection.

The pavement shimmies beneath my feet. An overweight woman wearing a backpack scowls at me, and I grin back. She speeds up. Seems reasonable.

I look up at Hartley and Newell, then sigh heavily, theatrically, push my way through the flowing bodies. Where the hell are they all going? That's what I want to know. Is there a party to which I've not been invited? I slowly climb the three broad steps.

It is the scene of a tragedy. You would know that even if you didn't know. There is an air here, a heavy mist of grief. From a back office, someone talks in soft tones. One voice, no corresponding reply, so a phone call, I'm guessing.

I walk to the reception desk, offer the girl behind it my warrant card. "Detective Sergeant Hale."

The girl looks up at me. My God, she's thin—the kind of thin where the head is bigger than the body, like you are balancing a ball on a stick. I wonder when she ate last. Where her parents are. And realize that, yes, I am officially getting old.

"What?" She looks confused, like I have spoken a foreign language.

She isn't wearing makeup; she is agonizingly pale, pretty in a suffering kind of way. She looks like she is twelve years old. Okay. Maybe not twelve. Twenty-two? Twenty-three at a push.

"I'm CID. I'm here about . . ."

"Dominic," she says quietly.

"Yes," I agree.

She doesn't say anything for a moment, just looks

down at her bitten nails. Then, a breath of air. "He was such a good man."

There is the click of a phone settling into a receiver, slow clacking footsteps. Bronwyn Hartley, Dominic's business partner, leans against her office door and offers me a thin smile. "DC Hale."

"It's DS now." The words slip out, and I curse myself. Like she cares.

Bronwyn nods, but I'm not sure she has actually heard. Her mascara has run, formed thick lines around her eyes. I know Bronwyn, in that ambiguous way that I know many people—the same way I knew Dominic. That is to say, not at all, not really. I know her to say hello to. I have sat across a table from her as she works to defend the indefensible.

"You all right, Fae?" Bronwyn looks at the thread of a girl at reception.

Fae is crying now, quietly, using her sleeve as a handkerchief. She makes a little noise. Whether it is a yes or a no, I have no clue.

Bronwyn takes it as a yes, looks back to me. "You want to come on through?"

Bronwyn Hartley is attractive in an overly developed kind of way, with her thickly powdered cheeks, her densely crimson lips. I notice that the makeup looks clumsy and uneven. She must be . . . what? Fifty, maybe? But today she looks older, is walking like each step pains her. She pauses in the doorway, ushering me through, a nursery school teacher shepherding her charge.

"Fae," she says, over my shoulder, "go grab yourself a coffee, okay?"

She closes the door without waiting for a reply, sealing out the mourning. "You should sit." She does the same, sinking into a high-backed leather chair. The desk divides us, and she rests her hands on it, painted nails luminous against the polished wood. They're yellow. I find myself staring at them, wondering obliquely when this became a thing.

"So," she says. "Sergeant. Congratulations."

I smile. Cannot think of any suitable words in response. I can still hear Fae, even through the closed door, quiet tears that have become sobs. It's a pungent reminder that, in truth, no one here gives a stuff about me.

"How are you doing?" I ask.

Bronwyn looks at me, surprised, and I wonder if I am that transparent. Or is it simply that in our superficial dealings, she has gained a better grasp of me than I have of her? That she has figured out that I don't really do sympathy, that empathy is something of which I am in short supply. I open my mouth. Want to tell her that I am trying something, that I am attempting to be more than I have been. Then I shut it again, remembering that it doesn't matter, not here, not today. Because all that matters is this death.

"I'm . . ." She shakes her head. "I'm alive. That's pretty much all that can be said for me. I still can't believe it. It feels like I haven't taken it in. Not yet."

"No."

"Dominic . . . he was such a good man."

It is the second time I've heard him described that way since I walked through the front door. I wonder if it is true. Or is it simply a case of death washing away all the sin, until all you are left with is the remembrance of the victim's best?

"Tell me about him," I say.

Bronwyn smiles. "He was a good man," she says again. "Very clever, educated. Kind. He always wanted to help. Wanted to give people a chance. To see the best in them."

I think of my sister. Were someone to ask me, I would say exactly the same about her. I think about the rain that I poured on her parade last night and feel a flush of guilt.

"He didn't just want to represent our clients; he wanted to help them. Make their lives better. You know about his work with users, right?"

I shake my head.

Bronwyn smiles. "Dom always did love a hard-luck case. We get a lot of drug users through here, as you can imagine. Petty crimes to support the habit, violent crimes when they're high." She pulls a face. "To be honest, I've not got much patience with it myself. But Dom, he was a big believer in fixing the root cause of the problem. Encouraging clients into rehab, trying to get them to make their lives better." She sighs heavily. "He was a far better person than I am."

"Did it work?" I ask, curious.

"Sometimes. Mostly not. Of course, we always had Fae to hold up as an example of how a person can turn their life around."

"Fae?"

Bronwyn flicks her acid-yellow nails toward the door. "Lovely girl. Had a bad run of it a few years ago. Got into drugs. Brought low by some man, I think. But Dom took her under his wing, set her up with a counselor, rehab." She shrugs widely. "I was skeptical, as you can imagine. But no, in fairness to the girl, she pulled herself together, got clean, got a degree."

"And got a job," I offer.

Bronwyn grimaces. "I took some persuading. It was a good call, though. You won't find anyone more reliable or hardworking than our Fae. Just goes to show, I guess."

I look to the closed door. "I'd never have guessed."

"Well, why would you? This was years ago. People can change, you know, Finn."

I look back at her. "Tell me about Dominic and Isaac. What was their relationship like?"

Bronwyn plucks at an invisible thread on her sleeve. "When he met Isaac . . . it was love at first sight. For Dom, at least. And for Isaac too, I think. They made such a good couple. I was happy for them."

That last bit jars, sounds wrong after what came before. It is held up at me as a shield. What is it protecting her from? I raise an eyebrow.

She studies me, considering, and then sighs. "Dom and I, we met a long time ago. Nearly twenty years. We were both new to the firm . . . a small operation, delusions of grandeur; it went bust years ago. But we clicked. I . . . God, I fell head over heels for him. We started dating—he hadn't come out then. We were together for a while. A year or thereabouts. And it was good, you know? But looking back, I knew it wasn't the same for him. You do, don't you? When you love someone more than they love you?"

I nod, like I have any idea about anything. Like I'm not a thirty-two-year-old man with the relationship history of a fifteen-year-old.

"He admitted it, in the end. Said that he was confused, that he thought perhaps he might be gay."

"That must have been tough."

She looks up, smiles grimly. "I survived. We split, obviously. But we never stopped being friends. You can't. Not when you love someone that much."

"And then he met Isaac?"

She shakes her head. "There were others before Isaac. A couple of serious ones, but nothing really stuck for him. Not until Isaac."

"And that didn't bother you?"

"No. Well, I was married myself by then." She pulls a face. "That didn't stick either." Then she considers. "Although, to be perfectly honest, the women bothered me. There were a few of those for Dominic too, and even when I was married, I used to think, if you're going to be with a woman, why not me? Anyway. Then he met Isaac."

"Tell me about Dominic and Isaac," I say again.

Bronwyn gives me a long look. "Isaac . . . he loved Dom. They were happy together. Dom and I, we talked about everything. He never told me about any fights, about any issues. They just . . . they loved one another. And I've never seen Dom so happy. It wasn't Isaac, Finn. It couldn't have been Isaac."

I nod. Pretend that I believe her. When really what I am thinking is what Leah said—how can we ever know what goes on inside a relationship? Can we really say for sure whether the ice under it is glacier thick or paper thin?

"What about the last time you saw Dom?"

"I . . . It was a normal day. Just like any other day. I

was in court. I'm not sure what Dom had going on, but you should check with Fae. She can pull his diary for you. I saw him when I got back to the office. Five-thirty, five forty-five, maybe. We had a quick chat, nothing special—just, you know, chitchat—and he left about six. I keep thinking, if only I had known that it was the last time. There are so many things I would have said to him. I wish I had known it was the last time."

"Were you still in love with him?" I don't know why I ask this. I don't know why it matters. I just suddenly have an overwhelming urge to know.

But Bronwyn has looked away now, is brushing tears from her face, pretending that she hasn't heard me.

I don't push it. I let it slide.

After long moments, she turns back to me.

"When he left," I say, "did he say where he was going?"

"Home," Bronwyn says. "He was . . . No . . . that's not right. He said that he had to leave, that he would have to stop on the way home."

"Where?"

"He said he needed to see Beck Chambers."

Case No. 25
Victim: Alexa Elizondo
Location: Caracas, Venezuela
Company: Private case, unaffiliated with any insurance provider
19 June 2007

Initial event

At 2:45 pm on 19 June, Mrs. Alexa Elizondo, a sixty-one-year-old widow, had gone to the local market in order to do a food shop for her employers. Mrs. Elizondo had been employed as a housekeeper by the Rayer family, an American family with a string of businesses across the Americas, for ten years. Having finished the shopping, Mrs. Elizondo was returning to the vehicle provided to her by the family for such purposes when she was the subject of a kidnapping. The family's driver attempted to intervene but was shot and killed in the process.

Following Mrs. Elizondo's kidnapping, Mr. Matthew Rayer immediately began taking steps to ensure her release. While his own K&R insurance provision would not extend to cover Mrs. Elizondo, the Rayer family's relationship with their housekeeper was such that they were willing to cover any costs incurred in ensuring the housekeeper's safe return.

A ransom demand of $10,000 was issued within twelve hours of her abduction.

Although Mr. Rayer was happy to engage in no small measure of financial outlay to ensure the safe return of a member of staff who had become as close as family, the sizable nature of this demand gave him pause.

Following some consideration, however, the decision was made by the Rayer family to pay the ransom, their financial position being one that could cover such a hefty demand without too much strain.

A drop was organized as per the kidnappers' instructions in a large park on the outskirts of Caracas. An employee of Mr. Rayer took the cash to the stipulated site. Following the kidnappers' instructions to the letter, he left the ransom and then proceeded back to the Rayer family home to await confirmation of receipt and instructions for the collection of Mrs. Elizondo.

A call was received an hour later thanking Mr. Rayer for his "down payment" and requesting a further payment of $500,000 in order to secure the release of Mrs. Elizondo.

Mr. Matthew Rayer contacted the Cole Group immediately following this call.

Response

The response team in this case consisted of myself (Ed Cole) and Selena Cole. We arrived in Caracas eighteen hours after initial consultation. Upon arrival, it became immediately apparent that the kidnappers had been reassured by the Rayer family's speedy capitula-

tion to their demands and so felt comfortable pressing their advantage.

This left us in a somewhat compromised negotiation position, as the kidnappers were now aware of the ease with which Mr. Rayer could access large amounts of money, an awareness that substantially added to the degree of danger presented to Mrs. Elizondo.

Selena Cole led the negotiations, the early portions of which were dedicated to calming an extremely inflamed situation. A number of threats were made to the life of Mrs. Elizondo. The severity of these threats was made clear by the sounds of the hostage being beaten and, we were later to discover, raped while Dr. Cole was forced to listen, unable to intervene.

The weight of these events on both Selena Cole and myself cannot be overstated.

After an extremely tense period of negotiations that lasted for ten days, Dr. Cole was finally able to persuade the kidnappers to agree to a second payment of $20,000. It was made clear to them that the family's resources were now at an end, and that their willingness to engage in financial outlay for a person who was, ultimately, merely an employee, had been exhausted.

These negotiation tactics were not shared with the Rayer family, all of whom were extremely distressed and were in fact prepared to invest whatever funds should be required in order to effect the release of Mrs. Elizondo.

The exchange was undertaken by myself, with Dr. Cole as backup. This was deemed necessary due to the extreme level of trauma inflicted on Mrs. Elizondo, and in fact proved wise.

Upon release, Mrs. Elizondo suffered an immediate collapse.

We transported her to the nearest hospital, where she was deemed to be physically well, although severely traumatized. A rape exam confirmed that she had been sexually assaulted.

Mrs. Elizondo remained in the hospital for three days, throughout which she remained extremely confused, agitated, and in a highly dissociative state. Her recollection of the events surrounding her kidnap was almost nonexistent, and she was unable to describe what had happened after her departure from the Rayer family home. This amnesic state was identified by Selena Cole as being a function of the trauma to which she had been subjected.

An extensive program was put into place by Dr. Cole, designed to help Mrs. Elizondo recover from her experiences.

Unfortunately, she never got the chance to implement it. On her third day of hospitalization, Mrs. Elizondo suffered a massive stroke. She died two days later.

Note

Following the events documented in this case, a memo detailing the consequences of handling kidnapping without the aid of professionals was sent to all clients of the Cole Group. It emphasized the increased dangers presented to the hostage when a ransom is paid without any effort to negotiate, and made clear that NO ransom should EVER be paid without the express instruction of a K&R consultant and/or under the guidance of the appropriate local authorities.

An Impression of a Victim

DS Finn Hale—Wednesday, 9:58 AM

When you are looking for a murderer, the best place to start is with the victim. Who were they? What did their life look like? Because in some way, that life has placed them alongside the person who ultimately killed them.

I let myself into Dominic's office and stand there for a moment in the dim gray daylight. There is a lingering waft of cologne. It fills up the small room with its closed windows, knotting itself up with the leather of the books. I try to identify it. But then, unless Dominic's choice of cologne was a Lynx spray, I'm unlikely to have too much success. I'm a philistine, I know.

The room awaits his return. There is a coffee mug on the desk, the remnants of his last cup dark at its base. You need to find the victim. Because when you find the victim, you will find their murderer.

I snap on the light.

The room is smaller than Bronwyn's, buried at the back of the town house that serves as Hartley and Newell's offices. An excuse for a window that looks out onto a yard beyond. I glance out, think that this room would always be dark, that sunlight would be gobbled up by the boxed-in square that represents the garden.

There are no walls.

Or rather, what walls there are are buried beneath banks of books. The modesty ends here. They line up, legions at attention, leather-bound, rosy red. They swamp the room, drowning it in now useless knowledge.

I walk the lines of them, a general inspecting the ranks. Can see dust accumulated over the mahogany shelves, the marks in it a Morse code that says: this book I have recently read.

Then the desk. It is neat. Squared away. I think of my own desk, the way the paperwork leans, threatening to tumble. But Dominic . . . he liked things to appear a certain way. He's dusted the desk. Or at least someone has. But if it were a cleaner, wouldn't they have dusted the bookshelves too? So, no cleaner. Him. He has dusted the desk, arranged it just so. So that when a client or a colleague sits across from him, they see his world as neat, orderly.

I look back to the shelves. You wouldn't notice the dust if you were sitting. Isn't that interesting? The cleanliness not for cleanliness' sake, rather to create an image. There is a framed photo sitting beside the computer. Dominic and Isaac, in ski gear, cheek to cheek. It is angled outward, so that you would see it if you were a visitor.

I ease myself into the visitor's chair, study the picture. They are good-looking men, both of them. They look happy.

But then it's about what you want to portray, isn't it? No one takes a photo of an argument.

I study the men's wide smiles and wonder what came next for them. Did someone end up crying after they'd said cheese?

I stand up, move around the desk. This is the thing. I need to know who Dominic was, not who he was showing himself to be. And if you want to know who someone is, you need to see what they hide.

I pull open the top drawer.

There is the usual detritus of office life. Pens, paper-clips, Post-it notes. And sheaves of paper, slick beneath my fingers. I pull them free. A leaflet for a drug intervention charity. One for a rehabilitation center. A list of numbers, drug hostels. I leaf through them. A good man indeed.

I hear footsteps, a knock on the door, soft enough that for a moment I wonder if I was mistaken. Then again, louder but only just.

"Come in?" My voice sounds guilty, like I have been caught rifling through women's underwear, and I cough, try it again. "Come in."

Fae is carrying a mug. She has stopped crying now, but still looks pale enough that I am waiting for her to faint. Her pixie-cut hair sticks up at odd angles, looks like she has slept on it. Then I think of the bags beneath my own eyes, my unshaven jaw. I'm really not one who should be judging. She offers me a quick smile. "Bronwyn asked me to make you a coffee. I didn't know . . . sugar . . . I didn't know if you did, so I didn't because . . . well, you can't take it out. Can you?"

She is looking at me expectantly, and I suddenly realize it is an actual question.

"Oh. No. Thank you. No, I don't take it. Um . . ." I have no idea what we're talking about.

I see her eyes flick away from mine, think that I can't really blame her, see them land on the paperwork in my hands. Feel a flush begin to creep up my neck.

Fae nods toward the papers. "Bronwyn told you?"

"Told me . . . ?"

She sets the coffee down carefully on a coaster. Smiles a small smile. "It's okay. I don't mind. I think it can be good for people to know that lots of us have things in our past we're ashamed of. That you can overcome them."

I wave her to a chair, and she perches on the edge of it, knees clasped tight together, feet wide apart.

"Would you mind . . . ?"

She shrugs. "I was at university. Law. I met a guy. He introduced me to some stuff."

"Some stuff?"

"E's to begin with. Then we began to branch out. It was . . . I'd try anything. It was just dabbling. That was what I told myself. I was a student, away from home, having fun. Everyone did it. Then dabbling became . . ."

"Addiction?"

Fae nods. "Addiction," she agrees quietly. "You don't see it coming, you know. The way it creeps up on you. One day it's fun, just a little something to take the edge off. The next . . ." She sighs heavily "The next you'd climb over your grandmother to get it."

"And Dominic?" I ask. "Where did he come in?"

"I'd dropped out. Was living in a studio apartment with my scumbag boyfriend. Neil. He got picked up on shoplifting charges, and Dom ended up representing him. Neil, he . . . he had a temper. Could be difficult. Dom could see that, and he kind of took pity on me. Encouraged me to get away from the drug scene. It didn't hurt that Neil ended up inside. I got clean, went back and finished my degree. Then Dom offered me a job here. I don't think Bronwyn was keen, not in the beginning, but she's okay. She came around."

"She speaks very highly of you now."

Another small smile. "That's Bronwyn. Barks to your face, praises you behind your back."

"You and Dominic, you must have been close." I try to soften my voice. "After what you had been through."

Tears bubble up, spilling over, and she wipes at them with a sleeve. She nods, makes a noise of assent.

"Can I ask, when did you see him last?"

She scrubs at her nose with her sleeve.

"Monday. He left before I did. I worked late, me and Bronwyn. I went home, I don't know, eight, I guess."

I remember what Bronwyn had told me. Dominic needed to see Beck Chambers.

She had sat at her desk, in her altogether grander office, watching me, allowing me time to align my thoughts, waiting for the inevitable.

"Tell me about Beck Chambers," I said.

She nodded, slowly, gave an unconvincing smile. "These things," she said, "they unfold with a certain inevitability, don't you find? The lover, the criminal. You always have to get them out of the way first."

I gave her a flat look. "You're not the first person to mention the name of Beck Chambers. According to Isaac, Dominic was having problems with him. Dominic was in the police station representing him on the day he died. Now you sit here and tell me that he was heading for Beck's the last time you saw him alive. Yes, there is definitely an inevitability to this."

Bronwyn sighed. "I know. It's just . . ." She shook herself, sat up straighter. "It's nothing. Let's just get on with it. Beck Chambers. We have worked with Beck for years. He's had some problems, mostly alcohol-related. He's a useless drunk. Has never done anything too heinous. He's ex-military. Served in Afghanistan. Musa Qala. Big military operation against the Taliban. Beck got shot a couple of months after that. They say he was incredibly brave, that he put himself in harm's way to save Afghan children in cross fire."

I was getting warmer, could hear the sound of footsteps on gravel. Struggled to focus on Bronwyn.

"But he'd threatened Dominic?"

"Psh." She waved her yellow nails, and I watched them, mesmerized. "They argued sometimes. They go way back. Have known each other for years now. They disagree. Beck would never hurt him. Dominic knew that. Look, I'm not saying Beck hasn't got a temper. He has. Keeps getting himself into trouble with it. He drinks. In short, the man is a fool. But this? No. No way would he have done this."

A man with a temper, with a drinking problem. Dominic with a single stab wound to the neck. The way you might die if someone you were with simply lost control, lashed out before they realized what they were doing.

We needed to find Beck Chambers. Quickly.

I set the papers down on the cleared desk, sparing a moment to think what Dominic would have said.

"Fae," I say. "Do you know Beck Chambers?"

Fae looks at me, seems to be sorting through my words. "Vaguely. He's back and forth here a lot." Waves to the rehabilitation leaflets in front of me. "You could call him one of Dom's projects."

"What is your impression of him?"

She thinks for a moment. "He's always been nice to me. Very polite. I know he's got issues, I know he gets himself into trouble a lot, but with me . . . he's nice." She studies me. "You think he did this? You think he killed Dom?"

I look questioningly. "What do you think?"

She is biting her nails, chin cupped in her hand. Won't look at me now. There are tears budding in her eyes.

"I don't know," she says, quietly.

Somewhere in the outer office a phone rings, the sound muted here in this quiet room with its lining of books. I feel like a child in the womb, sound filtered through my mother's stomach.

Fae glances over her shoulder. "Excuse me. I have to get that."

I look down at Dominic's formerly immaculate desk, at the papers I have left strewn, feel unaccountably guilty. I gather them up again, placing them back where I found them.

I push the drawer shut, allowing my fingers to slip downward toward the lower drawer. Spare a moment to wonder where Beck Chambers is. Uniforms are searching for him. Have been to his house, the few locales we know he frequents. And yet it seems that he has dropped off the face of the earth. This drawer is heavier, clinks when I open it. There at the bottom is a small bottle of gin, two thirds full, a packet of Marlboro cigarettes. I grin. You keep your secrets out of view, hidden in a bottom drawer, so that you can look as you want the world to see you. I lift out the bottle, the cigarette packet. There is another sheaf of paper underneath and I pull it free.

It is a brochure, glossy, a picture of an eagle bold on its front. The Cole Group.

Going Rogue

DC Leah Mackay—Wednesday, 11:27 AM

I can still smell the dump. It hangs about my clothes, stuffing the air in the car so that I can barely breathe. I took the statement, listening to the heavy tones of the man who found Dominic Newell's body slumped at the side of the road. Paying attention to every word and yet somehow not hearing what he had to say at all.

He shuffled in his seat, seemed like he couldn't keep still, the words spilling out, one after the other after the other. "And I mean, I couldn't believe it. 'Cos you see it on the telly, and you think oh, right, bit far-fetched, like, but when it happens to you . . . Look at my hands." He held out hands as big as spades. "Still shaking."

I take a left at the roundabout.

I made it into the office this morning in spite of all my brother's fears, arrived a little after 9:15, fueled by the righteous virtue of a dawn start, a missing person now found.

"Leah . . ."

I winced, a schoolgirl caught sneaking into her room in the small hours, high heels in hand. Tried to arrange my features. Look confident. That's half the battle.

The DI leaned against the office door, eyebrow raised. "Any explanation you'd care to give? You were supposed to be in at eight."

"I was just closing down a case, sir. A missing person. We found her," I add, as if this will in some way atone for my sin. As if I had actually done the finding.

He stared at me, eyes tinged yellow, skin pallid. "I thought my instructions were clear? All cases were to be handed over?"

"Yes, sir, but . . ." My face began to burn as heads turned to watch the show. I opened my mouth, ready to point out that here in this room was eighty, let's call it eighty-five percent of the force's investigative capacity. That there was no one left for me to hand over to, and that the missing woman was a mother, a single parent, whose children were waiting for her. But he stared at me, and under the useless force of his vapid gaze, I backed down, snapped my mouth tight shut.

"Well, you'd better turn back around. I need you to go out to the dump. Someone needs to interview the guy who found the body."

I put my foot down, lower the window so that the whipping air tears at the dump smell, pulling it away, tossing it into the passing trees. The traffic is easy now; most people have already arrived where they want to go. I pull past a Citroën Picasso, its driver twisted around in her seat so that she is almost facing backward. The pitfalls of driving with children.

I think about Selena Cole in her hospital bed.

"Is that blood?"

She stared at me, her mouth opening, closing. Then, "No. I'm not hurt. Well, just a few scrapes." She held out her arms so that I could see the scratches, the finger-marks of branches. "No, it's mud. From the bank, I think. I'm not sure, but I think I must have fallen."

I stood by her bed, studying the dark stain, and then the light shifted again. No. Of course. It was mud, dark and oozing.

What had happened to her?

Was it the grief, the pressure of her loss? Did it become too much for her on that gray morning, and did she simply walk away, intending to give in to the urge for it all to end?

Of course, if that is what happened, then one thing is clear. Selena Cole is lying. So now the question is, was it a forgetting or a deception?

Twenty hours. She was gone for twenty hours. What the hell happened in that time?

I bite my lip, know that I am on thin ice, that the DI is already watching me because of this morning's tardiness, that my timely return to the police station, to the murder, is critical. Then I flip the turn signal, pulling across two lanes of traffic, taking a hard right that I had no intention of taking. Heading straight for the Cole house.

When I knock, it is Orla who answers the door, her face a thundercloud. "Oh." She sees me, takes a step back, and I have a fleeting moment when I flinch, can picture her squaring up for a fight. "Oh, I didn't think . . . Sorry. I . . . I thought you were moving on to something else, you said? A big case?"

"I did. I am." I shift, awkward. "I just wanted to see . . . Is everyone all right?"

Orla frowns, and for the most absurd moment I want to tell her everything, explain why I am here, again, standing on Selena's doorstep, where I am absolutely, positively not supposed to be. "Okay," she says, doubtful. "Come in."

She looks haggard, years older than she looked yesterday. I wonder if she has slept at all yet. I watch her as she closes the door behind me, slipping the chain across, and it occurs to me to question, is she trying to keep someone out or someone in? The house smells . . . efficient. Floor polish mingling with the crisp smell of burning wood.

I smile. "How are they all?"

"Fine." The word comes out hard, all sharp edges, defensive corners. She is watching me, a guard dog wondering if it will get petted or kicked.

I nod. "And you? Are you okay?"

She stares some more; then I see her shoulders sink, the air let out of the balloon. "I'm tired." She smiles, shrugs. "I'll be fine. Come on. Selena is in the kitchen."

I hear the girls' voices first, the tone all wrong, off for two small girls. It is hesitant, seems staged for a church rather than a playroom. Orla pushes open the kitchen door, and I see an array of dolls, a cacophony in pink, scattered across the floor so that they almost hide the sheepskin rug beneath them. Heather sits, her legs crossed in front of her. She brushes her doll's hair with such ferocity that it seems inevitable the head will come off in her hands, and her eyes flick from the doll to where her mother sits at the kitchen table, back again.

Selena sits on the blocky chair, long fingers curled around a red china mug. Her hair has been washed and dried, is neatly pulled back into a stubby ponytail. Her clothes are fresh. Her fingernails no longer bear the traces of mud on them. She looks up at me as I enter, and it seems that I can hear her heartbeat rise.

"You remember DC Mackay?" asks Orla. "Or . . . it's Leah, isn't it?"

I nod, feeling Selena's searchlight gaze on me. "How are you, Selena?"

She pushes herself up straighter. "I'm fine now. Thank you. Is there a problem?"

She is frightened of me. The thought makes me take a step back. I have scared her by coming here like this. I feel a warmth rush through my face.

"No, no," I stammer. "I just, I had to rush away this morning. At the hospital," I add redundantly. "I was driving by, and I thought I'd stop in. Just to make sure that you were all doing okay. You know, after everything." I clamp my lips together hard, attempt to force myself to stop talking.

"I'll make tea," Orla says.

I try not to stare at Selena, although in truth it is all I want to do. It seems strange to me that she is sitting here beside me, the woman who vanished. Instead, I look around the kitchen. It is clean. Ridiculously clean. I think of mine, weighted down with stray toys, abandoned paperwork, those stains that simply will not come out, no matter how hard I try. I look around and feel a hunger. I want this kitchen. No. Not that. I want this life. I want to be this together, this composed in the face of chaos. I want to be Selena Cole. Apart, I remind myself, from the amnesia. I can live without that.

Orla sets a mug in front of me, pulls up a chair. She still doesn't relax, though. She sits, curled in it, as though at any moment she will need to pounce. I glance at the children. Tara is muttering quietly, talking to her dolls, but Heather watches me, her eyes tracking my every movement as if she is afraid that at any second I will scoop her mother up, slip her into my handbag, and make a break for the door. There is a noise from above, the creaking of footsteps, and I look around, suddenly uneasy.

"That's Seth," Selena says.

I nod. Sip my tea. Burn my tongue. "So, ah, they didn't keep you too long at the hospital, then?"

"No." Selena smiles. "They said I was fine. No sign of concussion."

"That's good. And the girls?" I can see them, two small heads swiveling toward me, meerkats on a sandy dune.

Selena pales a little, her lips compressing into a tight line. Shrugs. Then she sees them watching her and breaks into a smile, the sun emerging from behind a cloud. "They're great, aren't you, guys?" She glances at me, a moment of silent communication, then down at her tea.

"So . . . have you . . ."

"Remembered?"

"Yes," I say. "I mean, I've heard that sometimes memories can come back, you know, given a bit of time." I think that I sound like an idiot.

Selena shakes her head. "I'm sorry. There's just nothing."

Orla folds her arms. "I think it was those tablets you were on." She looks at me. "The psychiatrist prescribed them for her, said they'd be fine. But the thing is, you just don't know, do you? I mean, cumulatively, these things could have an effect."

I nod. The cipramil. Think that I have absolutely no idea whether these things have an effect, cumulatively or not.

"I'm telling you," says Orla, "it was the antidepressants. You can't tell what that kind of medication will do to a person."

Then the kitchen door opens.

I start, my body reacting to a list of threats my brain hasn't even considered.

"Leah," says Selena, "this is Seth Britten. He's heading up the Cole Group operations now. He served with Ed in Iraq."

He nods at me. He is carrying a mobile phone in his hand that he taps repeatedly against his palm. Hair that was once blond shaved down to follow the contours of his scalp; tall, slender. The right side of his face is ridged, furrowed, a mass of scar tissue that runs from his hairline, down past his chin, along his neck, and vanishes into the collar of the short-sleeved shirt that he wears in spite of the chill in the air. There is a stain on the collar, dark brown, that looks like aged blood, looks like he has cut himself shaving. My eye falls to his right arm, the skin that protrudes from beneath his shirt a twisted knot of scars that lace from his hand up past his elbow.

"Roadside IED. Basra," he offers, noticing my look. His accent is Scottish, the burr of it rounded down until it is only just there, barely noticeable beneath the English veneer. "I was very lucky to survive. Many didn't." He reaches out his hand to me. "You are . . ."

"Detective Constable Leah Mackay."

He nods, folding his arms across his chest. "Good to meet you."

"Seth has a book coming out. About his experiences in Iraq." Selena looks at me, voice low. "Well, his and Ed's."

Seth shifts, his gaze fixed on me. "So," he says, "is there a problem?"

"Leah was looking for me," Selena says softly. "She was kind enough to stop by to check on me."

He is assessing me, untrusting. "Good of you. Very good. Ah, Sel, I just got off the phone with Vince. He's heading out to Cuernavaca. Castle Electronics lost three men out there."

"Again?" Selena sighs.

"This is the third time for them," says Seth. "They're on a roll."

"They've been making cutbacks," offers Orla. "The company is in free fall. Pulling all the 'unnecessaries.' In their last quarter, they canceled all crisis management training. Trying to save money, I guess."

"Well, that's the problem, right there. Their guys, they forget that it's a stupid idea to go out and get wasted in some Mexican town. They might as well have 'Available for Kidnap' T-shirts made." Seth bounces his phone against his hand, shrugs. "I guess they're figuring it out the hard way. I told Vince to call in if he needs anything. Said you had experience with the place, Selena."

Orla is looking at her husband, frowning. "I don't think Selena should be thinking about business right now."

Seth catches himself, looks from her to Selena. "I'm . . . I didn't think. I mean, is that okay? I know, you know, things aren't great here, but I thought, because you and Ed worked there so much . . ."

Selena looks down at her lap, pulling in a breath. "It's fine."

"Do you good, anyway," Seth says brusquely, suddenly confident again. "Get you back into it."

I sit at the table, unnoticed, unnecessary. I need to leave. I don't know why I came. "I have to go. Look, if there's anything you need, or you remember anything . . ."

Selena studies me, smiles. "I'll give you a call. Thank you, Leah. I appreciate your efforts."

A Fight to the Death?

DS Finn Hale—Wednesday, 12:30 PM

I flop into my chair. Stare at the blank screen of my computer, my attention caught by my reflection in the empty screen: reddened eyes, darkness of a two-day stubble. Dear God, I'm my father. Someone has taken my face, added thirty years on top.

I swallow some ice-cold coffee, left there from last night, instantly regretting it as it hits my palate. Leah still isn't back. I glance at her empty chair, then down at my phone. I could call her. Because the last time I tried that, it ended so well.

"So, anything new?" Willa's voice startles me from my deliberations.

"Huh? No. Why?"

She gives a laugh that is far too loud and far too bright for this day, settling herself on the desk in front of mine. She looks fresh. Downright perky, in fact. I wonder what time she finished last night. Decide that it must have been a damn sight earlier than me.

"You got the initial forensics back?" I ask.

She nods. "He was killed with a single stab wound to the neck. Wound is consistent with a small blade, kitchen knife, maybe. The amount of blood at the scene, no way the murder happened there, so looks like he was moved. Indications are that he was killed between six and ten PM."

"Any idea of angle of attack?" I'm trying to picture the scene. Was the killer standing over him? Did they surprise him?

"PM indicates a direct angle." She demonstrates with her fingers. "So, if you can imagine, knife enters in a straight line."

"Like whoever did it was the same height? Or similar?"

She shrugs. "Could be. Alternatively, they could have been standing on a chair. Or hanging from the ceiling. Or—"

"Okay, I get it. Any DNA?"

"Interestingly, yes." She grins. "Always look to the lover first. Isaac Fletcher's DNA was found underneath Newell's fingernails."

I think of Isaac, digging his fingers into his scalp like he wanted to tear out the news I had given him, that the love of his life wouldn't be coming home. "Could be perfectly legitimate. They lived together. They were a couple."

Willa shrugs. "Could be. We also got a number of hairs, short, dark. No root, though, just the shaft, so only the mitochondrial DNA."

"Right," I say. Like I have a clue what the hell this means.

She gives me a long look. Waiting.

"So . . ."

"So, nothing. Mitochondrial DNA isn't compatible with swabs or DNA records. I'm afraid you're going to have to do this the hard way." She pushes herself to her feet. "But I'm telling you, love can be murder."

I watch her walk away with the distant sense that she knows this, that there is a consciousness in her sway.

Love can be murder.

Yeah.

I shake myself, turn the computer on, begin a search of arrest records. Maybe Willa is right. Maybe Isaac's tears were of the crocodile variety. It wouldn't be the first time that has happened. But I punch in the name Beck Chambers anyway.

Because the romantic in me doesn't want it to be Isaac.

I pull my chair closer, study the screen. Nothing, clean as a whistle, before about five years ago. Up until that point, Mr. Chambers appears to have led a blameless life. Then, five years ago, something changed. The first arrest was for an assault. A night out with friends. Too much vodka. A word out of place. His "friend" ends up with a broken nose, severe concussion.

I sit there. Thinking. Then raise my voice. "Any sign of Beck Chambers yet? Anyone picked him up?"

Christa glances over at me. "Still nothing. Everyone's looking." She turns back to her computer, shaking her head. "Wherever he is, he's gone dark."

I look out the window, like I'll see him walking past. But no. Just the obligatory pigeon, staring back at me, gaze accusing.

"What's he done this time?"

For one deeply disturbing second, I think that the

question comes from the pigeon. I start, looking around wildly.

"You all right, Sarge?" He is lean as a drainpipe, face scarred with the ghost of acne past. For the life of me, I can't place him, for one beat, two. Then my brain comes back online, my memories shuffling sheepishly back from a talking pigeon.

"Greg." I say it triumphantly, and he glances around, his expression one of confusion. "Sorry. Yes. What?"

He stands at attention, God love him. He's twenty-three, so new to CID that his suit still has the price sticker on it. Is bubbling over with that barely suppressed thrill of having made it out of uniform alive. He looks at me like I'm a god. I move my chair backward slightly.

"Sorry. I didn't mean . . . I just, I heard that uniforms were on the lookout for Beck Chambers. And then I heard you asking about him. Chambers, I mean." He waggles a thin finger at the computer screen, at Chambers's record. "I just thought . . ."

"No, it's fine. It's fine." I gesture at the screen. "You know him?"

"Yes, Sarge. He was brought in on Sunday night. Assault. He'd been drinking in the Aubrey Arms, had a bit of a falling-out with one of the other drinkers. Hit him. Landlord called the police."

"You dealt with him?"

"No, Sarge, not me. I was downstairs dealing with the Larson boys—burglary again. I saw them in custody on Monday morning."

"Them?"

"Beck Chambers and his solicitor."

"You mean Dominic Newell?"

"Yes, Sarge."

"Dominic Newell, our murder victim?"

"Yes, Sarge."

Jesus wept.

"And you didn't think . . ." I can feel my voice rising, my temper going with it.

Greg looks like a puppy about to be smacked with a newspaper, his fingers tangling themselves together.

Kids.

"Forget it. What happened? You saw them together, right? Anything stand out to you?"

He has pulled his head back into his shoulders like a turtle under threat. "I . . . I don't know. I guess I thought they were friends."

"What do you mean?"

"Just the way they were talking to each other. Didn't really seem like the way most solicitors and clients talk. They seemed . . . I don't know, comfortable, I guess."

I nod slowly, drum my fingernails against the desktop. Then, in one quick movement, I push my chair backward, come up to standing. "What time was this?" I ask.

"Um, I don't know. Maybe ten? Ten-fifteen?" He's still standing there like he's on a parade ground. He also looks like he's about to cry.

"Great. Good job." I pat him gingerly on the arm. "At ease, soldier."

I hurry through the office, dimly aware of heads turning to follow me as I go, push open the door, down two flights of stairs, my footsteps echoing against the cinder-block walls. The CCTV room is quiet. Cameras cover the station, hitting it at more angles than you would think possible. It is, of course, like so much else here, a patchy system. Some of the cameras work. Others, not so much.

I find the one covering custody, say a brief, deeply hypocritical prayer, then rewind it to Monday, 10 AM.

I find Greg almost right away, standing patiently, awaiting the custody sergeant's attention. I half expect to see him put his hand up. I see his gaze shift off camera. Then movement to the left. An elbow, a dark suit. Dominic Newell?

I lean in closer, as if that way I will be able to see around corners.

Come on, you bugger.

The elbow vanishes, Greg's attention returning to the custody sergeant, his face arranging itself into a nonthreatening smile.

I sigh heavily. Think for a moment. Then scan the bank of camera angles. There is a feed that covers the front door. Rewind it to 10 AM. Watch as figures, solicitors, clients, come, go. Then I see the glass door slide open, see Dominic Newell step out into the liquid October sunshine.

Dominic doesn't walk. He stalks. You can see the anger in him, in the way he holds his shoulders, the way his hands ball into fists. I feel a strange sense of dislocation, like watching an actor playing comedy when you are used to seeing them in tragedy.

Another figure follows, bigger, broader. Beck Chambers.

My breath catches. He is a mountain, has danger written right across him.

But it's strange. The way he is walking, the way he

holds himself, it seems off. His head is bowed, a child on his way to time-out. He is watching Dominic, expectant, fearful almost.

He waits. I wait.

Dominic marches away from the station, toward the limits of the camera's reach.

"No," I mutter. "Stay there!"

Then, as if something has occurred to him, he spins, marching back toward Beck until they are toe to toe, Dominic the smaller of the two, but swollen with an inarticulate fury. He waves his arms, hands flung up into the air, and you can feel the anger through the screen, the frustration.

I watch his lips. Wish to hell I could lip-read.

But all I can do is watch, mute, as Dominic Newell expels his anger.

I want to shout a warning. Because I can see the shift happening, the change in Beck's posture, his head coming up, shoulders moving back. And I think, this is it, this is where it happened, where Dominic placed himself within death's grasp.

Wait for it. Wait for it.

Then there is a movement, Beck Chambers's hands flying upward, planting themselves on Dominic's shoulders, shoving him. Dominic stumbles back, and for a moment I think he will fall. But he saves himself, catching his balance at the last possible instant.

He looks shocked, like he had thought his client would simply stand there and take it, like he hadn't expected his own anger to come at a cost. But that cannot be true. Can it? Because Isaac said that Beck had been causing trouble. That he represented a danger. So what the hell would possess a solicitor, a man used to being around the worst of the worst, to act like that, to put himself squarely in the path of danger?

Beck stands there, his hands still high, like he is warding off attack. He isn't looking at Dominic; his head is down, like he is trying to pull the fury back together, keep things from tumbling further apart. Then he turns, spins on his heel and is gone.

I watch Dominic Newell, standing on the pavement outside the police station, scant hours from death. Watch him rub his hands across his face, like he is exhausted, has nothing left in him. His hands come up, a hopeless, helpless gesture, and his mouth forms a word.

I lean closer, stare at the screen.

I think what he says is "Beck."

Posted to service personnel forum

Corporal Beck Chambers
Pathfinder Platoon
16 Air Assault Brigade

I still see Musa Qala in my sleep. The sounds, the constant snap, snap, snap, boom. I wake up covered in sweat, and I think I'm still there, that I'm sweating because I am in this piece-of-shit town in an Afghan summer and that I'm about to die.

That's what I remember the most about Musa Qala, the feeling that at any moment I would have to die, that no other outcome made sense.

When I wake up like that, I can taste goat's milk. Isn't that weird? I can't stand the stuff. But I was glad enough of it once we had run out of food, water. I taste it now whenever I get afraid. I drink to get rid of the taste, prefer vodka to where goat's milk takes me.

They sent us in for "a couple of days." Just hold it until we get backup to you. We went in thinking we were doing some good, setting up security, sorting out the town's sanitation. But when the Taliban came, they came with the thunder. They were determined, I'll give them that. Pushed us and pushed us and pushed us, until it seemed that every waking moment was full of the sound of gunfire, mortar attack. Their losses, they must have been devastating. Should have been devastating, but they just kept on coming.

They had the roads, knotted us up tight, so that the resupply missions couldn't get through, so we were pinned, alone in this northern Helmand town. A couple of days. Yeah, right. Fifty-two days. That's how long it took for us to battle our way back out.

Meanwhile, there's twenty-five of us trapped in this town. Waiting.

We ran out of food. We ran out of water. Counting every round we fired, because you had to make every single one count; who knew when more would come? We didn't sleep. Not for fifty-two days. We survived on catnaps, taken holding on to our weapons, broken by the sound of more goddam gunfire.

It was the end of the world.

It gets dark in a place like that. You get the feeling that death is standing next to you, biding his time. You know that rescue will come eventually, because you are aware that there are people just like you on the outside, fighting to get to you but being pushed back and pushed back. That there are deaths occurring amongst those who are attempting to back you up, even as you sit in your armored bunker leveling your weapon at the sniper who has been taking potshots at you all day. You've got to have faith. You wouldn't survive a day of that without faith in your brothers, the ones who are coming for you.

But still, you get to the point where it seems like all that is left in the world is you, the guy standing next to you, the guy standing next to him, and a whole galaxy full of Taliban.

What happens then when you come home? When it's over and you're supposed to go back to being this normal guy, just slotting into life alongside everyone else like you didn't spend every hour of every day waiting to die?

I wake up, sometimes, shoot out of bed like my backside is on fire. Because I see one of them standing in the corner of my bedroom, an RPG aimed at me. I know it's not real. That Musa Qala is done, that I survived where others didn't. But in those moments when I wake and my heart is beating like a drum, it's hard to believe that's true.

That's when I have a drink. Because it makes the remembering a little easier, makes my guy with his RPG a little fuzzier round the edges.

I drink. I drink every day. For a little while there, I was just waiting for the drink to take me, figuring . . . cirrhosis, a sniper, it's all the same when you come right down to it. But the Coles, they saw it. They figured out just how low I had sunk. Ed took me in, gave me something new to live for, a career that wasn't just about waiting to die. Selena . . . the thing with Selena is that you don't even have to say it. She looks at you, and just by her looking at you, you know that she understands. That she knows men like me, our nightmares, the demons that sit right on our shoulders, the ones that we just can't seem to shake loose. Without Selena Cole, I would be dead. No doubt about it.

But death, he's a mean sonofabitch. You watch for him, you wait, and then he comes at you from a direction you just weren't expecting. When I lost Ed, I lost everything all over again. You start to wonder what the hell it was you were fighting for. And after Ed, it all fell apart. Death took the Coles from me as surely as if he'd put them both in the grave.

Why don't I just give up? Get it the hell over and done with?

Because of Selena. Because of Ed. They fought for my life. Twice, actually. I figure the least I can do is try and hang on to the thing they fought so hard to save.

Survivors

DC Leah Mackay—Wednesday, 12:30 PM

The hallway is dim still, weak sunlight filtering in through the glassed front door. Seth closes the kitchen door firmly behind us, offers me an uncomfortable smile, his lip puckering into scar tissue. "I'll see you out." His voice firm, an offer or an order, I am unsure. I saw Orla's gaze flick up to her husband, her mouth opening like she wanted to object, then closing again, her lips compressing into a thin, tight line. And Selena, sitting still at the kitchen table, composed, calm. A family pieced back together. Not by me, even though I would love to say that it was. But by some strange intercession of fate.

I hear the click as the kitchen door closes and take it for what it is, my good-bye to this case. I turn, begin to walk along the hallway, think that I should never have come here. I don't know why I did, what it was that I was seeking. Closure? For a case that has been with me for twenty-four hours? But we don't get closure. That's not part of what we do. We come into a tragedy, a murder, a vanishing, we play our part, we find the answers or we don't, and then we move on, leaving the main players behind to pick up the pieces.

Seth glances back at me, smiles. I can hear voices from behind that kitchen door, and think that they sound lighter now that I have left.

"You're Selena's business partner?" I ask, a useless question to fill in the silence.

Seth clears his throat, a strangled sound coming at the end of the breath, and I wonder if his throat, too, has been damaged, like his face, his arm. "Took over as managing director after Ed's death. I do the day-to-day running of the company, make all the major decisions." His gaze catches mine. "Better for Selena that way, gives her more time here, with the girls."

Or to vanish, I think. But I don't say it.

He clears his throat again, rolling the words across his tongue. "Lot of travel, of course. But you expect that with a business like this. Got in from New York yesterday. Was in Caracas a couple of weeks ago. Venezuela," he adds, helpfully. "Couple of oil workers down there had been held for over eight months." He pulls open the front door with his damaged hand. "Tough job. Lots of moving parts. But we got it. Managed to work out a ransom that was acceptable to all parties. Hostages are probably eating bacon sandwiches with their families as we speak."

A chill wind whips through the open door, tearing at the leaves that remain on the apple tree, and I step outside into the gray day.

"It must be a fascinating job." The thing to say when there is really nothing to say at all. A shiver runs through me, and I tuck my hands into my coat pockets.

His smile broadens, arms crossing over his chest as he leans against the frame of the door. "I tell you, it never gets old. You just never know what will come next. And the thing is, it's such a mystery to most people. Not the kind of thing that's talked about generally, you understand." He lowers his voice. "Insurance companies aren't keen to advertise the fact that they pay ransom demands."

I pull my coat closer around me, turn my face into the wind. It scours me, making me gasp for breath. "I can imagine," I say. "I have to admit, I struggle with the idea of paying criminals. But then," I add, "I'm police. Don't really fancy paying for the crime I'm supposed to be preventing."

He compresses his lips, the scars joining together to form a perfect matching set, and for a moment I wonder if I have angered him. "It's not an easy balance," he says, "Reality is, though, people are still getting kidnapped. In some areas of the world, travelers are more likely to get kidnapped than not. And while the principle is sound, it's not so easy to say you wouldn't pay when it's your child that's been kidnapped. Or your spouse." He looks over at the apple tree, watches as the last remaining leaf gives up its fight to stay and is torn away by the wind, spiraling to our feet. "Truth of the matter is, military rescues are dangerous. People die in them. Our best chance of getting a hostage back alive is to pay a minimal ransom."

He looks back at me, smiles. That crinkle again, that unevenness on the edges as the scar tissue pulls at his lip. I feel myself staring, yank my gaze away, a heat rising through my cheeks.

"Not the prettiest, is it?"

He gestures at his face, his arm, and I feel my face flushing.

"No, I . . ."

"It's okay. It's just a part of me now. Scars, I find, make you who you are. Don't you think?"

I think about sitting on the cold kitchen floor, a bottle of wine between my knees. I nod.

"It's not just me. Not by a long shot. Lots of boys I served with, they suffered worse. Plenty never came back." He smiles an off-center smile. "You do what you can with it, you know?"

"This was before you joined the Cole Group?"

He grins. "This was back in the old days, in Basra. Before the Cole Group was even a twinkle in Ed's eye. You been to Basra?" He looks at me like he expects an answer, then laughs. "Kidding. It's a shit hole. Nah, we were just regular old boys back then, still all put together the way nature intended, without the cosmetic changes insisted upon by the Jam."

"The Jam?"

"Jaish al-Mahdi. Insurgents. They didn't like us very much." He glances down at his arm, laughs again. "They didn't like us much at all. Understandable, I guess. Anyway, in my case, they expressed their disdain for me in the shape of a roadside IED. Damn thing took out our Warrior. Armored vehicle, you know. Thought it had killed me. Did kill a couple of others." He watches the barren branches of the tree, skeletal fingers waving and pointing. "Flipped us right over. I managed to get out, although not without paying the piper, as you can see. Managed to find my way back in to get Fuzz . . . ah, Jason was his name, but we called him Fuzz. Dragged him out."

"He's lucky you were there," I offer.

Seth shrugs, still watching the tree. "Not so lucky. RPG took him out, right after I rescued him."

What do you say? What is there to say?

"I'm sorry."

"You get on with it, don't you? We all have our crosses to bear. This one just happens to be mine."

"And losing Ed, after everything."

"Yes," he says quietly. "That's . . . yes."

We stand there like that, the wind wrapping its way around us. I look out to the street. It is empty today, no cars, just crisp autumn leaves tumbling along the gutter.

"Can I ask you a question?" I say.

Seth looks at me, frowns. "If you like."

"What do you think happened? With Selena?"

"I don't know," he says quietly. "I really don't."

"Your wife, she suggested that it could have been some medication. That maybe the antidepressants Selena was taking could have affected her recall . . ."

"I guess. I mean," says Seth, "I really don't know much about how those things work." Then he laughs, an out-of-place sound against the whistling wind. "If I didn't know better, I would say she was *burundanguiado*."

"What?"

He laughs again, waves his hand. "Nah, it's . . . it's nothing. It's this thing in South America. Look up 'devil's breath.' You'll get a kick out of it."

Letter from Ed Cole to Selena Cole

What I remember most is the heat. Dense, chewy, the kind of heat that loads up your lungs with clay, so that the few breaths you manage to pull in are thin and useless. I remember the way it sat on top of my eyelids, forcing them downward. A hundred and twenty degrees and change. Those temperatures, they're not meant for humans, they're really not. Or maybe it was just that they weren't meant for these humans, in our flak jackets, helmets that were now just a lid on a boiling pot. Our gear adding up until it could hit forty pounds in weight easy. In those temperatures? Yeah, double that, then you might have some idea how it feels.

I would say that it was a day like any other. But in Basra, there were no days like any other. They were leaden days. Days in which you knew you were about to die. Days in which the nighttime that came while you were still breathing was a surprise, followed by the thought, well, maybe tomorrow. Basra airport. Home away from home. Hell. Its soundtrack the permanent thud, thud, thud of missile strikes, the snap of bullets. We were all going to die. It was inevitable. It was just a matter of when.

Then would come the words. Resupply convoy.

And with that would come this twisted sense of re-

lief, that the day of our death had been marked now, that it would be over soon.

You have to understand how things were, the lay of the land. Basra airport was shit, no doubt. But if you compare it to Basra Palace, we were sitting pretty. The palace, God. I guess it could have been attractive, once. If you're into huge sandstone walls and pillars, an interior like Liberace's bedroom. But the way it sits. I mean, you can see why you'd do it, if you're a dictator and you want to stick two fingers up at your people. It's set apart from the city, fed into by three routes and three routes alone, a nice view across the Shatt Al-Arab river. That is, if you ignore the war that is going on all around you.

So, the guys who were sent there, who used it as their base, they start off thinking that life is going to be pretty sweet. After all, they're getting to live in a palace. Which is great, right up until you factor in the need to eat and drink and take a dump. Everything they had, we brought them. Everything they needed, they turned to us.

Hence the convoys.

You want to know how bad it was? The civilian drivers, the ones who would do anything for a couple of quid, they would get drunk before a run. Said it was better facing death through the blurry haze of alcohol.

Because there were only three routes in. And when we went, we went big. I mean, sometimes you're talking a hundred vehicles. That's one slow-moving beast, moving directly through Basra city center. A place stuffed with many, many people who really, really did not like us. It was a good way to die.

That day, the day it happened, we knew we were in trouble. We knew we were in trouble just because we were there. We were wedged into the back of a Warrior, seven men, with more supplies than you can shake a stick at. And the temperatures, they're just sky-rocketing. Seth, he's sitting right next to me, and you could tell he was nervous because he just would not shut the hell up. Ron says to him eventually, "Give it a rest, Brit." Only, once he did shut up, that was worse, because then all you can hear is the sound of tires on gravel, Seth's foot bouncing against the floor of the Warrior, and the pock, pock, pock of gunfire.

Jason—Fuzz to his friends—is just sitting there, looking around us like he's never seen us before. Then he says, "Well, it's a good day to die."

That was when the IED blew.

I could try and describe the moment to you, but to be honest, I really don't want to. There was just sound, so much of it that you are convinced you'll never hear again. And after that . . . I don't know. All I remember is lying on the street, the remains of the tank tilted on its side beside me, over me. I remember tasting grit in my mouth. People moving, bam, bam, bam, gunfire way closer now. I remember seeing a leg. Nothing else. Just a leg. I remember wondering if it was mine.

Then a figure emerging from the wreckage of the vehicle. Fuzz, dragging Seth behind him. Seth was pretty beaten up, burns down half his body. He was in and out of consciousness through most of it, a blessing when you think of the pain he would have had. I remember feeling for my weapon, firing off some shots. Whether I hit anything or not, I couldn't tell you. The world was spinning around me, and I'd have been surprised if I'd hit a barn door at five paces.

I remember knowing that we were going to die and not being scared. This, you have to remember, was before you. This was before our girls. If it were to happen to me today, I would be terrified. Now I have a lot more to live for.

So we're crouching there, me, Fuzz, Seth, using what is left of the Warrior for cover, knowing that it can't last long, knowing that we're about to die at any minute. An RPG whistles through, taking out the side of a building directly opposite us, Fuzz saying, "Thank fuck these guys can't shoot for shit." But we all knew that they only had to get lucky once and that the next missile or the one after that, one of them's going to have our name on it.

Then this surge of dust, the white horse replaced by a Bulldog, another Warrior, this one in fewer than a thousand pieces. Guys pouring out, bam, bam, bam. Somebody pulled me up. I never did find out who. Just throws me over his shoulder like I'm a side of beef. I remember arguing, saying I could walk, but him not listening.

I remember seeing the leg on the ground. Another guy scooping it up, cradling it. His eyes finding mine.

I remember Fuzz, half dragging, half carrying Seth. Another figure detaching himself, going to help, pulling Seth's arm up over his shoulder, shouting something. I never did find out what. Fuzz, released now, pulling up his weapon, and you could tell that he felt better, that the ability to have hands on his gun had made him feel safer.

I remember the RPG as it hit Fuzz square in the chest.

They said I passed out after that. That not remembering anything else was my brain's way of protecting itself. I told them that if it was that worried about protection, it would have wiped the whole damn thing away. I don't remember anything else until Germany. They told me I'd been out for days.

I don't remember knowing that I'd lost my leg. I don't ever remember that moment of realization, that everything would be different from here on in because I was only sporting three good limbs instead of four. But I do remember lying in bed, not wanting to look down, because somehow I already knew that it was gone.

I remember allowing myself a day. To grieve. To know beyond all shadow of a doubt that my life was over, that I might as well have died in the Basra streets alongside Ron and Fuzz.

Then the next day, life began again.

They didn't kill me. They tried. But they failed. That had to count for something, right?

And then, six months later, there was you.

Ironic, really, that life handed me so much more to live for once I had so much less to live with.

I knew it the moment you walked in. I know you laugh when I say that, that the cynic in you doesn't believe in love at first sight. But, whatever, I knew. So you'll just have to deal with that. Okay?

We don't talk about this. I know that. I know that you have tried and that I have said no, so that is entirely on me. But then I got to thinking. I owe it to you, to my girls, to explain how things were, to tell you what happened. I know you weren't there, but now it is as much your history as it is mine, because it has shaped what we have become. Ironically, in an incredible, amazing way. I'm writing this for you, so that when I am ready and when you are ready and when the girls are ready, you will know. I don't know when I'll show it to you. I have to be honest that I'm a little afraid you will read it and that, just for a moment, you will look at me with something like pity, and I'm not sure I can bear that. So, I'm steeling myself. In the meantime, Seth will take care of this letter for me. And if anything should ever happen, he will know what to do.

All my love, always

Ed

Finding Beck

DS Finn Hale—Wednesday, 1:15 PM

I have the car keys in my hand. I do not know what I think I can do to find Beck Chambers that the rest of Hereford's finest can't, but whatever it is, I'm planning on doing it.

"Where are you going?" asks Oliver.

I swear beneath my breath. Arrange my face before looking at him. "I'm going to see if I can unearth Beck Chambers."

He gives me a long look. " 'Course you are."

My desk phone rings, and we both look at it. I'm wondering how far my authority stretches. Can I get this prick to walk over here and answer my phone for me?

Probably not.

"DS Hale."

"Vikki on the front desk here. I have someone to see you."

I glance around, flailing wildly. "Okay, well, ah, Oliver could . . ." I see Oliver look up at the mention of his name, his face warning of a protest to come. Ah, stuff it. There must be some perks to this sergeant lark.

"No." Vikki cuts me off before I've had a chance to get into my stride. "They want you. Sorry, Sarge."

I sigh, loudly.

"Look," she says, "I understand that you're very important now, but still. Needs must."

"Well, are you going to tell me who it is, or should I guess?"

"Beck Chambers."

For a second, it is like I have heard an echo, that the name I have spent the last day thinking about has somehow escaped my head, bouncing back at me from the outside. "I'll be right down."

I hang up the phone. What the hell is he doing here? Why would he just wander in? My thinking splits, one half clinging to the idea that our main suspect may not be much of a suspect after all. Why would he come here? What could he have to gain?

Then there's the other half. That half says that this right here is a bluff. That I'm being played. I like this half far better.

"What was that?" asks Oliver, his face still dark, like he is waiting for a fight.

I glance at him, try not to look too smug. "I found Beck Chambers."

The reception area is quiet. A middle-aged man is half hidden behind the potted ficus, twisting a scarf around his hands, striped woolen handcuffs. A young woman sits five seats down from him, looks to be out of it, high on more than life with her painted-on jeans, a drowning knitted sweater that reaches to her knees.

And Beck Chambers.

He sits as if in front of a court martial, his hands neatly folded in his lap, his knees steady, eyes hooked on a spot on the floor.

I find my gaze trapped on those hands, palms the size of dinner plates. Looking for cuts, scuffs, the telltale sign that they have recently been used to stab someone to death.

"Mr. Chambers." I try to sound pleasant, light. You get more results with honey than with . . . being an arsehole.

He looks up at me, gauging me. Then nods to himself, pushes himself up to his full height. He has lost weight since his last arrest photo, is leaner although still about twice as wide as I am. The once-full cheeks now sink inward to form crevices, and there are dark circles beneath his eyes.

I reach out, offer him my hand. "DS Finn Hale."

He looks at it like it is going to explode, then reaches out tentatively, an unenthusiastic shake. "I heard you were looking for me. Fae, from Dom's office. She called me. Told me about . . . about what happened."

"Fae called you?" I remind myself to thank her. Hell, I might deputize her at this point.

"She thought I should come and see you. That you'd have questions." His tone is flat, voice low, although the words themselves are clear enough. I study him. What the hell is he doing here?

I smile, buying myself some more time. "We really appreciate you doing that."

Can I smell alcohol on him? Are his pupils dilated?

It's only in these moments that you realize how tough it is to check for these things without looking like a lunatic.

Beck is watching me, waiting.

"Why don't you come on through?"

He follows me, easy as a sheepdog. Waits as I unlock the interview room, turn on the lights. I watch him from the corner of my eye, looking for anything that will give me some kind of clue. Is he anxious? Fearful? But then I'd say this is a man who doesn't know fear, who has never known worry. He looks like a soldier about to undergo interrogation. I guess in a way he is.

He slides into the hard plastic chair. Folds his hands in front of him at the table. Waits.

"So." I take the seat opposite him, feel his eyes resting heavily on me. "Thanks for coming in. We've been looking for you for a while."

Beck nods, the slightest movement of the head.

"Okay," I say. I take a breath. Waiting for it all to go wrong. "Beck, I'm placing you under arrest on suspicion of murder."

After Vikki had called me, I sat at my desk, phone still in my hand, thinking. Beck Chambers was downstairs. Beck Chambers had had opportunity; he was the last person Dominic had headed out to see. He was on CCTV, his hands on our murder victim. He was downstairs.

I thought for a moment, then pushed my chair back, walked with quick strides into the SIO's office.

"Boss," I said, pulling him away from an engrossing e-mail, "we've got Beck Chambers. He's downstairs."

"Excellent. Good work." A pat on the back I'd done bugger all to earn. "Right, get him arrested."

"Sir?"

"He's our prime suspect. He's got a history of violence, nasty little temper to go with it. Arrest him on suspicion. Let's get this all on record."

It's a big deal, especially for a sergeant of eighty-three days, to make the arrest of the prime suspect in a high-profile murder case, and my stomach flipped.

"Go on then, Sergeant," said the SIO with a grin. "Sort out the interview plan. Get it all on video. You lead."

I'm waiting for Beck to blow. It seems that it is inevitable. But he just sits there, looking down at his hands, his breath coming in short, sharp bursts. Then he simply nods.

"Okay."

I watch him, unsteady. "Okay."

Aware of the video running, I pull myself up straighter. "I need to make sure that you are aware of your rights. Do you want a solicitor?"

Beck looks at me, gives me a smile that is not a smile. "I don't have a solicitor anymore, remember?"

It feels like someone has squeezed a wet sponge on the back of my neck, and now all I can see is Dominic Newell, dead on the side of the road.

"Well." I feel like I'm floundering. "Do you—"

"No." His voice is as flat as his expression, so calm, and I have the sense of sitting right in the eye of the storm. "I don't want a solicitor."

I look at him, keep my own voice steady. "You had a drink today, Beck?"

He gives a little laugh. "Impressively, no."

"When did you last have a drink?"

"It's been thirty-four hours."

"Long time."

"When you've just found out your friend was murdered, yeah, it's a really long time."

"You're ex-military, right?"

He nods slowly, gaze wary now. "Yes. Why?"

I shrug. "I served for a couple of years. Army. Fusiliers. Was out in Iraq for Op Telic."

The words feel strange as they escape me. *You never talk about it. You won't let me in.* How many relationships have ended with that particular swan song? And here I am confiding in this towering hulk of a murder suspect.

He looks at me differently now, a visitor from a foreign land suddenly realizing that we share the same native tongue.

"I know some boys who were out there for that. Tough times."

It is hot in here now, like sitting inside a furnace. The sound of tires on gravel. The pock, pock, pock of gunfire.

"Yes," I say. "You were in Musa Qala?"

He fixes me with a look, and his expression answers any question I may have. See, the truth is, we never leave there. Not really. The heat, the death, the fear. Once you have tasted them, they never go away, worming themselves into your life like they are a part of your DNA.

"So, why'd you come out?" he asks.

I'm pretty sure this wasn't a part of my interview plan.

I bite my lip. Consider not answering. But I tell myself that I am getting the suspect to open up, that by offering a little something of myself, I am encouraging him to do the same. I tell myself that. "Love." I grin "You know how it is."

He raises an eyebrow, nods. Points at my left hand. "You're not married."

I look down too, like this is a surprise to me. Evie. That was her name. We had been together for seven years by the time I came home for good. It was time, we had agreed. We were going to settle down. Be together. Together together, not army together, when you see one another every six months if you're lucky. I would come home. It was the right thing to do.

I came home.

Three months later, she left me.

Turns out I was a far more attractive prospect half a world away, with the imminent threat of death hanging over me.

I shrug. "Ah well. Life's a bitch."

"Ain't that the truth."

"You've had some troubles yourself."

Beck nods. "You mean I've brought some trouble on myself. Yes. Yes, I have."

"I get it," I say. "Sometimes you just need to forget."

"Trouble is," says Beck, "you get to a place where you've spent so much time trying to forget who you are that who you are becomes a completely different person."

"You had any help with that? Rehab, anything like that?"

He looks at me, flat. "Dominic. Dominic was my help."

"I hear he's got a thing for that. Helping, I mean."

He studies me. "Fae told you?"

"About her history, you mean?" I ask. "Bronwyn told me. Fae filled in the blanks."

"Yeah," says Beck. "Dom, he cared. Probably more than he should. Most of us didn't deserve for him to care that much."

"Well," I say, "thirty-four hours. That's got to count for something, right?"

He doesn't answer, just looks down at his hands. Then, "You know how many people have tried to put me right? How many people have given a shit when they frankly had no need to? And still I fall. And now this . . ." He looks up at me. "You want to know where I was when Dom died." It is a statement, not a question.

"Yes."

He hefts his shoulders, deltoids heaving like a wave onto sand. "I was out and about."

"Where?"

He shrugs again. "Nowhere special." He gives me that look again. "And I was alone."

It seems to me a challenge, that he is tumbling toward his upturned sword, daring me to stop him. I glance at my notes, try to find my feet, take back the reins.

"Look," he says, leaning closer. "Dom was a good man. He helped me. He cared. I let him down. But I didn't kill him."

Tumbling Back

DC Leah Mackay—Thursday, 1:53 AM

I push open my children's bedroom door, softly, softly, listening for the scrape where it hits the carpet, the soft squeal as the hinges whisper a protest. The room is a murky pale darkness, a low orange light bubbling from the unicorn night-light. The rain crackles against the bedroom window, a questionable day tumbling into a full-blown storm, the wind clambering up, so that in the distance the garden gate slaps against its post, again and again and again. I stand in the doorway, listening to my babies' breathing, picking it out from the sounds of the rain, synchronized so that it sounds like distant singing; the soft whistle of Georgia's snores.

I breathe out.

It is almost 2 AM. I no longer remember which day. I returned to the office far, far later than I should have done, a guilty husband returning from a late-night tryst, thinking that if anyone came too close, they would smell the Cole household on me, polish and firewood. I crept in, my shoulders tucked, as though that way I could ward off attack, and prayed. Don't ask me where I've been. Don't ask me where I've been.

I saw the DI, phone at his ear, looking up at me, a frown sitting on him so heavily that his entire face seemed to sink from it. Thought it was inevitable that he would pull me in, give me the bollocking I so richly deserved. But he is a man, and once he got over the initial disgust at my late entry, his attention returned to his call, and he forgot about me.

I sat at my desk, played the good little girl.

I was at my desk for an hour, maybe more, before it dawned on me that Finn was missing.

"Where's . . . ?"

Oliver grinned. "He's in interview. Caught himself a big fish." Gave me a wink that made me want to punch his lights out. "Think your brother is under the impression that he's going to solve this case all on his own."

I sat at my desk, did what I was supposed to be doing. Watched the clock ticking by. Ten. Ten-thirty. Eleven.

Tess cups her moon-faced tiger in her rounded fingers, has it pressed up against her cheek so that they are nose to nose. She faces the wall, her knees drawn up to her chest, and I think that this is what she must have looked like in my womb. Without the tiger, of course. I pull her duvet up just a little bit higher, even though the room is warm enough, and there really is no need. I hear her breathing change, responding to my touch.

Georgia sleeps in the adjacent bed, her arms flung wide, head tilted back, mouth open. I allow myself to rest my fingers gently on her cheek, pulling her duvet down a little lower. She doesn't like to get too warm, will sleep better if it is cool, if she is uncovered.

I should sleep too. The tiredness buffets me, so that it seems the ground is moving beneath my feet. I need to go to bed, lie down before I fall down. But instead I stand there listening to the waves of my children's breathing.

Finn had come back into the office a little after midnight. The conquering hero. He headed straight for me, and I moved the mouse quickly, closing down the search screen. Although in truth it is unlikely that the words "devil's breath" would have meant anything to him. But I closed it anyway, not stopping to question why, why I couldn't tell him, why it mattered so much to me to keep my thoughts a secret.

I rest a kiss on Georgia's head, feel the fragrant wisps of her hair brush my cheek.

I think of Selena, kissing her own girls good night. Of the fact that she is home, and that, whatever filled in those missing hours, at the end of them is a mother kissing her children. And so everything is well. Right?

"Hey." Finn's smile was wide. "What you doing?"

"Nothing." The word came too fast, a child with her hand in a cookie jar.

Finn looked at me, eyebrow raised, and suddenly I expected him to turn, run to Mum. Leah's being naughty, Mummy.

"So," I said, deflecting wildly, "how's Beck?"

He sank to my desk, shrugged. "Has no alibi. Says he didn't do it."

"And did he?" I asked. "Do it?"

My brother stared at his feet, a long way away in his mind. "I don't know, Lee. I really don't know."

We sat like that for a moment, two children in the tree in the backyard, just shooting the breeze.

"Hey," said Finn, "why are you still here?" He looked up at the clock, shook his head. "Go home, Lee. Give my nieces a kiss from me. See your husband."

I look at my girls.

It is so precarious, this life of ours. You can be pushing your child on a swing one minute, and be gone the next. It can all change, just like that.

And then I think of that moment, the moment I do not allow myself to think about.

The lights are off in our bedroom. I pick my way through the heaped piles of laundry, the stacked-up toys that just need a quick sort-through, listening for Alex's breathing. I think he must already be asleep. Think? Or hope?

I will not think about it.

I cannot think about it.

Because it is like a portal, an opening in space and time, and through it creeps the darkness. So I will not think about the cold of the kitchen floor, the bottle of wine cradled in my fingers.

I climb into bed, pulling the covers up tight.

"Are we okay?" Alex's voice is soft, but still it makes me jump.

I turn, my eyes picking out his shape in the dark, and I wonder how he knew. Whether he could hear my thoughts, if they were as loud outside my head as they are in. "What?" I am playing for time. I know exactly what my husband is asking me.

He goes quiet for a moment, and I think it is over, but then he sighs softly. "Will you ever forgive me?"

I don't want to talk about this. I don't want to think

about it. Because if I do, then I will return there, to that kitchen floor, my hands shaking so that the bottle clinks against the ice-cold tiles, my world in pieces around me.

"It was a long time ago, Alex."

I will him to stop. To just let me be. Even though that is cowardice. I am running.

"I know. But it just feels . . . I don't know, since the girls . . . I mean, we're so lucky, we really are, but it's just . . . It feels like we've . . . we don't get a chance to be us anymore, just us. And it seems, you seem to be distant, and I know, I mean, it's not like I blame you. But I just keep wondering if we're okay."

I close my eyes. Breathe in. Try to think about my children or a beach or a sunset. But it is too late. I am already there.

Standing at the kitchen counter. Stirring a pot. What was it? Pasta? I don't remember. I just remember the movement. Around and around and around. Hearing the car on the drive. The footsteps. Thinking that they were slower than normal. That he was probably texting, messing about with his phone. Smiling at the thought. God, I remember the smile, and how absurd it felt afterward. Turning to him as he walked through the door, that same fucking smile plastered across my face. I remember how it froze. His expression one of horror, grief. But most of all guilt.

He never needed to say it. It was all there. Writ large across his face.

But of course, he did say it.

It was a mistake. It was only one time. It was at the office party last night. I didn't mean to do it. It just happened. I'm so sorry.

I remember the words flying at me like gnats, bouncing off me, so that all I was left with was a picture, my husband fucking some bit of fluff secretary.

It *was* pasta. That was what I was cooking. I remember it now. I remember the sound it made as it hit the wall behind his head. I remember the snaking dance as it oozed its way down the tiles, puddling at his feet.

I remember waiting for the excuses, for him to say that it was because we had been arguing (we had), because the IVF was stripping us bare, taking from us anything that wasn't necessary for this oh so formal act of procreation (it was), because I had turned away from him, into myself, barely able to cope with making it through a day, let alone pumping life into a marriage (I had). I remember that he said none of that.

That he just stood there as I screamed, rounded globes of tears drifting down his cheeks.

I remember thinking that I had never seen him cry before. I remember telling him to get out. That we were done. Him standing there like he wanted to argue, wanted to beg, and part of me wanting him to, just so that I could unleash another round of fury on him, because there was so much inside me. So much anger that had nowhere to go. Then him lowering his head, turning, walking out the door.

Me sinking to the floor. The tiles so cold beneath me. Watching the pasta as it trickled down the wall. Waiting for the tears. Because surely there should be tears. But none came. Instead, sitting there for hours and hours and hours, a bottle of Rioja next to me, getting lighter and lighter.

I suck in a breath. Fix my vision on the spot of light on the bedroom ceiling, the streetlight breaking through a gap in the curtains. Tell myself that it is over. Tell myself that it is done. I feel a tear snake its way down my cheek, a surge of anger at him for doing this, for bringing me back here.

"It was a long time ago," I repeat.

We lie there for a time in the unsteady darkness. The rain is coming harder now, the drumbeat a constant, dangerous thrumming, and it seems inevitable that at any moment the glass will break, will not be able to stand much more of this onslaught. But as with all things, there is a crescendo and then an ebbing, and what was once violent turns to an easy rhythm.

"You know I love you? Right?"

I nod. Then realize that he cannot see me. "Yes."

"And . . . you know that I would never—"

"I know." I cut him off. The rain has eased now, and I fight the urge to stand, look out of the window. Because it seems absurd that something that has created so much tumult should simply vanish. "We should get some sleep."

He leans over. Kisses my cheek. Turns and settles on his side, his breathing gradually softening, lengthening.

I lie awake, staring into the darkness.

Case No. 38
Victim: Aria Theaks
Location: San Cristobal, Venezuela
Company: United Oil
2 February 2008

Initial event

At 5:30 pm on Tuesday 2 October, a young woman in a maid's uniform knocked on the door of Jessica and Connor Theaks. Mr. Theaks is a UK national, employed by United Oil and based out of San Cristobal, Venezuela. He and his wife lived there in a home funded by United Oil, with their six-month-old daughter, Aria.

Mrs. Theaks opened the door to the young woman. She does not remember anything after that. Mr. Theaks claims to remember coming downstairs and seeing an unknown woman in a maid's uniform in the lobby of their home. He has no subsequent memories.

Examination of CCTV footage installed inside the downstairs lobby of the Theaks's home allowed us to fill in the blanks. The footage shows Mrs. Theaks opening the front door to a young Hispanic woman—approximately five feet five inches, shoulder-length black hair, slender, aged between twenty and twenty-five. It shows the woman blowing what appears to be a powder into Mrs. Theaks's face. Mrs. Theaks then recoils and is guided back inside the house by the young woman. The footage further shows Mr. Theaks coming down the main staircase of the house, looking to his wife. The young woman then blows powder into the face of Mr. Theaks.

Subsequent testing confirmed that this powder was scopolamine (devil's breath).

CCTV footage then shows the Theakses standing passively in the lobby. The young woman appears to say something to Mr. Theaks, who leaves, returning with a wad of money. He hands the money to the young woman, and she places it inside her handbag.

Later examination showed that almost $5,000 in cash was removed from the house.

The young woman walks past the Theakses, out of camera view, returning holding their daughter, Aria Theaks. By all appearances, she is asleep, wrapped in a blanket. The young woman proceeds to walk calmly out of the house, leaving the Theakses standing in the lobby.

No attempt is made to stop her.

Upon regaining awareness, the Theakses realized that their daughter had been kidnapped and, as per their training and instruction, immediately placed a call to the headquarters of United Oil. A call was made to the Cole Group shortly thereafter.

Response

Initial contact with the operative of United Oil, and then with the Theakses, was made by Orla Britten, who served as a constant point of contact as the response team was assembled. The response team in this case was made up of myself (Ed Cole), Selena Cole, and

Beck Chambers. This would be Beck Chambers's first case with the Cole Group, although he already had some considerable personal experience within the field of kidnap and ransom.

The team arrived in San Cristobal within twenty-four hours of the kidnap taking place. Upon arrival, we immediately attended the home of Mr. and Mrs. Theaks, who were, understandably, deeply distraught. They had independently viewed the CCTV footage, which had troubled them greatly.

The initial call from the kidnappers came in within minutes of our arrival at the home. The request was for £1 million in ransom.

The parents, though unable to raise such a considerable amount themselves, were very keen that the money be paid immediately, and a number of calls were made to the insurance company to this end. I explained to Mr. and Mrs. Theaks that any ransom paid would have to first be raised by themselves and only then refunded by the insurance provider, and advised them of the protocol in such cases, ergo the negotiation of the settlement in order to secure the release of their child.

The Theakses were somewhat skeptical of this policy.

I began negotiation with the kidnappers almost immediately, requesting an immediate proof of life before their demands would be considered. Selena Cole served as the interface with United Oil and with Rombok Insurance, United Oil's insurer. Beck Chambers took it upon himself to support the Theakses. He was very skillfully able to convey to them the importance of trusting the protocols we had in place and allowing us to do our job to secure the release of their daughter.

I believe that both Mr. and Mrs. Theaks were tremendously comforted by his presence and reassured by his calm and supportive manner.

After some hours, a proof of life was delivered in the form of a phone call. A baby could be heard gurgling in the background. Mrs. Theaks immediately became hysterical, desperate to reclaim her child. While Beck supported her, Mr. Theaks was asked to confirm that the sounds heard were those of his daughter. He was unable to definitively do so.

I pressed for a more concrete proof of life but was unsuccessful in my efforts.

We continued with the negotiation, mindful that the proof of life was less than conclusive.

After three days of negotiations, a figure was reached that was acceptable to all parties. This figure was £15,000. The money was to be left in a dead drop, in a bin in a park in the center of San Cristobal.

Beck Chambers volunteered himself for this role, extremely keen to bring this kidnap to a close and return Aria safely to her parents. It was noted that, due to the presence of scopolamine in the initial crime, the drop would be a high-risk approach and represented no small degree of danger to Mr. Chambers himself.

The drop was successful.

Within an hour, a call had been received from the kidnappers informing us that Aria Theaks had been left at the rear of a local hospital. Myself and Mr. Chambers attended the scene. We opted not to inform the Theakses of the drop and the exchange, as we were still ex-

tremely aware of the inadequacy of the proof of life and were unsure as to what condition the child would be in when we found her. Selena Cole remained with the couple in order to support them.

We attended the local hospital and found a cardboard box in the location described.

Mr. Chambers immediately approached the box and, upon opening it, revealed Aria Theaks in the same blanket in which she had been kidnapped, sleeping peacefully.

Immediate medical advice was sought, and the baby was given a clean bill of health.

Aria Theaks was then quickly reunited with her parents, much to their enormous relief and gratitude.

Selena Cole established a support system for the Theakses before our departure from San Cristobal. The family will be receiving post-trauma counseling via a colleague of Dr. Cole's. Follow-ups to be undertaken by Dr. Cole.

The Breath of the Devil

DC Leah Mackay—Thursday 9:05 AM

I walk slowly along the corridor. The major incident room sounds like the distant buzzing of bees, and I think of long, hot summers on the Cornish coast, in my grandmother's garden, the brightly colored flowers speckled with yellow and black forms, darting and dancing. It is a soporific sound, and yet I am tense, wired, so that I feel more awake now than I have felt in days.

I lay awake last night long after Alex's breathing had shifted into a soft, steady rhythm. I lay beside him, watching my fingers, my palm splayed flat on the mattress. He was so close to me, the tip of my little finger an inch, perhaps less, from the base of his spine. Yet I couldn't touch him. Incredible, really, how it works. I lay there and willed my fingers to move, to inch closer, make contact, but it seemed they were glued to the bed, that no will of mine was great enough to move them so that I could touch my husband.

He had left that night, the hot pasta still a congealing puddle on the kitchen floor. I had listened to his slow, defeated footsteps on the loose gravel drive. In my head, I knew where he had gone. He had gone to her, to this invisible other who had blown our lives apart. In my head it was clean, this vivisection of our marriage, a straight choice, her, me. And why would he pick me? With my failing ovaries, and my arms sore with the pinpricks of IVF injections, and my ever-growing sadness? I had sat on the kitchen floor, had almost laughed. I would pick her over me too.

I found out later that he hadn't gone there, to his other woman. That he had gone to his mother's. That she had yelled at him long into the night, early into the morning. But still she let him stay. Perhaps she thought, as I did, that if she turned him away, he would have little choice but to return to the scene of the crime, and then it would be truly done.

I don't remember how long I sat there on that cold tiled floor. I remember that at some point I dragged myself into the living room and curled up in the armchair; it was too small to even consider sleeping in, but I needed its cold leather arms to cradle me as I cried myself to sleep. I remember calling in sick the next day, and the one after that.

It may have been days, or maybe it was weeks, I don't know. I don't like to think about it now. All I know is that he showed up at my door looking thinner, sadder, older. Can I take you to dinner? I always wondered, as the years passed and the wound began to knot over, crisscrossed by jagged, weakened skin, if, when he stood at the door, behind him stood the specter of his mother, hand raised to clout him should he fail. I do remember that she said to me, after, when it was all done, and life had shifted again and I was swollen up with babies, "You know that you are my child too, don't you?" She didn't look at me as she spoke, carried on briskly sorting onesies into two piles, tiny baby, newborn. "As much as Alex is my son, you are my daughter. Just remember that."

I don't know why I said yes to that dinner. Maybe it was that I was lonely, maybe it was that I wanted to forget. And I still loved him, of course. But that's not always enough, is it? Not to explain, not to make a marriage survive.

But anyway, why seems irrelevant now. The fact is, I did say yes, and so we began anew, meeting each other as if for the first time. And sometimes I would forget. We would be laughing, and I would feel a flush of the old love, the ignorant love, and then it would hit me again, this recollection, and Alex would slip, sliding from his pedestal onto the cold hard ground. And I would see it in him, that he recognized it, knew what I was thinking. How hard it must be to be a fallen hero.

Then came the stomach that just wouldn't sit right, and two thin blue lines and the future that we were once so desperate for. I cried, we cried, happy, sad, who the hell knew? Because we were getting our castle, the one of our dreams. Only we both knew that the foundations were now built on shifting sand.

Alex moved back in. He had decorated the nursery inside of a month.

I pause at the door to the major incident room, listen to the flurry of voices, will them to wash my thoughts clean.

I push hard at the door.

No one looks up. We are in hour eighteen of the custody clock. Beck Chambers has been held for eighteen hours. In another six, we will have to apply to magistrates for an extension. The work is frantic. You can see it in the tight expressions, the hard-edged voices. There is much to be done and limited time in which to do it.

I walk calmly toward my desk, try to look every inch the detective embroiled in a murder case.

But two words chase each other around my head. Devil's breath. Shimmy the mouse and pull up the Google page. Glance quickly over my shoulder. Type the words.

The world's most dangerous drug.

I purse my lips at the hyperbole, scroll down. Click on a link. It is scopolamine. It's used to treat motion sickness. It comes from the *borrachero* tree. South America.

It can be ground into a powder, is odorless, tasteless, and when it is blown into a victim's face, it will leave them lucid, coherent, and yet entirely without free will.

My stomach flips.

I scroll down.

It produces a zombie-like state in which the victim is completely under the perpetrator's control. There are cases, many, many of them. People have been led into banks, have emptied out their life savings and handed them over to total strangers, all without any awareness of what they have done. Women have been drugged with it, gang-raped. Parents have had their children stolen out from beneath them.

There is a newspaper report. A chubby, smiling baby. My insides tighten further. Six-month-old Aria Theaks, kidnapped in San Cristobal, Venezuela, after her British parents were dosed with devil's breath.

I stare at the photo, her rounded cheeks, Cupid's bow lips.

Could this be it? Could this be what happened to Selena?

Aria Theaks was rescued, eventually, a ransom negotiated. Was found abandoned outside a hospital by a security operative, ex-military.

Why would someone do this to Selena? *Who* could do this to Selena? You'd have to have access to the drug for a start, experience of how it works.

And then the biggest question still remains. Even if this is it, even if Selena was drugged, dosed with devil's breath, what the hell happened to her during those missing hours?

I pick up the phone, dial quickly.

"Drug squad, Steve Linden."

"Steve, it's Leah."

"All right, Lee. How's it going? How're the kids?"

I like Steve, my tutor when I first joined. A large man with a large laugh, four children, and a deeply twisted sense of humor. "They're good. Trouble, but good. How's it going down there in drugs r us?"

"Ah, you know us, Lee. Keeping the world safe, one joint at a time."

"Steve, I need to ask you about something. You heard of a drug called devil's breath?"

"Um . . . devil's breath. Yeah. Nasty stuff. Scopolamine base. Coming out of Colombia. You know," he says, "it's funny you should ask. One of our test purchasers came home with a couple of pills last week. Said the dealer was calling it El Diablo. Essentially a tidied-up version of devil's breath. It's been a thing in South America for a while now, but this is the first time we've seen it here. It'll catch on fast, though. Nothing junkies love more than a new high."

"El Diablo? What can you tell me about it?"

"We've had a look at it. From what we're seeing, it's a manufactured drug, same basic components as devil's breath, but they've ironed out some of the nastier side effects, made it a bit more fun for all the family. Causes some pretty intense hallucinations. Also has some of the depressant qualities you get with heroin, morphine, that kind of thing. The US authorities think it's coming from one of the drug groups in the Darién Gap in Colombia. Like I said, we haven't seen much of it as yet, but give it time. California, especially San Diego, is having a bit of a nightmare with it at the moment."

"Okay. That's . . . thanks, Steve."

"Any time. You kiss those babies of yours for me, okay?"

I grin, hang up the phone, and stare at the screen. El Diablo. The devil.

"Hey, how's it going?" Oliver appears, as if from nowhere, before the phone even hits the cradle.

I quickly shrink the search engine on my screen. "Oh, you know. Fine. Tired. You?"

"I'm good." He's watching me intently, and I flush, thinking of a night, what, three years ago now, just barely pre-pregnancy, a Christmas night out in a fancy restaurant, the table slowly descending into alcoholic anarchy. Oliver leaning in, his voice almost vanishing into the sounds of drunken singing, the damp of his breath on my cheek. Why don't you get shot of that

Alex? You know I'd treat you the way you deserve to be treated. The feel of his hand on my bare knee.

I blush, look away.

"Your brother still crowing over his big arrest?"

I glance up at him, feel my hackles begin to rise. "Finn's doing his job. Perhaps you should try it some time."

Oliver watches me, looks like he is about to say something and then thinks better of it. Good. I've heard enough.

I pull up Beck Chambers's record, trying to look busy, focus on the screen, and wait as Oliver slinks away.

There is a photograph on his file. I study it. You could call him handsome: pronounced cheekbones, dark eyes. If this was anything other than very clearly a mug shot, you would say he was handsome. But the look in his eyes holds you back from that. It is fatigued, beaten, his chin sunk almost to his chest.

I scroll down through his criminal history. It is not insignificant. Assault, drunk and disorderly, driving under the influence, another assault. All alcohol-related. All the result of a quick temper, too-fast reflexes.

I study it for a moment, feeling something tickle at me.

Look back over the arrest record again.

It happens in clumps. There are a handful of incidents, around five years ago. The first assault, a drunken brawl in a Hereford pub. Couple of minor episodes after that. Before that, however, there is nothing. Not even a parking ticket.

Then there is a hole, a gap of three years in which Beck Chambers either decided to walk the straight and narrow path, or got way better at not getting caught. Then the same again, arrests for drunk and disorderly, a DUI.

What the hell happened in this man's life five years ago? What changed? And what changed it back?

"Hey, Oliver? Do you know this guy?"

"Beck Chambers? Well, I've dealt with him a couple of times. I wouldn't say we're close personal friends." Oliver pulls his chair nearer to mine, peering over my shoulder at the screen. He smells of shampoo and cigarettes. "Why?"

"I was just wondering—do you know what his background is? Where he came from?"

He shrugs, the motion of his shoulder jostling me. I nudge my chair slightly further away.

"He's ex-military, I think. I remember Dominic Newell saying something, mentioned Afghanistan. Chambers never told me so himself. The strong, silent type, if you know what I mean. I got the impression he might have been special forces, the way Dominic was talking."

"Did he get dishonorably discharged?"

"Ah . . ." He frowns heavily. "I don't think so . . . No, wait, I'm sure there was some talk of an injury. Did he get shot or something? I'm sure he spent time in Derriford."

I think of what that would mean. A strong man, a soldier, an injury that takes him out of battle, brings him home where nobody quite understands, where no one really gets it. So he turns to drink, because it mutes the pain, dulls it, so that it becomes manageable.

I get it. I understand.

I think of the responses that he has been trained for, the violence he has been taught. How the alcohol will work, dulling the inhibitions as it dulls the pain, so that you are running on a hair trigger and all it will take is one word and then that violence that served you so well for so long is suddenly unleashed, unbridled and uncontrollable.

"So . . . ," says Oliver, and I start. I had almost forgotten that he was there. "How are things? With Alex?"

My heart thrums a little faster, and it seems that I can once again feel his hand upon my knee. I force a bright smile. "Good. The twins keep us busy, as you can imagine, but really good, thanks." I try to pretend that this is all he is asking, that there is no undertone, nothing deeper than the words themselves.

"Well, I'm glad, Leah. I'm really glad."

I nod, moving my cursor across the screen and trying to focus on the arrow, blot out his voice. But it just will not stop coming.

"I mean, I'll be honest. I thought for a while there that you weren't going to make it."

I pull up Google. Watch as balloons float across the screen. Wonder why they are there. Is there a balloon day? Maybe there is, because that would explain it. The girls like balloons.

"Anyway. I'll leave you to it." He moves away, more slowly than he needs to, and it occurs to me that he is waiting for me to stop him, to confide all in him. But I won't do that.

I nod, smile although my jaw aches with the effort of it. Type in the words "Beck Chambers, military."

I do not know what I am expecting the search to

bring up. In truth, it was little more than a distraction device, a high-tech something shiny. But results flood my screen, news articles, reports, and I frown, thinking that the distraction device has actually worked.

I click on the first link.

British Hostage Freed

British hostage Beck Chambers has been freed from his prolonged captivity. Taken by a criminal group operating out of Mexico City while working as a security operative, ex-Pathfinder Platoon hero Chambers had been held for five months with little hope of release. It is believed that the criminals holding Chambers were part of a major operation running kidnap-for-ransom attacks throughout Mexico. Chambers was finally released earlier today after extensive negotiations with his captors. He is believed to be in reasonable physical health.

I stare at the screen. I do a swift mental calculation. Five years ago. This was what happened to Beck Chambers five years ago. This is why his entire life fell apart.

I am trying to concentrate, trying to focus my attention on Dominic Newell's murder, I really am. Because Dominic was a good man, and he deserved that, to have my full and undivided attention. But it is there, and I cannot ignore it. That in ten years in the police force I have never come across the world of kidnap for ransom, and yet here it is twice.

There is something there, something right in front of me that I'm not seeing. What is it?

I pull up the record of Beck's first arrest in the current batch, after his three years of good behavior. Search the file.

And there it is.

Employer: the Cole Group.

The Trouble with a Closed Case

DS Finn Hale—Thursday, 9:15 AM

I push open the door to the major incident room. Beck Chambers, it seems, passed a comfortable night in the cells without providing too much trouble for anyone. I looked in on him on my way in, found him lying on his bed, staring up at the ceiling. There's something about this man. Whenever I am around him, it is like I am back in the furious desert, a heartbeat from death. It is, I think, that thousand-yard stare of his. You see a lot of that when you are in a war. Men and women simply waiting for their number to be called, already resigned to their own death. I look at Beck and I see a battle. I wonder if he has ever left the war zone, in his head at least.

It is busy in the major incident room as the custody clock winds its way down. And at the end of it, that phone call, the Crown Prosecution Service saying "charge him." And then a new battle will begin for Beck Chambers.

"All right, Sarge?" Christa grins at me. "Heard the Chambers interview went well. Nice one."

I shrug. "Well," I say, shooting for modesty, "I mean, he didn't confess. But give me time."

I try to push back the wave of guilt that is riding just behind my success. Do I believe that he did it? Beck is a force of nature; there is no doubt about that. A walking bundle of anger. Dominic was on his way to see him, wasn't seen alive again. And yet . . .

Leah is at her desk, staring at the screen, her top teeth worrying at her lower lip. Something is preying on her mind. She could never play poker.

"You okay?" I ask.

She looks up, a brief smile. "Yeah." Waves to the monitor. "I'm just starting to plough through Dominic's e-mails. Although"—she flips back to the inbox—"I may be here a while. Guy liked to mail."

The teeth again, sawing into her lower lip, like they will hack it free.

"What?"

"What?"

"You're worrying about something."

Leah looks up at me, snorts.

"Okay, you're worrying about something specific right at this moment."

She turns away, focuses on the screen. "It's nothing."

"Seriously. Come on."

"Are you sure?" she says.

"Yes," I say. "Tell me."

"No. I mean, are you sure? That it was Beck Chambers?"

I wasn't expecting that. And yet I should have expected it. My sister has always had the uncanny ability to see right through the front I put up and get to the secrets behind it. I pull a chair up, sink into it. Sigh. "I don't know, Lee. The SIO is pretty clear where he stands on it. And Chambers has got history, an alcohol problem . . . I don't know." I study her. "What's making you doubt it?"

She frowns a little, a glance at me, quick, assessing, then back to her monitor. "I don't know. I've been doing some research on him. You know he's ex-military, right?" She pulls up a forum page dedicated to service personnel, points to a post. "Pathfinder Platoon."

I nod. "I know. They're a reconnaissance unit in the British army. Not special forces, but their training is pretty much on a par with it. Beck served in Afghanistan. He was in Musa Qala, this huge battle against the Taliban. They . . . It was a tough op. Incredibly so."

"It's weird," she says. "I just can't make it gel. The idea of this guy"—she gestures at the monitor—"being the same guy who stabbed Dominic in the neck. It just . . . it doesn't seem to fit together."

I know my sister. She's not done. I can see her arguing internally, and I sit, wait. It happens like this, as she rolls the thoughts over in her head, has all the arguments already so you don't have to. Then she says, "Okay, and there's this."

She moves the mouse. A new screen. An eagle crest. The Cole Group.

"He worked for them."

I study the screen, feel a dislocating sense of déjà vu. Struggle to place the name.

"Hey. Dom's work desk. He had a brochure from the Cole Group. I wondered why. This must be it. Because they were Chambers's employers."

Leah nods, looking at me, eyebrow raised, waits for me to get it.

"What?"

"The Cole Group. It's run by Selena Cole. Or was run. Or was started by. I'm unclear at the moment."

"Who?"

She gives me a long-suffering look. "Selena Cole. The woman who vanished. My missing person case?"

I nod. Slowly. Have no idea what the hell I am supposed to make of this.

"So you think . . . ?"

Leah sighs stormily. "I have no idea what I think. What do *you* think?"

I shrug. "Hell, I'm just happy I'm keeping up with this conversation."

She rolls her eyes, clicks off the screen, back to e-mail, continues to scroll through. I watch her, her forehead furrowed.

"Bollocks." She says it loud enough that it startles me.

"What?"

"Look at this!"

From: DNewell@HartleyNewell.co.uk
To: coyote@messagemail.net

Hey you,

Wow, this is weird. I don't know what to say to you.

I can't believe this. I can't believe that what happened happened. I'm sorry, does that sound bad? I don't mean it to, but I guess the thing is, I never thought of myself as the cheating type. I hate that word. Is that what I am now? A cheater?

I need to tell you, I've never done this before. I know that sounds clichéd, but it's true. I've never cheated, not once. Not on anyone. I never thought I could. I know that doesn't make what I've done any better, but somehow I'm using it to, I don't know, justify things.

Maybe it's because it's you. I mean, there's so much history with us. When we were together, it was so good. I know it didn't end well, but then what relationship does end well? You were so important to me. I don't think you realized quite how important. Not back then. Maybe that was my fault. Maybe I should have made it clearer how I felt about you when it could still have made a difference.

Getting over you nearly killed me. I don't

mean to be dramatic, but it's true. It took me such a long time to get to a point where I could feel about someone the way I felt about you. I dated, obviously. But it was never the same. I just kept replaying how things went between us, over and over again. I don't know why. It's not like I could change any of it.

If I wasn't clear then, let me be clear now. You were everything to me. I loved you more than I can possibly say.

Sometimes I regret what I did. Ending it, I mean. It was all so complicated, so confused. I didn't handle it well, I know that now. But I wanted you to be happy. I needed you to be happy. And at the time, it seemed to me that you would be happier without me and all my baggage. I came to regret that decision.

But the truth is, that was all a very long time ago.

We have both moved on. We have both met other people, built lives of our own.

I know you're not going to want to hear this, and to be honest, I feel like a prick saying it after what I have done, but I love Isaac. He means the world to me. As much as you once did. We have built a life that works and we are happy.

I don't know what to do next.

I need some time. I need to figure out where I go from here. I know that's not what you want to hear, but please, be patient with me.

I do love you.

D

I let my eye trail down the e-mail. "Holy hell. Dominic was cheating."

"Yes, he was," says Leah distantly.

"Maybe," I say, trying to push us back on track again, "maybe he was seeing Chambers. Everyone said they seemed really close. Like, not client–solicitor close, but you know, close. It would certainly add another layer of motive."

She frowns. "Is Beck Chambers gay?"

"I don't know!" I whine. "Crap!"

Leah taps her fingernails on the desk. "Or . . ."

"What?"

"Or Isaac found out."

"Finn?" The SIO's voice rings through the room, and I feel rather than see all heads swivel toward me. "A word?"

I stand up, try to keep my shoulders back, but there's something about a summons to see the boss that makes you small, a schoolboy in trouble. His office is tucked away at the back of the major incident room, pretty modest, seriously impersonal. He waves me to a seat. Perches on the edge of the desk. He's a big man, must be six foot five if he's an inch, with a shock of steel-gray hair, a rough-cut beard. Essentially Tom Selleck on a bad day. He gives me a look. I'm pretty sure it's supposed to be sympathy.

"We're releasing Beck Chambers."

I stare at him, at a loss for words.

He waves at the phone on his desk. "I just got a call from the DI down on the surveillance team. Turns out they were running an op on Monday evening, surveilling a known dealer in the center of Hereford."

"Okay?"

"They picked up Chambers making a purchase. Seven o'clock." He's watching me, lips compressed. "They had eyes on him for most of the evening. Apparently, he had a couple of drinks in a couple of bars. Crossed back and forth over their operational area. He's covered. Right up until about midnight. He's not our guy."

A Hero, then a Hostage
Oliver Lewis

(Originally published in *London Today*)
It was past eight, night falling fast across the glittering slums of Mexico City. A warm night, a storm approaching in gathering clouds that filled up the bowl of the valley, the volcanic peaks that ring the city vanishing into the ominous gray.

Beck Chambers was returning to his apartment, a perfunctory affair suited to a single man with a nomadic way of life. If you saw Beck, you would think that few people would be safer, even in a hotbed of violence like the Mexican capital. He was, after all, ex-military, a former member of the Pathfinder Platoon, 16 Air Assault Brigade, special forces in all but name. And he looked it, built like a slab of rock; looked like he could take care of himself, that he would be the last person you would cross.

But this was Mexico City, where the rules do not apply.

At 8:06 pm, Beck returned to his apartment in the Alameda district, tired from a long day, bracing for another long day to come. As a security operative (a bodyguard, for those not in the know), he was at his client's constant command.

This night, the night of 13 July, was an early one. He was used to being kept far later. The irony of this would return to him many times in the months ahead.

He opened the front door of his apartment building and vanished inside.

Twenty-four hours later, Beck's client placed a call to Beck's employer: My bodyguard didn't show up for work today.

The violence and danger that lace countries like Mexico have become a gift for the security industry. Myriad companies operate throughout Latin America, protecting the wealthy from their lesser brethren. In 2010, Hector Security was just one of many: a small company, enjoying limited success within its zones of operation. Started by a former US Army Ranger, Hector Security had a reputation for being cheaper than most, a no-nonsense approach. Sometimes, when you talk to people in the know, the words "cowboy operation" are used.

So that day, 14 July, 2010, a phone call was received at the headquarters of Hector Security in Galveston, Texas. Your man didn't show. In a different operation, with different standards, this might have meant something. But Hector Security was used to this sort of thing, its operatives dropping in and out of employment. Sometimes there were psychological struggles—most of its employees were ex-military, most of them had seen action, most of them had scars. Sometimes it was alcohol or drugs. Whatever. The company barely batted an eyelid. An apol-

ogy, a quick scout around, and within two days a new security operative had taken over where Beck Chambers had left off.

And Beck remained simply gone.

It shouldn't be that easy to disappear. The human in us rails against that, that we should be able to just vanish without leaving as much as a ripple. And yet why not? Beck had no family. A nomadic lifestyle that left friendships as tenuous affairs.

It took two months for the repercussions of that night to hit full force. One lunchtime in September, a phone call was made to Hector Security HQ. We have your man. You're going to have to pay to get him back.

The first question they asked was "Which man?"

Later examination of CCTV footage would reveal that on the night of 13 July, Beck Chambers had walked into his apartment building and was immediately attacked, incapacitated by a blow to the head, crumpling to the ground. If you watch the grainy footage, you then see a second attacker moving into camera view, checking Beck, presumably to ensure that he is unconscious and not dead, then quickly making a call on a mobile phone.

There is no sound on the footage, but by that point, you really don't need it.

This is Mexico, one of the world's front-runners in the kidnap-for-ransom business. And they have just acquired a new commodity.

It takes a minute, a minute and a half at the

most. Then the men look out of the front door, hurriedly drag Mr. Chambers onto the street. It is small satisfaction that the task appears to be a struggle.

It turned out that as many as a dozen people saw Beck being loaded into the waiting van by masked men.

The federales were not called.

No witness recorded the registration plates of the van or could describe the attackers.

There are procedures in a case like this. Kidnap and ransom is a steady-stream business, especially when you operate out of some of the world's most dangerous countries, and so companies take precautions. They insure themselves against kidnap, they ally themselves with K&R consultants, and, should the worst happen, they pull the trigger, bring in the big boys, the ones who know how to put right a bad situation.

Most companies.

Not Hector Security. It is unclear exactly why they didn't simply place a call to their insurers, get help, the backing that would ensure a smoother ride. Some speculate that they had let their insurance lapse, that these cowboys were riding bareback, risking the lives of their employees to save a few dollars.

Whatever the reason, the call was never placed and Hector Security decided to handle things themselves.

Negotiations did not go well.

An attempt was made to bring the purportedly high ransom demand down, but the negotiator for Hector Security only succeeded in infuriating the kidnappers. Instead of securing a proof of life, video footage was delivered of Beck Chambers apparently having his throat slit.

This was then followed by a month of silence.

The security industry is an incestuous one. Everyone knows everyone, and there are few real secrets. When word of the situation trickled through to the Cole Group, a boutique K&R firm operating out of the UK, one of its founding members decided to intervene.

Call it a goodwill gesture. Call it an attempt to right the wrongs of a failing fellow company. Whatever the motivation was, Ed Cole, after much discussion in-house, flew to Mexico City.

At this point, Beck had been in captivity for four months. His location was unknown, his condition was unknown, his captors were unknown. Ed Cole remained unfazed. He knew the area, knew the people, even knew the criminals who operated there. He got a message through to the kidnappers, informing them that there was a new sheriff in town.

Ten days after his arrival, contact was finally made. It was a rough road ahead. The previous failed negotiations had left a bad taste in their wake, and the kidnappers were jumpy.

Kidnap for ransom happens all across Mexico, and its perpetrators are widespread and varied. But as luck would have it, the Coles had dealt with this group before. Unlike many of the groups operating in the region, they appeared to have made it a policy to target foreign victims, presumably in the hope of collecting a higher payment.

A request was immediately made for proof of life. No word had been heard from Beck in over a month. No one knew if he was dead or alive. Would there even be a hostage to negotiate for?

At 3 pm on 25 October, Ed Cole received a phone call. On the other end was an exhausted Beck Chambers.

He had at that point been held captive for four months, one week and five days. As far as he knew, the world had forgotten about him.

He wept when he heard Ed Cole's voice.

"I'm bringing you home," Ed told him. "It's nearly over."

The new ransom requested was even higher than the one before; the kidnappers had been irritated by their dealings with Hector Security.

Ed Cole expressed to the kidnappers that there was no insurance in place and that any ransom would be a scrabbled-together affair made up of the generosity of friends.

What the final settlement was remains a mystery. You do not talk about the figures paid in the K&R industry. It's bad policy, giving other kidnappers a benchmark for future ransoms.

But after almost five months in captivity, Beck was released, handed over to the waiting Ed Cole.

You would think this would be an unusual affair. That things like this do not happen as a matter of course. The fact remains that throughout Latin America, and in fact the wider developing world, there are dozens, if not hundreds of innocents being held captive, waiting for their own Ed Cole to come and rescue them.

Would that they were all so lucky.

A Question of What Is Important

DC Leah Mackay—Thursday, 9:25 AM

"Well, that's that then."

I don't look up at Oliver. I'm still reading about Beck Chambers, justifying it by telling myself he's the prime suspect in the murder of Dominic Newell, that it is nothing, nothing at all, to do with the fact that he was employed by the Cole Group. I keep my head down, in the hope that Oliver is talking to someone else, that if I do not look at him then he will slink away, back under the rock he crawled out from.

I am, unfortunately, not that lucky.

"You heard, right?" He comes over to stand next to me, closer than I want him to. "Surveillance team has Beck in Hereford at the time of the murder."

I can hear the smile in his voice, although he is trying to fight it.

"Looks like Finn backed the wrong horse."

I glance up at him, smile. “Ol? Shut the hell up, okay?”

I grab my phone, push myself away from my desk. I should look for my brother. Check that he is okay. But, I tell myself, he’s a big boy. He won’t appreciate me attempting to mother him. And there’s something else. Beck has been ruled out as the murderer. Surveillance has placed him in Hereford.

Hereford. Ten miles from the Cole home.

Because it’s undeniable that there is a link between Beck Chambers and Selena Cole. They worked for the same firm. He worked in Mexico. If it was scopolamine, if that’s what happened to Selena, Beck could have had knowledge of it, from his time there. He could have had access to it.

I walk with quick strides toward the door, slip into the empty hallway.

They are tied somehow, these two cases. A vanishing and a death. And Beck, somehow Beck is involved in it. Not the killing, perhaps. Maybe instead the vanishing.

I run down the stairs, feeling a strain in my quads. Think that I cannot remember the last time I worked out, that I used to be fit. That I should do that. Should slip on my jogging shoes, go for a run. I’d like that.

I push my way out onto the street. It is a gray day. Another gray day. Has there ever been another kind? I slip past the door of the police station, the bright lights of its lobby glowing in the dimness. Wish that I had thought to bring a coat. It is cold, the wind has teeth in it, and I shiver hard. Scroll through my contacts list.

Orla’s number is still on my phone from an early-morning call, the one that woke me from a barely there sleep, telling me that Selena Cole had been found.

My finger hovers over it as the cold nips at me.

I could just call Selena. She is, after all, found now. I could call her, ask her the questions that I have lined up for Orla. But I press Orla's number, tell myself that it is because we have a relationship, that we have built up a trust, that it will be easier. Yet that's not the truth, is it? The truth is that Selena Cole still seems barely real to me. The person she is, the things she has done. She feels like someone on a screen, in the pages of a book, not a person, not really. I listen to the ringtone. Am I afraid of Selena Cole? I shiver, push that thought away. No. I'm not afraid. Am I lying to myself? Maybe. Or is it that icons are harder to keep when they are up close, personal? That it is easier not to see the flaws when they are further away.

I listen to the ringtone, wait as it connects.

"Hello?"

"Orla? It's Leah. Leah Mackay."

There is a hefty pause. "Oh. I . . . Hi."

"How are you all?"

"We're fine." The words have edges. "Everything's fine. Settling back down. Look," she says, "I appreciate you getting in touch. But really, it isn't necessary."

I wonder if this is the same person, the one who was so grateful for my presence such a short time ago. The wind has changed, is blowing from a different direction now. I'm not the savior anymore. Now I am a nuisance. Or am I a threat?

"No," I say, "it's not that."

"Oh?"

"Your husband, Seth . . ."

"What about him?" There is so much hardness in her voice; I am an invader attempting to batter down her defenses. Why? There are secrets here, a treasure worth defending. But then what marriage does not have secrets buried at the heart of it?

"No, nothing, it's just that he mentioned something, about Selena. A drug. Something common in South America."

She settles into a quietness, so that all I can hear is the sound of the traffic, the low thrum that tells me the phone is still alive, that she hasn't hung up on me. Not yet, anyway.

Then, "devil's breath."

"Yes." I wait for more. Know that I should hold my tongue. And yet . . . "I mean, it would explain the memory loss."

"Yes," Orla says. "It would."

She subsides into silence again, and I think that she is done, that this is all she will say. But then she sighs.

"The Cole Group dealt with a case, in San Cristobal. A baby, kidnapped."

"Aria Theaks."

"Aria Theaks," she agrees.

I line my words up, inspect them before allowing them out. "If it was scopolamine, if that is what happened to Selena, then someone gave it to her. Someone did this."

"Yes."

"Orla, I've asked you this before. But I'm going to ask you again. Does Selena have any enemies?"

"No . . ."

"Orla." I hear my own voice hardening up. "If

someone has done this, if someone took Selena, they could come back. We don't know what they wanted; we don't know if they got it. They may come back. And"—I feel a spurt of cold, hard genius—"we need to think about the girls. If whoever did this cannot get Selena, it's reasonable to assume that they would consider her children to be viable targets."

I hear her swallow, know that I have won.

"You don't think . . ." I can hear the fear now, thickening her voice "You think they could be in danger?"

Got you.

"We need answers, Orla. If we're going to keep them safe." I turn my back to the wind, the traffic, feel oddly warmer now. "I need to ask you about Beck Chambers."

"Okay." For a moment, I think she will give me trouble, but no. "Beck used to work for us. For the Cole Group, that is."

"And?"

Orla sighs weightily. "He was one of Ed's. Hostage, no insurance, not much money. An excellent way of getting yourself killed in Mexico. Ed took pity on them, the family. He was like that, my brother. Got it all handled free of charge." She gives a breath, a sigh or a snort, I'm not sure. "He even threw in some of the ransom money, if you can believe that."

I listen, straining out the growling of engines. There's something here, a back door into a secret.

"That must have been tough. On the firm, I mean. Quite a financial burden to carry."

"It really was. I mean, obviously it was their firm, Ed and Selena's, so they could do what they saw fit. But the thing is, Seth and I, we were invested too. Not financially, we didn't have the money for that, but it was our livelihood too. If the group had gone under, we'd have been stuffed. Seth especially. I mean, me, I could do accounts anywhere, but K&R is a tough business, it's secretive, competitive, and Seth, he's got no education, not to speak of. He came right out of foster care and into the military. He always jokes that it was the military or prison. The Cole Group, this job, it's everything to him. If it were to collapse . . . I just don't know what he'd do."

I make a soft noise, agreeing. We are nowhere near where we're supposed to be. But that's the thing with investigating: sometimes you just have to let people talk, even if it seems irrelevant, because you don't know what is going to matter until you get to the end of the story.

"So . . . What was I . . ." Orla is floundering, has realized that she is taking me on a walk in the woods. "Beck, sorry. Yeah. He was one of our rescues. He fell apart afterward. Drinking. Drugs. You know the drill." It is a statement of fact, distaste clouding the words. "Ed and Selena, they did their knight-in-shining-armor thing. The way they do. Selena sorted out rehab, got counseling for him. Once he was clean, Ed gave him a job."

"You weren't happy about that?"

"To be honest, Seth and I thought he was a loose cannon. It just seemed . . . unwise. But, anyway, he was okay, did his job more or less. Until Ed . . ."

"What do you mean?"

"He was cut up about it, my brother's death. Like we weren't. And the thing is, he hadn't known him that long, so I don't know why . . . Anyway, he came into work drunk, and that was it."

"You fired him?"

"Seth did."

"How did he react?"

Another silence. "He wasn't happy."

"Go on."

"He grabbed hold of Seth. He's a big guy. I thought he was going to kill him."

"And?"

"And nothing. He just kind of shoved him, walked out. To be honest, I'm glad. We're better off without him."

"What about Selena?"

"What about her?"

"Did Beck hold her responsible for his dismissal?"

Orla hesitates. "I don't know."

"You spoken to him lately? Has Selena?"

"No," she says. "Not for months. Not that I know of, anyway."

I'm watching the lit-up lobby. I hadn't intended to do this. At least I hadn't thought I had. Then a figure moves across the glass, and I realize that I had probably intended to do exactly this all along.

"Orla, I'm going to have to call you back."

I pocket the phone, walk with quick strides. Beck Chambers is stepping through the sliding glass doors. He looks emptied out.

"Mr. Chambers?"

The words are out of my mouth, bright against the dull day. He recoils, as if it was a gun retort.

"I'm DC Leah Mackay. I'm investigating the disappearance of Selena Cole."

I lay it out at his feet, wait.

He is watching me, waiting for me to detonate, lowers his chin, and I suddenly realize how big he is, that he could snap me like a twig.

"She's been found, Selena," he says. "Right?"

I nod. Watching him. Waiting.

He is calm, looks at me levelly. "Then there is no crime here." He tucks his hands into his jacket pockets. "I suggest you concentrate on the murder, Ms. Mackay." Then he is gone.

I stand there in the cold and the wind and watch him go. And I wonder how he knew that Selena had been found.

The Cost of Infidelity

DS Finn Hale—Thursday, 9:57 AM

I walk like I am on the deck of a ship. The evidence has led you one way, then comes a wave that tips you, destabilizes your world, and now you're facing in an entirely different direction. Now what?

Oliver is watching me. I see him out of the corner of my eye. Want to tell him to piss off. But that would be childish. So instead I wait until I'm past him, then flip him off.

Leah grins.

"How old are you?" she mutters.

"Old enough to have arrested the wrong guy," I say, a sullen teenager. I sit down next to her. Stare at my feet. I should polish my shoes occasionally.

I think of Beck, walking free. There is a bubble of something that it takes me a moment to identify. Is it relief? What's that about? That I do not want the killer to be just one more squaddie who's gone mental? Because if it can happen to him . . .

"So," says Leah, swiveling her chair toward me. "Where are we now?"

I shrug. "Nowhere."

"Bullshit, Finn." She says it like she's kidding, but there is iron in her tone. "Stop feeling sorry for yourself. What do we know?"

"We know it wasn't Beck Chambers who killed Dominic," I mumble. Seriously, I'm starting to irritate myself now.

"Excellent. One crossed off the list. What else?"

"Dominic was having an affair."

"Yes." Leah looks away, her eyes resting back on her monitor. She goes quiet, a silence long enough that even I notice it. Then she shakes herself, looks back at me. "So," she says, "that brings us to a bunch of questions. Who was he having an affair with? What was that relationship like? Did that person have a significant other who may have been put out by this turn of events? And . . ."

"Did Isaac know?"

"Did Isaac know?"

Leah pulls her chair closer to the computer, types quickly. "Let me see . . . I've only just started looking at the e-mails, so maybe there's something . . ."

I watch her, her lips pursed.

"Okay . . . ah . . . yeah, Dominic and Isaac e-mailed a lot. God. Okay. Let's look at the last few days." She clicks on one, swivels the monitor so that I can see it.

I pull my chair closer.

"This is, let's see, the Friday before."

From: IsaacFletcher@kmail.net
To: DNewell@HartleyNewell.co.uk

Hiya,

Don't forget to pick up milk on your way

I x

Leah closes the e-mail, scrolls through the inbox. "Okay, day of the murder. Ah . . . 9:15 AM."

From: IsaacFletcher@kmail.net
To: DNewell@HartleyNewell.co.uk

I booked the theater. It's the 10th. Second row. Put it in your diary!

I x

"Awesome." I sigh heavily. "Love's young dream."

"Finn?"

"What?"

Leah is staring at the screen. "Look."

From: IsaacFletcher@kmail.net
To: DNewell@HartleyNewell.co.uk

Why the fuck haven't you answered your calls? I've been trying to get hold of you all day. I know you've turned your phone off, and you've got that bitch of a receptionist on it. I keep calling the office, and she won't put me through.

Grow the hell up, Dom. You can't avoid me forever.

All right, you want to do it over e-mail because you're too chickenshit to look me in the eye? Fine. I know what you've been doing. I know you've been cheating on me. Don't even try to deny it. At least do me that courtesy. I can't believe you would do this to me, you fucking bastard.

COME HOME!!!!!!!

We are going to fucking talk about this. I'm serious, Dom. Come home now. This is not fair. Do you have any idea how crazy I'm going here? I thought you loved me. I thought we were a family. That's what you said to me, remember?

I need to see you now. If you won't come home, I'm coming there.

WE NEED TO TALK!!!

Life Beyond

DS Finn Hale—Thursday, 11:24 AM

"So," I move into the outside lane, pass a Fiat doing twenty-eight, "this is fun."

Leah glances at me. "What?"

I gesture to the radio and its clanking music. "The wipers on the bus go swish, swish, swish . . ."

Leah grins, looks younger suddenly.

I had hurried back into the SIO's office. Or bounced, as Leah termed it. Whatever. The e-mails, the anger punching through them, it was something, a damn sight more than we'd had before. *Boss, I think we need to go and interview Isaac again.* He studied me, a look of long-stretched patience, opened his mouth, I'm pretty sure to suggest bringing Isaac into the station, his words vanishing under my enthusiasm. If you're okay with it, sir, I'd like to keep him in his home, play it softly-softly. I think he may be more willing to open up there. And with Leah. She's good at that. People like her.

Leah is watching the landscape, mounding mountain ranges beneath an iron-gray sky.

"You okay?" I ask.

She glances at me, a look of fear shooting across her face. "Yes. Why?"

"I just . . . you've seemed, I don't know, quiet lately. Everything's okay, right? At home?"

I don't know what I'm doing. I don't know why I've gone all Oprah.

Leah looks away again, her voice distant. "Yeah. You know. Marriage."

"Yeah. So . . ." Shut up, Finn. Just stop talking. "You and Alex . . . you're okay, right?"

I think she won't answer. Think, hope, I don't know.

"It's just . . . we feel a long way apart these days. I don't know if it's the kids or life or . . ." She drifts off, staring out of the passenger-side window. "Things happen, you know, when you've been together a long time. And it's just, how do you get back to seeing that other person as the one you fell in love with?"

I want to make an inappropriate joke, a flippant comment, something a bit more within my comfort zone. But I restrain myself, shifting a little in my seat. "Maybe you don't."

Leah glances at me again, sharp, and I have the uneasy feeling that we are discussing more than generalizations.

I soften my voice. "Maybe there is no way to go back to how things were. Maybe you have to just push through and build a new way of seeing each other."

There is a long, weighty silence, and then Leah makes a noise. For a horrifying second I think she has begun to cry. Then I realize she is laughing. "Jesus, Finn. When did you get to be so sensitive?"

I grin. "I'll have you know I'm maturing rapidly, thank you very much."

I ease off the accelerator for a speed camera up ahead.

"So . . . ," Leah says, not looking at me but studying the road in front. The lights turn to green, and I pull away. "Not Beck."

"Not Beck," I agree.

I open my mouth. Try something new. "To be honest, I feel like a bit of a twat."

"Why?"

I take a left, weaving through the construction that litters the road into the country's capital. "I made the arrest. It was on me."

"You followed the evidence. That's all. It led toward Beck Chambers for a while. Now that it doesn't anymore, you're following it somewhere else."

I nod, speed up to pass a garbage truck.

"So," I say, shifting us onto safer ground. "Isaac."

"Yeah," says Leah. "Isaac."

You cast people into roles. The hero, the villain. The victim. I did that with Isaac Fletcher. I watched his tears and, maybe because I am getting sensitive, I dismissed the thought that they might be of the crocodile variety. And so I cast him as the victim of the piece. Even though I know how often it happens, how many times the world has seen those closest to the victim weeping as though their hearts will break, only to later be revealed as the villain. Always look to the partner first.

I did.

And I dismissed him because he cried.

It takes Isaac Fletcher a long time to open the door, and when he does, I take a step back. The guy smells, a hanging stale scent of alcohol, old cigarette smoke. He looks like someone different, wearing sweatpants, stained on the thigh, a T-shirt with a tear on the sleeve. His eyes are glazed, red, hair standing up on end, thick with grease.

"Isaac," I say. "DS Hale? You remember?" I feel like I am talking to one of my nieces, that I have slowed my voice down so he can keep up. His gaze weaves across me, unsteady. "This is DC Leah Mackay."

It's slow, but he gets there in the end, remembers just who I am. He takes a sharp step back into the hallway. I'm seeing him differently now, what with the old booze and the dead-man stare. Now I'm looking at the biceps that curve from underneath his sleeve, the long ropey veins that clamber down his arm. I'm thinking of the e-mail, the fury in it. A fight that goes too far. And Isaac, grabbing a knife.

He has shifted his weight, and for a moment I think he is about to slam the door in our faces, that life is about to get a whole lot more interesting.

But then Leah moves past me, smoothly rests her palm against the door. Her smile is wide but gentle, designed to disarm, and I don't need to look down to know that she has wedged her foot against the door. "Isaac? Hi. How are you doing? I was so sorry to hear . . . Look, let's get you inside."

She turns him, a lamb suddenly in her capable hands, steers him back along the hallway into the living room. I follow, pushing the door closed behind me, trying not to gag at the smell of smoke, spoiled food.

"Here, let me move some stuff so you can sit down. There. I was just . . . heartbroken when I heard. I worked with Dom a lot. Such a lovely guy. Mind"—Leah slots herself onto the sofa next to Isaac—"he was a pain in the butt as a solicitor. Too damn good. But it was fun, you know. Almost like playing chess with him."

Isaac is watching her, and you can see that he's losing his resolve, weakening in the face of her kindness.

"I just . . . I can't imagine what this must be like for you, Isaac. I really can't. To lose someone, that is hard enough. But to lose someone in these circumstances . . . I just, I can't tell you how very sorry I am that you have to bear this."

A tear spills down Isaac's cheek. I sit on the boxy leather armchair. Am prepared to bet that he would hand Leah the PIN number to his bank account right about now.

"Dom used to talk about you all the time," Leah says. "Said you'd booked for . . ."

"Antigua," offers Isaac, voice like cracked glass.

"Antigua, of course. He was so excited about that. Said he couldn't wait to spend some time, just the two of you, that he'd been so busy with work. He wanted to spoil you." She watches Isaac, his head bowed so that his chin almost rests upon his chest. "Of course"—it seems that something has occurred to her—"it's never easy, is it? My husband and I, we can drive each other insane sometimes. Dom said, well, I got the impression that things had been . . . tough lately?" She waits, bait laid.

Isaac frowns, looking at her. "Why? Why do you say that?" His accent is more noticeable now, the Welsh tint washed away in his grief, leaving behind pure Midwest American.

"No, just something Dom said. I mean, we all have our problems, don't we?"

He bristles, pulls back. "Things were fine."

Leah nods. I wait.

She leans closer, her voice honey. "The thing is, Isaac, we've heard different things. People saying you guys had some issues. Now, like I said, it happens to all of us. I don't know a single couple who haven't had their share of arguments. But, the case being what it is . . ." She pauses, watching him. "Isaac, I need you to tell me the truth. We want to make sure we investigate Dominic's murder properly. If you lie to us, we're going to end up chasing our tails figuring out that you're lying to us, and then we're going to have to start wondering *why* you would lie. And all that is time when we're not out looking for who killed Dom. It is so important that you just be honest, and then we'll know what we're dealing with."

There is a taut stillness, and I feel my mouth open. I don't know why. I don't know what the hell I feel I need to insert. But Leah senses it, looks up at me, her eyes warning. I shut my mouth again.

Then Isaac begins to cry. "I loved him. I loved him so much."

We sit. We wait.

"Things were good. Things were so good," he says. "Then . . . they just weren't. They changed. You know when you just know that something is going on? Like, you have no proof but you can feel it in your gut? That was how it was. I could feel it. And then, of course, you start looking for things, and the signs, they were everywhere. He was working late, and I mean, all the time. He got really defensive if I asked questions, started locking his phone, taking it with him everywhere . . . I just knew."

I see Leah nod from the periphery of my vision. Keep my eyes on Isaac.

"A couple of days before Dom's . . . before his death, he went in the shower and forgot to take his phone. So I looked. I'd been paying attention, I'd seen him unlock it, so I'd figured out the code. I didn't have long to look at it. I was afraid. I didn't want him to catch me. But that day, he'd made all these calls to this number." Isaac sucks in a deep breath. "I wrote it down. Put the phone back. See, I wanted to be sure, before I said anything."

"What happened?"

"I think . . . I think he guessed that I'd been on his phone. I don't think I put it back in the right place, and so he got really . . . antsy, argumentative. And I just, I lost it."

I'm thinking I'm going to hear about the kitchen knife, the blood, the panic. I'm thinking that I need to call Willa, get a forensic search done on this apartment.

"I hit him. I punched him in the face. I'd never done that before. Neither of us . . . that wasn't who we were." Isaac isn't looking at us, his words spilling out in a low drone. "I think it shocked us, both of us, that we had taken it that far. Dom said we needed to talk, that he was late for work, but that when he got home, we would talk properly, work things out."

"What happened then?" asks Leah.

Isaac laughs sourly. "He was late home. Again. I got tired of waiting. So I called the number. If he wasn't going to tell me who he was sleeping with, I was going to find out on my own." He shakes his head. "You know what made it so much worse?"

"What?"

"It was a woman. He was cheating on me with a bloody woman."

Held Hostage

DC Leah Mackay—Thursday, 3:00 PM

Isaac is crying. He sits on a tubular dining chair, pulled up close to the floor-to-ceiling windows, like he is enjoying the view. But his head is down, tears pouring over his cheeks in a steady stream. The search team is moving through the apartment, a flock of geese flying in formation. They work quietly, every now and again someone looking over a shoulder at Isaac and his tears. I suppress a shiver. I don't know if he is lying. I don't know if what I am seeing is grief or guilt. But then why not both? How many of us do not carry a weight of blame in our relationships, even without resorting to murder.

Finn is standing beside me, drumming his fingers on his folded arms. Do you believe him? he asked me quietly as we stood to one side, allowing the search team to sweep past us. I looked up at him and shrugged. I just don't know.

They are searching for blood. They are searching for signs of a struggle. For anything that will place Dominic's death here, in this apartment overlooking the bay. I watch Willa move from room to room, her perfectly made-up face a study in concentration.

Do I want her to find something?

No.

Yes.

I don't know.

I look away, out to the bowl harbor, the rain that has just begun to beat against the windows, then turn to watch Isaac. He has found a square of paper, from the color of it a Post-it note, is shredding it into centimeter-square pieces. How must it have been for him when that knock on the door came? One minute you have a life, imperfect and yet whole. In the next moment it is gone, stolen away by the thrust of a knife. I watch him shred, his long fingers shaking. Or was he simply waiting? Had he sat up all night, knowing that in a minute, an hour, the knock would come, his hand still throbbing from the force of the thrust as he stabbed Dominic in the neck?

My phone rings, a shuddering vibration against my leg, and I pull it free.

"DC Mackay."

"Anything?" The DI sounds tired. Or drunk. I'm hoping it's the former.

"Not yet, sir. The search team is still working."

He sighs noisily. "Fine. Update me when you have more." He hangs up without a good-bye, and I mutter under my breath, something about grumpy men.

One of the search team waves at us. A woman. I don't know her name. I detach myself from my position by the wall, move toward her.

"I don't know if this is relevant," she says, "but we found a bunch of paperwork in the bedside cabinet."

She hands it to me, a sheaf of papers, and turns away. Anxious to get back, to get on. Maybe she has kids of her own to be hurrying home to.

I carry the paperwork back to Finn, the surface slip-sliding in my gloved hands. Spread it out across the kitchen counter. I spare a glance at Isaac, looking for some kind of reaction, some kind of sign. But there's nothing. Just the Post-it note squares, getting smaller and smaller.

Finn sorts through the printed pages, and I'm watching, half paying attention, half not. Then I see a flash of color, an eagle that I have seen before, and my heart rate quickens. I lean across him, pull the slick pamphlet free.

A brochure for the Cole Group.

They are all there, their photographs neat against their names. Ed Cole. Seth Britten. Orla Britten. And Selena Cole. I stare at it, for a moment wonder if I am going crazy, if my fixation on the case is producing hallucinations so that I am seeing these people everywhere I turn. Selena looks younger, although perhaps the truth is that she simply looks less sad. The picture must be an old one, taken before her husband died. She is wearing more makeup, her face fuller, less weighted down by life. I pick up the leaflet.

"What's that?" asks Finn.

I pass it over to him.

He studies it, frowning. "Okay."

"Don't you think that's weird? I mean, seriously. Have you ever heard about the kidnap-and-ransom industry before? Why does Dominic have all this stuff about the Cole Group?"

Finn shrugs. "I don't know. I guess because of Beck Chambers?"

"I guess." Only I don't guess. It feels off to me. It feels like there's something here.

Finn is watching me.

"What else have we got?" I say, keeping my voice light. Nothing to see here.

He looks away, begins flipping again. But I can't. I can't stop staring at the eagle. At the Cole Group. There's something here. I know there is.

But I don't know there is at all, do I?

I look at Selena's picture. There are always cases that hook you. There are always cases that speak to you, pulling themselves out of the pile and grabbing hold of your consciousness. If there are children a similar age to your own, if the circumstances are the same as your own.

Maybe it's the children. Two little girls. Maybe that's why I cannot let go of Selena Cole and her disappearance. Why I need to know what took place in those missing hours, even though it feels now that I am the only one who cares.

Or maybe it's the other thing.

Selena Cole herself.

Because I have a sneaking suspicion that I have a thing about putting people on pedestals, turning the ordinary into heroes.

I watch as Finn reads a printed page, his forehead creased into a myriad of lines. I am trying to fill in the gaps, supplement my own failings with the success of others. And then, when the successful fail . . . I look at

Selena Cole, wonder why it is that I need this. Why I feel the need to look to others who are as I wish I could be. Why I simply cannot be enough on my own.

"There's more stuff here," says Finn. "Drug rehab stuff. Dealing with users, that kind of thing."

I glance over my shoulder at Isaac. He's stopped with the Post-it now. Is simply staring at the raindrops as they wind their way down the window. "Is there any way Isaac could have a drug problem?" I ask, my voice low.

Finn shrugs. "I guess. There's been no sign of it, though. Fae and Bronwyn both said that Dominic did a lot of work with people on drugs. That he was big into helping them get clean. I think he was trying to get Chambers into treatment."

"I wonder how that was for Isaac? Dominic's attention so clearly caught up elsewhere. And with the affair . . ."

Finn looks at me, grins. "Mysteries of marriage, eh?"

I've never forgiven Alex.

I look back at the Cole Group leaflet, my breath catching in my throat at the thought that I have kept at bay for all these years.

I've never forgiven Alex for that night.

I turn slightly, look out of the window into the bay. Whitecaps are whipping up now, speckling the gray water. Boats bounce rhythmically, engaged in a beat all their own. He shattered my faith. In him. In myself. Because how could I have been so wrong? How could I have trusted so blindly that he would never hurt me?

And then life moved on, and somehow, without my knowing it, I got whipped into pregnancy and babies and a family and home, and yet still I am held hostage, there on that cold kitchen floor, holding a bottle of Rioja, wanting to die.

Life moved on, leaving me behind.

"Bunch of stuff here on kidnappings. Newspaper article on Beck Chambers's kidnapping in Mexico. Looks like Dominic was doing some research."

I pull in a breath, look away from the dancing sea, back to Finn. I feel dizzy, as unsteady as the boats. Listening to him, yet not listening.

Because I need to get unstuck. I want to get unstuck. And right now, I just don't know what that means.

"Maybe," says Finn, "it would be a good idea to pay a visit to your Selena Cole. Dominic had an interest here, clearly. Maybe they'll be able to help."

My stomach leaps. "Yes," I agree. "I think that might be helpful."

"Okay, ladies and gents." Willa moves toward us, striding like she will take over the world. Spares a second to give my brother a conspiratorial grin. She glances at Isaac, then gestures out into the hall. "You wanna come outside."

She isn't talking to me. But I go anyway.

"Right, then. I'm afraid to tell you, the place is clean. No blood. No evidence of a struggle. There's a knife block in the kitchen; the shape of the knives in it would roughly correspond with the wound, but to be honest, they're so generic as to mean pretty much nothing."

"Any knives—" begins Leah.

"Nope. No knives missing." Willa shrugs. "Sorry, guys. Wherever Dominic was killed, it wasn't here."

I drum my fingers against my arm. Think of something that I heard a lifetime ago. Or was it only a matter of days? I just don't know anymore.

"Excuse me," I mutter.

I let myself back into the apartment, walk straight toward Isaac. He has made a mountain of torn-up luminous Post-it pieces, is repeatedly sticking his thumb into it to form a valley, then scooping the pieces together again with his palms. The mountain reborn.

I sit down beside him. "Isaac. I need you to tell me something."

He looks at me with murky eyes, reminds me of someone on the wrong end of a bottle of Scotch.

"Why didn't you tell anyone? When Dominic didn't come home that night, why didn't you call the police? Or Bronwyn? Or . . . well, anyone?"

He looks down again, pushing his palm flat onto the mound of paper. Shrugs. "You get where we were, right? The man I loved. He was cheating on me. He didn't come home. I assumed he was with someone else."

I nod slowly, think that the logic is unassailably familiar. And yet . . .

"Isaac." I say. "Is there something you're not telling us?"

He picks up a single piece of paper, turns it around between his fingers. "I've told you everything I know."

A Start in Kidnap and Ransom (continued)
Dr. Selena Cole

It changed us, the rescue of my nephew Gabriel. Ed, of course, had seen so many things, had been in danger so many times. But my life was smaller, of the more sheltered variety. That the world was such that kidnap and ransom was a necessary role for someone, anyone, was vaguely shocking to me. And yet . . .

"You know," said Ed, "we could do this."

We were lying in bed at the time, a relationship that had begun in need and had turned into something different. We had returned from Poland, had not left one another's side since. Ed liked to joke that he had lost a leg, replaced it with me.

"Where would we even begin?" I asked.

Ed was a fighter, had spent his entire life pushing himself, taking himself places it seemed impossible for him to go. His leg, learning to live with a body that looked so different from the way it had before, that was simply another challenge to him. You would have thought it would be challenge enough.

"I know some guys in K and R. They go out to kidnap sites, liaise with the companies, the fami-

lies, the insurance. Make sure everything runs as it should, that the hostages get to go home. They do what you did with Gabriel. We could do this."

Life for me was smaller then, more predictable. I had a good job, specializing in post-trauma and rehabilitation for returning forces personnel. It would have been no great hardship to simply keep walking along the path I was on. Looking back now, I wonder why I agreed to it, to throwing in my lot with this seemingly insane venture, to go blundering into a world I knew little about. Then I remember that look in Ed's eye, that hunger, the need to push himself, the need to believe that he could be more than he was then. Just another wounded veteran. It was never a decision, never a choice. It was simply what must come next.

It shouldn't have been that easy, our start in kidnap and ransom. The community is a closed one, with high, impenetrable walls. And yet strangely, not for us. We both knew people. It is the nature of the beast, when one of you has been a warrior, the other has helped heal them. These men and women, they come home from war and yet still their blood bubbles, fizzing with the need to chase death, to walk beside danger. K&R is a fairly obvious place for them to head.

As it turned out, it was Ed who opened the first door for us. A retired major, Mike Lloyd, a soft-spoken man, his voice belying the power hidden beneath. He had been in K&R for ten years, was approaching his seventies, had a wife who missed him, grandchildren who were sprouting up without him. It's time, he said. I need to be able to sit for a while without the fear of being shot. He looked us up and down, me more than Ed, because I was a young woman, an alien species, high risk in an already high-risk world. Made some private calculations, ones we were never privy to. Then, come with me. I have a job on, leaving tomorrow. Messy thing. Negotiation has been going tits-up for months. I'm going to go down, have a look at it, see if I can do anything to unpick the muddle they've made of it. He studied me, the way one would a particularly fascinating breed of butterfly. You might be able to offer something the rest of us can't.

We left early the next morning. Down, it transpired, was Mali. They had been taken from Bamako. Fourteen men, miners who had come to Mali to make a decent living from a dying industry. Or maybe they came for the adventure of it. Who knows. Fourteen men, from six different countries of origin, working for four different mining companies, all with different insurers.

A clusterfuck, said Mike. There is no other word.

It had been going on for eight months when we arrived. Eight long, exhausting months of captivity, of negotiations that built and built, then collapsed. More K&R consultants in one place than you have ever seen, each working with a slightly different rule book, each with different priorities. Governments and insurers and families, all battling one another to ensure that their hostage was the one who walked away. It was breathtaking. In its complexity, in its otherworldliness.

For Ed, this was, instantly, the door to our future. He began reaching out, talking, learning everything he could, so that when it was our turn, when it was about us, we would have the tools we needed.

For me, though, it was something different. Base of operations had been established in the conference room of a local Radisson. After eight months, even the hotel had begun to tire of it. And walking into that room, you could smell it, the despair, the defeat, the knowledge that nothing was going right. It was almost like everyone knew that the hostages would live or die at the will of the kidnappers, our role reduced to mere spectators.

I confess that it made me angry.

I watched for two weeks. I held my tongue for two weeks.

Four different consultants, each asking for different things, each crippling the ability of the others to protect their hostages.

I watched for two weeks. Then I snapped.

I had come from nowhere. I was no one. I knew nothing. And yet fury propelled me. I spent days going back through the recordings, listened to every conversation with the kidnappers, until in the end it seemed that I knew them, that I could get some handle on their wants, on their weak points.

Nearly a month after we arrived, I marched into the control room, handed out printed sheets. This is our new strategy. This is what we are doing. What we are all doing. This is how we're going to get them home.

I remember Ed grinning. Mike nodding quietly to himself.

The hostages were released thirteen days later.

Everyone wants something. And often, what people say they want isn't what they want at all. You have to study people, allow them to teach you who they are. So that you can find those points at which they are soft, where the need truly lies. Because when you do that, then you get to understand why they do what they do.

And then you can bring your hostages home.

An Unrequited Love

DS Finn Hale—Friday, 8:47 AM

"Did you know that Dominic was having an affair?"

"What?" Bronwyn whispers it, more of a breath than a word. Is staring at me with her over-made-up eyes. Tears spring to them.

I know that Leah is watching her, don't have to look to tell that. So we stand there, an unlikely trio, in the quiet office, empty but for us. The receptionist's desk is unmanned; Fae is not in yet. Bronwyn clutches hold of the faux wood of its surface, fingernails painfully pink today, digging into the desktop like it is the edge of a cliff. We'd surprised her, were here when she arrived. Always the best way, I find.

The fact remains that Dominic Newell was having an affair, and that this woman, his business partner for many years, his ex-lover, is clearly still in love with him. Even I can see that. Which means, as Leah points out, it must be fairly obvious.

"He . . . Dom, he would never . . ." It is an empty

protestation. Pointless. Because it is clear that he did. Bronwyn shakes her head. "I just don't understand it."

She is wearing a skirt that is too tight for her, warping itself into creases across her thick thighs. How long, I wonder, has she been in love with him? Maybe she never stopped. And yet he chose Isaac, he built a life with Isaac. That had to hurt. And maybe one day Bronwyn simply lashed out in a fit of rage.

I watch her, black tears spilling down chalky cheeks, and think that Bronwyn was also the last person who saw him alive.

"Who?" Bronwyn pleads. She looks from me to Leah. "Who was it?"

We study her, both silent. There are voices, calls and laughter from the street outside, the world awake now, raring to go. We do not have long. I glance at the clock. In moments, this foyer will begin to fill. Fae will come in, sit at the desk at which we're standing, and everything will get a lot more fractured. Bronwyn looks back at us, open at first, then her face creasing into a heavy frown as the cards finish their shuffle, awareness dawning.

"You think it was me?" She says it bluntly, still looking from me to Leah, back.

"Was it?" I ask.

Bronwyn swipes her hand across her cheek, only succeeding in smearing the mascara further. "As a matter of fact, it wasn't." She folds her arms across her chest, forcing the gray silk blouse to gape at the buttons, showing a cream bra beneath. "Look," she says, "let's get everything out on the table. Yes, I loved Dominic. I always have. Yes, I would have given anything for us to restart things. And to be perfectly honest, I would have been quite happy to align myself against Isaac." She stares at Leah like it is a challenge, daring her to protest.

Leah returns her gaze. "Go on."

"The fact is, Dom didn't want me." Her voice breaks, another tear, thick, black, worms its way down her cheek. "He knew how I felt. He always has. And last year . . ." She looks at her fingernails, picking flints of fuchsia and flicking them to the ground. "Look, I'm not proud of this. I got drunk. At the Christmas party. I had too much. Dom said he'd take me home. He . . . he wanted to make sure I was safe. Take care of me. I tried it on."

"By tried it on, you mean . . ."

Bronwyn shoots me a look, one designed to freeze lava. "I tried to kiss him. Happy? Dom . . . he said . . ." She sucks in a deep breath, gaze now lost in the middle distance. "He said that he'd always love me. As a friend. Fabulous, isn't it?"

"You must have been pretty upset by that," says Leah, softly. "I think I'd have been devastated."

"Not enough to kill him, if that's where you're going." Bronwyn leans behind her, pulling a desk diary from a tray. "But seeing as you are doubtful, let me just reassure you. I last saw Dom at around six PM on Monday. He said good-bye as he was leaving the office. Fae can confirm that. She was here with me, working late sorting out some paperwork on a case we were dealing with. I took a phone call from a client, which lasted forty-five minutes. I'll get you his details so you can check. Then at seven-thirty, I had a dinner meeting in the bar just across the street. You can confirm that with the solicitor from Ashby and Frank, and with the bar. They know me there." She sets it down. A challenge.

I nod, slowly.

"So . . . ," she says. "Who was it? Who was he sleeping with?"

"That's what we're trying to find out," Leah says quietly. "What can you tell us about Dom's relationship with Isaac?"

Bronwyn shrugs. "Not much. As far as I was concerned, they were love's young dream."

"Isaac has confessed to hitting Dom in the days leading up to his death," I offer.

She seems to sway, grips the desk again with those terrible nails. "I . . . I didn't know. I didn't know." She looks away, more tears spilling.

It is, I suppose, another death to her. Not a physical one this time, but the death of who she had believed Dominic to be, what she had supposed their relationship was.

But then that's true of all of us, isn't it? We rarely know the people around us, only what they show us of themselves. And a thing like murder, it has the tendency to wipe all pretense away, show life in its ugly, gritty clarity.

"So what about Beck Chambers?" Bronwyn asks. "Given up on him, have you?"

"Beck has an alibi," says Leah, calmly. "It wasn't him."

"Are there any other clients? Anyone particularly unstable who has given you or Dominic cause for concern? Fae mentioned that Dominic was often involved in getting people into rehab, dealing with people with drug issues. Is there anyone you can think of who may have wanted to harm him?"

Bronwyn shakes her head. Then the sound of footsteps, the front door swinging inward. I glance at the clock: 8:59. Right on cue. Fae slips in, greets us with a small smile.

"Did you know about this?" Bronwyn demands.

"What?" Fae stops dead, shrinking under her boss's scrutiny.

"Isaac hit him." There is no need to clarify whom she is talking about. I'm willing to bet that they have talked of little else in days.

Fae pales, a small, narrow hand flying to her mouth. "Oh my God. I saw . . . He came in, Dominic, I mean. He seemed upset, but I didn't want to push him. Went straight into his office and closed the door. I . . . I took him coffee. He was looking in the mirror, at his eye. I . . . I teased him. I said he was getting vain. Oh my God."

Leah is watching her, studying her. "We need to ask you some questions, actually," she says. "About Dom. Did you know that he was having an affair?"

"What?" Fae looks like a child told that Santa is not real.

"You see," says Leah, "we need to find out who he was seeing. So that we can eliminate them, put our attention where it needs to be." She is speaking softly, gently probing.

I look at her, am momentarily confused by where she is going with this. See the way she is looking at Fae, waiting, and it hits me. Leah suspects Fae of being the secret lover. I open my mouth to protest, close it again. Because it is ludicrous to me. She's a kid.

"Fae, were you and Dominic in a relationship?" asks Leah.

"No!" Fae recoils "No, I, we . . ."

Bronwyn is staring at her like she is seeing her for the first time. "You spent a lot of time together." Her voice is flat, the sea before a storm. "Lots of private chats in his office."

"No. We didn't, I never . . ." She is crying now. "We were friends. That's all."

She looks from me to Leah to Bronwyn, pleading.

"Honest. There's nothing more to it. He was just a nice man."

"Okay," I say. "Let's all calm down. Fae, did you hear anything, or see anything, that might have indicated who he was seeing? It's not a witch hunt, I promise you, but we need to find out who it was so we can eliminate them."

She looks at me like I have saved her from drowning. "I . . . I don't know. I didn't think he would ever do that. I . . ." Then she stops. Frowns. "Wait, there was someone. On Monday. Someone called. A woman. She must have rung six times all told. Was desperate to speak to him. I kept saying he wasn't here, but she was having none of it."

"Who?" demands Bronwyn.

"I don't remember her name. I . . . We get lots of hysterical people calling. It didn't seem strange, not at the time. Wait a second." She picks up the diary from where Bronwyn has left it, begins to leaf through. "I would have written it down. I write everything down, so I'm sure . . . Yes, here it is. Six calls between nine AM and three PM. Her name was Orla Britten."

On the Banks of the River

DC Leah Mackay—Friday, 10:07 AM

I drive steadily, watch the gaudy autumn trees as they flicker by. I breathe in, breathe out, and listen to the music with its joyful jangling rhythm—"Dingle Dangle Scarecrow." As I listen, it dawns on me that something is wrong, something I can't quite put my finger on, and then I realize that my children are not in the car.

Finn is sitting in the passenger seat, his fingers beating against the door in time to the painful rhythm. Perhaps it is the music. Or perhaps it is impatience, an urge to get to the Cole house. Orla Britten. Maybe it is nothing. Or maybe it is everything.

These cases, the disappearance of Selena Cole, the murder of Dominic Newell. Miles apart, and yet somehow inextricably linked.

The office had fallen quiet, hanging on our every word.

"Oliver," the SIO said, "you go over to the Cole house. I need you to interview this Orla Britten—"

"Sir," Finn interrupted, bouncing on the balls of his

feet. "With respect, I think it should be me and Leah doing the interview. The Coles know her, she's worked the case, and I think, the thing is . . ."

"All right, Sergeant," said the SIO, an impatient edge to his voice. "I'm assuming you're working on some kind of commission for your sister. Fine. You and Leah go. Go on then. Get on with it."

We nodded, attempted to look like good little detectives, ignoring Oliver, his folded arms, flat expression.

I rotate the volume dial, allowing the music to slip into silence, and think of last night. Alex's breathing easy and soft, my own fractured, my heart seeming to race against the darkness. Bits of sleep that you dive into then climb out of, so fragmented that you wake certain you have not slept at all. Alex watching me as I dressed, as I gave the girls their breakfast, his voice too bright, too cheery. Shall I feed the girls? Why don't you go and have your shower? I can get them dressed. Do you want me to take them to day care this morning? Wearing that damn shirt, its checks too bright, the one that he insists makes him look younger. I hate that shirt.

I wanted to scream.

"It's a nice day today," Finn says.

"It is." I nod.

I take a left, driving into the low autumn sun. The trees reach across the road, languid arms stretching for one another, dappling the tarmac with sunlight. The road sparkles, the diamond sheen of days of rain.

I ease my foot off the accelerator, am slowing now.

You're going to have to forgive me. If we're going to make this marriage work. He had flung that at me once, in the course of one of many, many arguments.

And, of course, he was right. I would have to forgive him. But how do you forget? It changes who you are, this thing. It changes you as a couple, a person. It burrows under your skin like a splinter, seemingly harmless, and you assume that sooner or later it will work its way out and you will be left whole again. Unencumbered. But sooner has not come yet. It remains there, buried in a shallow grave. And every now and again it rears itself up, stinging me from the inside.

I can't do this anymore. I can't do this anymore.

Something has to change.

"So what do you think?" Finn's voice breaks into my thoughts, shocking me. I am not alone.

I shake my head. "I don't know what to think."

"You were clearly right. There is some link between your missing person and Dominic's murder. You said Selena Cole doesn't remember what happened to her?" Finn has that tone he gets, dripping cynicism from each syllable.

I shake my head. "I know. It sounds . . . off, right? The brother-in-law suggested that she may have been drugged. There's this drug coming out of Colombia, devil's breath. It's not a big thing here yet, but the symptoms would fit."

"So, what? Someone drugged her and took her and then . . . put her back?"

"I don't know, Finn."

Finn nods, looking away and out of the window.

What do I think happened? To Selena. To Dominic. What is Orla's role in all this?

I have no idea.

"There's another option, you know."

I know.

"Selena Cole could be lying," says Finn.

I nod, slowly. "Yes. Yes, she could."

I watch the trees, orange and brown leaves dancing as the wind springs up. They flood the road, speckled flashes of color. Then there is a break, a gulf that yawns between the sentinel trees, and I see a glimpse of gray. The river. I look around me, suddenly realizing where I am. The river. I am at the spot where Selena Cole was found.

I slow, pulling the car into a turnout.

"What are you doing?" asks Finn.

I flick the engine off, my eyes trailing the bank that lies level with the road. The river is high, water kissing the grass, and I think that much more rain and this road will flood.

"I just . . . I need to see something."

I think about Selena Cole. There is a link. I don't know what it is, but it is there, just as the sun remains when you disappear into the shade of a tree. Something I do not yet understand ties her to the death of Dominic Newell. I taste the theory, test it.

What am I thinking? I don't know. I just . . . There are coincidences. They happen. But a woman vanishing, only to reappear hours later with no recollection of where she has been or what has happened to her, hours after a solicitor dies? A solicitor who apparently had an interest in collecting K&R information. Who was receiving desperate calls from Orla Britten.

I watch the river, the current pulling and tugging, bouncing over protruding rocks.

The link? Beck Chambers. A man with a nasty temper and a solid alibi for the murder of Dominic Newell.

He worked for the Cole Group. Was represented by Dominic.

What the hell is going on here?

I push open the door.

"Leah? What are you doing?" Finn says again.

I look back at him. "It's fine," I say. "I just have to look at something. Will you . . . can you trust me for a second? And wait?"

He stares, studying me like he is wondering if I have lost my mind.

Then, "Okay. I . . ." He looks around the car, then, reaching for the dial, turns the volume back up. "I'll listen to some music." "Old MacDonald" fills the car, and my brother grins at me. "Take your time."

I smile, push myself out, tugging my parka tight around me. With careful steps I climb up onto the riverbank. The grass is swampy, thick with the overnight rain. I study the path.

It is overgrown, unkempt. A new cycle track has been built on the opposite bank, its brightly wet tarmac glistening at me. If you were going to walk along the river, that is where you would go. Not here, to this facsimile of a path, the grass blades fighting back from their long oppression, springing up now that they have been freed from the weight of walkers. I look at the water, allow it to tug my gaze north. You can just about make out the town from here; Hereford's skyline, such as it is, peeks above the trees. You could technically walk from here all the way into town.

I glance back at the road, where the car sits waiting.

It would have been pretty isolated. Especially late at night, when Selena would have arrived here.

Arrived?

Yes. Had she been here throughout all those missing hours, someone would have seen her, surely. It's isolated, but there's a primary school a couple of hundred yards up on the opposite bank, its back gate letting out onto the cycle path. I watch the path; a mother, her raincoat hanging open in deference to the watery sunshine, walks slowly, pushing a pram. A dog-walker on the other bank, a driver passing along the adjacent road. Had Selena been here all that time, surely she would have been seen?

So then, let's say she arrived. Where did she come from? How did she get here?

If she was kidnapped, dosed with scopolamine and dumped . . . why? Why here? Why kidnap her at all if there would be no subsequent ransom, no apparent sexual motive, no physical injuries? What would be the point?

I look at the water again, Hereford beyond.

But you could walk here from town.

Selena says she regained awareness here. Sitting on the bank. Shivering from the cold.

I pull my feet from the sunken ground. Begin to walk toward the town, a leisurely afternoon stroll with no real objective to it at all.

I think about Selena at the hospital, her skin so pale it was almost white. Her hands, face streaked with mud. The stain on her top. As I walk, I am back in that hospital, staring at that stain, and in my memory it is mutating now, not mud.

Blood.

She had no wounds. No injuries.

If it was blood, where the hell did it come from?

I think of how Selena looked when I got there, like a kidnap victim. Like how in your head a kidnap victim would look, cold and dirty and damaged.

No coat.

I keep walking.

It is, what, three miles into town?

This spot is quiet. There is no reason to be here at three in the morning. The only explanation that would even vaguely make sense would be if you were a victim, if you were dumped here.

I keep walking.

The wind has a bite to it in spite of the sunshine, winter creeping ever closer, and I pull my hood up to protect my ears from its shriek. My trousers are damp now, a combination of dew and droplets from the river. My black shoes are brown. I glance back toward the car, where Finn still waits, to the spot where I figure Selena was found sitting. Orla mentioned that the taxi had stopped in a turnout. There are no other turnouts on this stretch of road. I can barely see it now. The trees have grown denser, are knitted together more tightly, so that even in the autumn you can no longer make out the road. I figure that I must have walked half a mile, maybe more.

Based on what Selena said, there is no reason why she should have been this far downriver. And yet . . .

What am I thinking?

You would be here if you had walked from town. You would be here if you were not dumped at all, but had walked, under your own steam, from the center of Hereford.

My heart begins to beat a little faster.

I walk on, eyes down toward the river, let my eyes trail the edge of it, where the water meets the bank.

She looked just like a kidnap victim should look.

When I see it, it feels like déjà vu. As though I already knew it would be exactly where it is. I inch closer to the river, my unlikely shoe sliding sideways against the slick grass so that my knee lands in it, brown mud staining the gray fabric.

I reach into my pocket, pull free a pair of protective gloves, slip my fingers into them. And keep reaching.

It is well hidden. It has almost disappeared into the mud of the bank, the gray of the river. I hook the brown fabric between my thumb and forefinger, the wool heavy with the weight of the water that has leached into it. I pull, but it is stuck, trapped on something that hides beneath the water: a branch, a stone. I tug, feel it loosening in my grip, then sliding toward me.

I push myself up to standing, holding the coat in my hands.

It feels like a dream, my actions governed by something outside myself. I plunge my gloved hands into the ruined wool coat, my skin stinging with the cold of it. The first pocket is empty. But I can feel the weight in it, think it is more than simply the water. I find it in the second pocket. A small wallet, its outside decorated with flowers. I flip it open. A five-pound note, or what used to be a five-pound note, sits in the billfold, more like papier-mâché than anything else now. There are some coins, small change, inside the zipper compartment.

Nothing else. Nothing that would identify it as belonging to anyone in particular.

I stand on the bank of the river, the coat heavy in my arms, and I stare at the almost empty wallet, willing it to give me something, anything concrete.

I turn it over in my hands, again, again.

And I see a small flap, an opening that would be so easy to miss.

I slide my fingers inside, no longer breathing.

The paper is waterlogged, comes apart in my hands. But the writing on it is broad, childish, and I can piece the words together.

To Mummy
Happy birthday
Heather

Case No. 41

Victim: Phoebe Hanson
Location: Madison, Wisconsin
Company: Private case, unaffiliated with any insurance provider
13 September 2009

Initial event

At 5:30 am on Wednesday 13 September, Mrs. Phoebe Hanson, a forty-eight-year-old stay-at-home mother, departed from her family home on the outskirts of Madison, Wisconsin, leaving her three children (aged sixteen, twelve, and ten) in the care of their father, Mr. Christopher Hanson. Mrs. Hanson took her own car and drove to Madison airport in order to catch a 7:00 am flight to New York City. She had informed her husband that she was due to meet college friends there and would return no later than the following Sunday.

At 7:00 am, Mr. Hanson received a phone call from an unknown caller, stating that his wife had been kidnapped en route to the airport. A ransom of $500,000 was demanded, and the time period for this ransom set at a mere twelve hours. Mr. Hanson was warned that should the ransom not be forthcoming, his wife would be executed.

Mr. Hanson immediately contacted the airline and

confirmed that his wife had not in fact boarded her flight.

Response

Mr. Hanson is retired military and served with me (Ed Cole) in Iraq. At the time of this kidnapping, both Selena Cole and I were attending a series of meetings in Chicago. Mr. Hanson, knowing that we were in the locale, immediately called on us for assistance.

We arrived at the Hanson home some three hours after the initial call. This left a response window of nine hours remaining.

Immediate assessment of the situation suggested to us that this kidnapping was problematic. Upon arrival at the Hanson home, Selena immediately gained access to the computer of Mrs. Phoebe Hanson, in order to verify her travel plans and to track her recent communications. Mr. Hanson revealed to us that his wife had planned to see friends in New York City and that the trip had been planned within the last week.

Upon accessing Mrs. Hanson's e-mails, Selena was able to confirm our suspicions that the information given to Mr. Hanson was inaccurate, that no plans had been made to travel to New York and there were no flight reservations to this effect. It became clear, after going through Mrs. Hanson's Internet history, that she had in fact been engaged in a lengthy correspondence with a man who claimed his name was Rick DeMarco. The correspondence was such that it could be reasonably concluded that an online affair was taking place. It was discovered that in the days leading up to Mrs. Hanson's disappearance, she and "Rick" had spent some considerable time discussing a trip that they would take together to Los Angeles. Further examination of Mrs. Hanson's communications revealed a single coach-class ticket from Madison to LA.

Mr. Hanson immediately contacted the carrier named on this ticket and was able to confirm that his wife had indeed boarded the flight to LA, and that the flight was currently airborne.

Closer examination of Mrs. Hanson's communications with "Rick" indicated that he had approached her in a chat room and had enthusiastically pursued her. An online investigation was unable to find the existence of anyone by that name who met the personal criteria supplied by "Rick."

Our conclusion was that this was a virtual kidnapping.

A colleague of the Cole Group who is based out of LA was able to go to LAX in order to meet Mrs. Hanson's flight upon landing, thereby confirming her safety and our conclusions.

Despite an initial unwillingness to admit her duplicity to her husband and children, and a brief attempt to convince our LA colleague that she had in fact been taken by force and placed on the LAX flight against her will, Mrs. Hanson was eventually persuaded to be candid. She had, it seems, left her home in the full and complete understanding that she was about to engage in a sexual affair with "Rick," who, it must be noted, she had never met, nor had any video calls with. Mrs. Hanson was then informed of her role as the victim in a virtual kidnapping. Our LA colleague noted in her report that Mrs. Hanson seemed more distressed by the fictitious nature of her "lover" than she was about the distress caused to her husband by the threats to her well-being.

Extensive conversations with the Madison Police Department and the FBI confirmed that "Rick" was in fact a criminal gang operating out of northern Mexico that has been responsible for more than a dozen incidents in which unsuspecting people have been "catfished" and their families subjected to hefty ransom demands. This virtual kidnap ring operates through the US and Canada and is, at the time of writing, a significant problem to law enforcement.

Mrs. Hanson was returned to her home some thirty-six hours later and, following a lengthy consultation with Selena Cole, referred for therapy in order to help her better deal with the issues that had made her vulnerable to this "catfishing" incident. She and Mr. Hanson have also been referred to a marriage counsellor.

A Victim or a Liar?

DC Leah Mackay—Friday, 10:35 AM

Selena Cole opens the door on the second knock. She looks surprised to see me standing there.

I smile brightly. "Hi, Selena." My voice comes out so chirpy that even I do not recognize it. "This is DS Finn Hale. Finn, Selena Cole. We were wondering if we could come in for a moment?" I shiver, dramatically. It is, after all, a cold day. Of course, we should come inside.

Selena studies me, and there's a look in her eyes, wariness or fear, I can't really tell. She looks from me to Finn, her expression warping to calm. She smiles, and it looks like it has taken no effort at all.

"Of course," she says. "Please, come in."

I had stuck my head back into the car. "Finn, give me an evidence bag."

"Okay . . ." He reached into the glove compartment, pulling a large bag free.

I hoisted the coat inside, sealing it, passing it across to him.

"What the hell?"

Slipped the key into the ignition, started the engine. "I found it. On the riverbank. It's Selena Cole's."

I watched as Finn slid the evidence bag into the footwell, the chocolate wool drawing my eye through its plastic cover, over and over again, in the way that one's eye is drawn to a scar on a picture-perfect face. It was the piece out of place, the portion of the jigsaw that stood out. Something is wrong here, it screamed.

"So . . . ," he said, aiming for casual.

"So," I said, "it wasn't where it was supposed to be."

The tires felt light on the still rain-slick road. I thought about Selena's story, how ephemeral it seemed, how if you reached out, tried to take hold of it, it would evaporate before you. She vanished. She reappeared. She claimed that she had no recollection of the intervening hours.

"So . . . what are you thinking?" asked Finn.

I looked across at him. "I'm thinking Selena is lying."

I drove with half an eye on the coat. I should have assumed that she was lying. Right from the beginning, when I first heard the story, I should have assumed deception. Because when we get right down to it, isn't deception the most likely explanation? And yet I didn't. Not didn't. Couldn't. Why? What was it about her that rendered me so incapable of seeing a lie? Or at least the possibility of a lie?

Finn looked at me, pursed his lips the way he does when there's something he wants to say. "What makes you say that?" he asked eventually.

"The coat. It wasn't where she said she was. For it to have been where I found it, she'd have had to be a lot further down the riverbank, toward town. Where I found it was a good half-mile away from where she was picked up."

"So . . ."

"So," I said, "the way I see it, there are two options. Either she walked along the riverbank in a drug-induced haze, shedding the coat as she's walking."

"Which means she was heading away from town." Finn glanced back out of the rear window. "You can't get to that part of the riverbank from the road. The only way to access it is to follow the path from Hereford."

"Which means she was in Hereford during those missing hours."

"Or at least some of them."

"Or at least some of them," I echoed. "And the question then becomes, what was she doing there and how did she find her way there?"

"Okay," said Finn "Let's call that option A. So option B is . . ."

"Option B is that she's lying to us," I said. "Option B is that she walked along the riverbank, that she shed her coat somewhere she wouldn't be seen from the road, so that she would look cold, vulnerable."

"Like a victim."

"Like a victim. And let's be honest," I said. "If anyone knows what a kidnap victim should look like, it's Selena Cole."

I pressed the accelerator down harder, too fast for the slick road, the overhanging trees with the deposit of leaves they had left behind.

I didn't think Selena was lying. I didn't think she was lying because I didn't want to think that. I wanted a hero. I winced at the word, at the blissful naivety it implied. There was something about this woman, some kind of glamour. The fact that she had faced tragedy. That she had survived. That she had done something so far outside the common order of things, that she had done it well. That in amongst those things, she was raising two children—two girls—on her own. That she was succeeding in it. That her children loved her. That her children knew that their mother was a success.

It is obvious, when you come right down to it. I saw in this woman what I wanted to see in myself. It made me blind.

We step into the dim hallway, where the smell of coffee, toast hang heavy.

"Can I get you some tea? Coffee?" says Selena. Her smile is bright. As bright as my voice is.

I look at her. Really look at her.

She wears jeans, a slouchy T-shirt, has her dark hair tucked up into a low bun. You can see her collarbone, the white skin standing proud against the deep navy of her top, the protrusion of it.

Her makeup is done, sparing, clean, and she screams efficiency, capability, calm.

She looks . . . normal.

Concentrate.

But there is a slight redness to her eyes, around the edges. Her voice has a thickness to it that would be oh so easy to miss. She has been crying. She steps back, waves a calm hand, ushering me in. It shakes, the tiniest of tremors. And it occurs to me that she is afraid of me.

There are voices in the house, low murmurs that

drift along the tiled hallway. I strain to hear them. Selena looks at me, smiles.

"It's Orla and Seth. They're in the office."

I glance at Finn, a moment of silent communication.

"If you'll excuse me," Finn says firmly, "I need to have a quick chat with them."

Selena stands, opens her mouth to ask why, then closes it firmly again, fixes a smile in place, and indicates a closed door along the hallway. "Help yourself."

Finn and I share another look, then I too smile, thinking that this is a peculiar kind of madness where we are all pretending that life is light, acting like we are not here to discuss a murder and a vanishing. Selena and I turn in to the living room, allowing Finn to follow the rise and fall of the voices. There are logs burning in the fireplace, the fire spilling out heat into the generously sized room. It wants me to unravel, threatens to soothe me with its spit and crackle. I keep my shoulders pulled up tight. "And are you?" I ask. "Okay, that is?"

"Yes," Selena says quietly. "We'll be fine."

"The girls?" I ask. "Where are they today?"

"School. Well, nursery for Tara," says Selena. "We thought it was important that things start to get back to normal for them." She waves me toward a large leather couch. "Please. Have a seat."

I sit carefully, watch as she crosses the room to a wingback chair beside the window, watch as her hand swings out, her fingers grazing a photo in a thick wooden frame. Her husband. Dressed in military uniform. She touches his cheek as she passes, does it without looking. Is she even aware she has done it?

She sits, crossing her legs, and in a flash I am in the psychologist's office, the client. "I'm sorry about the mess."

There is, in truth, little mess. Just a few toys left heaped beneath the bay window.

"You have children?" Selena asks, her smile calm, professional.

I nod. Smile the way you do when you are a parent and someone asks if you have kids. "Twin girls."

"How old?"

"They just turned two." I think of their hair, identical ponytails, Georgia's beginning to slip already, the band defeated by her exuberance, her energy.

"It's a crazy time."

I can feel my mouth begin to open, the words waiting, desperate to be said. About how afraid I am, all the time, that they will trip or be pushed, that they will be sad or the cause of another's sadness, that I will not be enough, that I am split into too many parts to ever be whole to them, that I will fail. I can feel it, the promise of relief waiting just there over the horizon.

Breathe.

I sit up straighter in my chair. Nod toward the heavy-framed picture, the handsome man in his dress blues. Ask a question I already know the answer to. "Your husband?"

Selena nods, a flicker of pain crossing her eyes, looks down. I feel the words in me begin to recede. A silence follows, heavy, and I fight the urge to slot words in, fill it up so that it is lighter.

"He passed away," she says finally. "Last year." She speaks into her lap, looking smaller now, thinner still.

"I heard. I'm sorry."

She nods again and the silence rolls back in.

"It was the attack in Brazil?" I say, quietly.

She winces, and I feel a stab of guilt, that I have wielded the words as a weapon, designed to destabilize her, throw her off balance so that I may regain mine.

I think she will change the subject. I am expecting her to talk about the weather.

"I had gone shopping." she says. "Isn't that frivolous?" She is looking out of the window, at the apple tree that overhangs it. "We had been in Brasilia for three days. We were due to come home the following day, and I wanted to get the girls presents. So I went shopping." Her voice is steady, far away. "Ed . . . he said he wouldn't come with me. That he was going to rest. Prepare for the meetings we had that afternoon. He said he wasn't planning on going to the seminar either. That he was all seminared out. So that's why at first . . ."

She takes a deep breath, lets it slowly out. "I stopped at this little toy stall, in the Feira dos Importados. It's . . . it was beautiful. They had all these wooden toys, exquisitely made, and I remember thinking that I would get something like that, something special. I remember I was holding a wooden Noah's Ark and thinking of Tara. Then . . . it was like thunder. Only I knew it wasn't thunder. Right away I knew what it was. Like I'd been expecting it somehow."

"Your husband? He was at the hotel when it happened?"

"He was at the hotel." Selena looks back to the apple tree. "He was supposed to be in bed. He was supposed to be relaxing. So for a while, I thought he was okay. They hit the seminar. It was the delegates they were after. Wiped out half of the K and R industry in one fell swoop. How they must have laughed at that. And, of course, it was chaos there for a while, and people were missing, and no one knew how many. So for a while there was hope."

"Ed had gone to the seminar?"

Selena looks at me, then nods. "He'd changed his mind. He was there when the attack began."

"I'm sorry."

"Me too." Her fingers tie themselves around one another.

"It must be hard. With the kids, the business." I am the therapist now, and I spare a minute to wonder exactly what it is I am doing, where these questions are going.

Selena leans her head against the chair back, her voice quiet, so soft that I can barely hear her. "I keep thinking I've forgotten something. You know that feeling when you've not done something you should have done. And it's nagging at you, but you can't quite put your finger on it? It's like that, all the time. Just this feeling of wrongness. Like the world doesn't make sense any more without him in it."

A tear rolls down her cheek.

I look away. Look at the fire. The flames dance, low.

"A friend of mine, a psychiatrist, Gianni, he says that I need to allow myself this. That I can't try and force my way through the grief and out the other side."

I think of Vida Charles, her viper tongue—*you know about the psychiatrist, don't you?*

"Your friend, does he have an opinion on your . . . amnesia?"

Selena shakes her head. "He stopped by, after I came home." She looks at me, gives a brief smile. "There are advantages to having friends in the mental health community." She shrugs. "Gianni, he says trauma. We—Ed and I—have dealt with this kind of thing before: hostage is freed, doesn't remember what happened. Orla says I shouldn't worry about it. That it's over now. But . . ."

She wipes a neatly folded handkerchief across her cheek. This is my fault. I have cut her with memories so that I can regain control. I think of Alex, think of what it would be like if he were to simply vanish, and I feel my breath stop in my chest.

"I'm sorry," I say again.

Selena smiles slightly. "It is what it is. And you can't give up. You never give up. That's what Ed always said. No matter how tough life gets, you just keep moving. One foot in front of the other. And no matter how long you have to keep walking in the darkness, if you keep walking, sooner or later you will reach the sun."

"Do you believe that?" I ask.

She looks at me, her gaze steady. "What choice do I have? I'm sorry," she says. "You didn't come here to talk about this. What did you need to speak to me about?" She pushes herself upright, looks at me, waiting.

I feel the balance shift again.

"I need to ask you about Beck." I do not need to ask her about Beck. There is nothing left I need to know. But it is a nudge, another move to destabilize.

"Beck Chambers?"

I nod.

"Why?" Selena asks, leaning forward.

"His name has come up in an investigation. He worked for you. Is that right?"

"Yes. For a couple of years."

"What was your impression of him?"

She is guarded now. "He's a decent man."

"And yet," I say, keeping my voice flat, "you let him go?"

Selena sinks back into the chair, sighs. "Beck has had problems. After his kidnap, his release, he started drinking pretty heavily, started dabbling in drugs. Ed brought him in, helped him sort himself out. But then, after we . . . after Brazil . . . Look, the thing is, I wasn't there. At that time, it was just about me, the girls, surviving. Seth and Orla ran the business, made all the decisions. They said that Beck was showing up smelling of alcohol. That he was no longer reliable. Seth felt he had no choice but to let him go."

I nod, slowly. "Are you afraid of him?"

"Who? Beck?" Selena looks at me like I am insane. "No. Of course not."

"So you've never had any concerns about him? Personally, I mean?"

"No. Why? What's this about?"

I glance out of the window, at the apple tree swaying, its branches clawing against the window. Think that I could tell her about my thoughts, about the idea of devil's breath. But I sit and watch the branches and keep my mouth shut. Because I no longer trust her.

"There was a murder the other night. You might have seen it mentioned on the news. In Cardiff. A solicitor. A lovely guy. I knew him pretty well. Dominic Newell?"

She is staring at me, watching my mouth, although I am almost certain that she can no longer hear the words. She has gone deathly white.

I watch her. "Did you know him?"

Selena opens her mouth, closes it.

"No," she says. "No, I didn't know him."

A Bombing in Brazil

Zachary Ellis

(Originally published in *The Security Journal*, October 2014)

It wasn't the kind of day for a bombing. The Brasilia sky was too blue, the air too hot. It was day two of the conference—Inside Kidnap & Ransom—a gathering of people from the security and insurance industry. I'd been to these before, and they're busy and quite frankly so-so, some good seminars, some not so good. But I was excited about this one. In particular, I was excited about seeing Dr. Selena Cole.

I was running late that day. I'll blame the heat. In truth, I had a hangover, the result of a heavy night catching up with colleagues I hadn't seen in a while. I walked slowly, movements weighed down by the breathless September heat. The Royal Palace, the conference hotel, is a baroque edifice, all white and sinuous. It stands proudly in the South Hotel Sector, its wide-slung front steps overlooking the expanse of the Monumental Axis. It is also expensive, more than my meager reporting budget will cover. So every morning I had a walk: ten, fifteen minutes maybe. That morning it was more like twenty minutes. I think about that fact every day.

I have worked in the insurance industry for many years. I crunch the numbers. I try to keep my firm from going bankrupt. I specialize in kidnap-and-ransom insurance. It sounds pretty exciting. The truth is, I still work in insurance.

I remember looking at my watch. I remember that it was 9:05. I had missed the beginning of the first seminar, but that was okay. The one I really wanted to see, the one presented by Dr. Selena Cole, wasn't on until after lunch. I had plenty of time. The seminar was titled "Negotiating in a Psychological Way: A New Paradigm for Kidnap and Ransom." People were saying that she was waking up the industry, changing the way things were done, tightening them up, helping operatives rescue kidnap victims more quickly and (importantly for the insurance companies) cheaply. No surprise then that the Cole Group had been making waves. Started in 2004 by Ed and Selena Cole, it had conducted almost a hundred successful negotiations, reuniting kidnap victims with their families. With their backgrounds in special forces and psychology, respectively, it is hardly surprising that they would be able to contribute a thing or two to the world of hostage negotiation.

The kidnap-and-ransom industry is booming. According to some reports, approximately 75 percent of Fortune 500 companies invest in K&R insurance. If an employee is taken hostage in some far-flung location, the insurance compa-

nies then turn to people like the Cole Group to remedy the situation, negotiating a ransom that is satisfactory to both sides. It is an industry in which we are familiar with bad people who do bad things. But not on a day like that, in the middle of September, in the heart of Brasilia.

I had turned into the South Hotel Sector. The traffic was busy, cars whipping by faster than you would think they could. I remember the smog, the fumes catching in my throat. I remember the roar of motorbikes.

It's not an unusual sound in Brasilia. Not something that should have drawn my attention. But there was something about it that made the hairs on my neck stand on end. I slowed, scanning the road ahead, trying to make sense of what I was seeing. It was a motley collection of bikes. There were even a couple of mopeds. They rode two to a bike, driver and pillion passenger. I counted them, not really thinking what I was doing.

Six bikes. Twelve people.

They opened fire almost instantly.

Pop. Pop. Pop.

I would like to say that I rushed forward, that I took hold of the young woman with the jet-black hair as the bullet hit her in the chest, that I at least attempted to pull her out of harm's way. But the truth is, I did none of those things.

I froze.

Then I ducked behind a car. A Peugeot, I think.

They flooded from the bikes. People dropped

in their path. They swarmed up the wide front steps, vanished inside. I didn't see what happened next, but I heard it. I heard the gunshots, the screams, and then, just when it seemed there couldn't possibly be anyone left alive in there to kill, the explosion that ripped the front off the building.

I hid behind the Peugeot. It was red.

I hid there until my knees burned, as the police cars with their flashing lights, the ambulances whirred past me.

Thirty people were killed. More than two dozen injured.

Dr. Selena Cole, the woman I was so keen to see, was one of the survivors. She had left the hotel early that morning and hadn't yet returned. Her husband wasn't so lucky. Ed Cole was killed in the detonation of the IED.

The culprits were not difficult to identify. A neo-paramilitary group, based in the Colombian portion of the Darién Gap, took to the Internet to proudly proclaim their success, crow about the blow they had struck to the world of kidnap and ransom. Escorpion Rojo—the Red Scorpion—had been around for the last decade or so, making a small but feared name for itself in the production and distribution of drugs, kidnapping unwitting travelers as a nice little sideline to help keep the coffers full.

Yet things had grown lean for the group, as Colombia's newly introduced anti-narcotics policies began to bite. Escorpion Rojo let their displeasure be known, with IEDs left at police stations in Medellín and Bogotá. A small-arms attack that crossed the border into Venezuela.

And then Brasilia, where the brightest and best of the world's K&R industry were gathered together in one place.

It was an awesome attack, one that shifted the paradigm that had for so many years been applied to Colombian paramilitaries. It showed that borders meant little, that it wasn't simply about territory, power within their own small domain. Not anymore.

I still dream about that day. Night after night I wake, sweat pooling across my chest, and I hear the screams, smell the burning flesh. I survived. And yet I did not escape. I think there are few who did. I wake, day after day, in my own bed. But still I have never left Brasilia and the day that the K&R industry was brought to its knees.

Author's note: I attempted to contact Dr. Selena Cole while writing this article. The Cole Group is still in operation, still successfully negotiating the release of hostages, but Selena Cole, its founder and owner, is no longer involved in its day-to-day running. Management has now been handed over to the Coles's managing director, Seth Britten. Selena was unavailable for interview.

The Compromise of Marriage

DS Finn Hale—Friday, 10:41 AM

There are voices on the other side of the door. I stop, listen. No, one voice. It has lowered now, as though whoever it is does not want to be overheard. I stand there trying to pull words out of the hushed rhythm, but it is futile.

So instead, I just march right in.

A woman sits at one of a pair of desks, receiver tucked into her shoulder, her head in her hands, long, copper hair hanging loose down her back. She looks up at me, her mouth dropping open, eyes flaming. I smile, flash my warrant card. She stares at it like it has frozen her to the spot, and it seems that I can hear her heart rate increase.

Interesting.

"No. No, of course. I understand. Yes. I'll look into it. I'll get straight back to you." Her accent is northern, unadulterated and clear. She spins the chair away from me slightly as she talks, so she is facing the patio doors that let out onto the bright green garden beyond. There's a fish pond.

I pull out the chair that is tucked beneath the adjacent desk, sit down without being asked. She glances at me, a quick flare of the nostrils, and I know I've got to her.

"Okay. Yeah. Well, thanks for letting me know."

Orla Britten hangs up the phone with a thump, turning her chair so that she is facing me dead on. "Can I help you with something?" She doesn't smile, isn't going to do the whole playing to the police officer thing. Which is fine. Because quite frankly I've had a titful of this.

"Detective Sergeant Hale."

"Okay." She looks at me like she's about to slap me. But she is shifting in her chair, blinking rapidly, more nervous than she wants me to know.

"We need a chat, Mrs. Britten."

She stares at me. "Sure," she says flatly.

"Your husband around?"

She glances back at the closed patio doors, and it is then that I notice a tall figure at the bottom of the garden. He is walking back and forth across my line of sight, phone clutched tight to his ear.

"He had to make a call."

I look pointedly at the phone on the adjacent desk. "Cold out today," I offer.

"What did you say you wanted?" she asks. "You know that Selena is back now? That everything is absolutely fine? To be honest, I really don't understand why you lot keep coming here."

In my defense, this is my first visit.

I shake my head. "It's not about Selena."

"Okay."

I'm waiting for something. For tears, for a flourish of guilt to erupt from her. She simply stares at me.

"I'm here about Dominic Newell."

There it is. A fury of reactions races across her face. She leans back in her chair as if she is trying to get away from me, as if that will help.

"I assume you know? About his murder?" I ask.

She looks from me out into the garden to where her husband is standing. Then closes her eyes briefly and nods. "I saw it on the news. At first I thought it couldn't be him. You know? You never think that someone you know will end up being murdered."

"You knew him well?"

She shrugs, a quick glance up at me, then away. "Not well. We've had a couple of overlapping areas of interest."

"Beck Chambers?"

"Yes. We—Dominic and I—communicated about Beck's various legal issues."

"What was your relationship like with him?"

Orla looks out into the garden. A robin has hopped up onto the path that leads to the patio doors, is staring in at us. I roll my eyes at it.

"I didn't have a relationship with him. Not really."

"And yet," I say, "you called him six times on the day he died."

She looks back at me, and I can see fear in her.

"Fae, Dominic's receptionist, said that you seemed pretty upset. That you were desperate to speak to him."

Orla takes a breath. Readies herself to lie to me. "I don't remember."

I don't respond to that. Just look at her. The robin has given up, is hopping away. I don't blame him.

"See, what's interesting to me, Mrs. Britten, is that Dominic's partner, Isaac, has confirmed that in the days leading up to his death, he discovered that Dominic was having an affair. With a woman. Isaac actually called her. Spoke to her."

She's keeping my gaze, but only just. Has the look of a deer about to take flight. There are tears building in her eyes.

"You were having an affair with him, weren't you?" I soften my voice right up, a priest now, ready to take confession.

The tears are overfilling, spilling down her cheeks. She shakes her head, a little exhalation, and I think that this is it, that the confession is coming.

Then she looks directly at me, her expression sad. "I wish that was the way of it."

I watch her. Am wondering what the hell she is about to say next when the patio doors swing open. I didn't see the husband end the phone conversation, didn't see him approach along the long path. I'm getting sloppy in my old age.

He hasn't noticed me, is bouncing his mobile phone in his hand, looks like he is carrying the weight of the world on his shoulders. He is a little shorter than me, although his slenderness gives the impression of height. He's wearing a shirt and tie, and I wonder if he has had meetings, or if he always dresses that way, even though the office is set within the Cole home. My eyes fall to the scars that crease his face, and I snatch my gaze away, guilty suddenly.

"Everything okay?" He looks from me to his wife.

"DS Hale, Mr. Britten."

He nods. "Hi. Seth. What's all this?" He's asking his wife, or me, whichever one of us feels like answering. But Orla has turned her chair now, so that she is facing the wall. I can just about make out the tears trickling down her cheeks.

Guess that leaves me, then.

"Seth," I say, "I'm here investigating the murder of Dominic Newell."

I don't know what response I was expecting. I don't know what it was I thought he would say. Whatever it was, I don't get it. The mobile phone hits the floor with a clatter, a tinkle that suggests the screen has smashed against the hard tiles. I stare at it for a moment, trying to piece it all together, then look back at Seth. He is staring at me, his mouth moving even though not a sound escapes him. He has paled, his skin taking on an almost gray sheen.

I look at him. Look at Orla.

She has turned her chair around now, is watching her husband. She has stopped crying.

"He's . . . Dom . . . he's . . . he's dead?"

He doesn't wait for me to confirm it. Instead, his knees buckle beneath him and he slides to the floor. His hands cover his face and a noise breaks from him, a coarse keening.

I feel the pieces shift before me. The wife staring. The husband bereft. I see all of my expectations crumbling away and the magnitude of my error becoming clear. Isaac was wrong. Dominic was having an affair. But it wasn't the wife. It was the husband.

A Start in Kidnap and Ransom (continued)
Dr. Selena Cole

Kate was an elegant woman, tall, slender, the type for whom the word willowy seemed to have been invented. A suede coat, faux-fur collar standing up tall, her hair pulled back into a neat bun. Every now and then you would see some tourist or other pause in their picture-taking, turning from the London Eye or the Thames with its perennial river cruises, just to watch her pass. She drew attention.

Kate walked like she had all the time in the world, paid little attention to the man following her. But then few people did. He was gray, unremarkable in the best possible sense, seeming to vanish even as you stared at him.

Then came a roar of engines, a car pulling up onto the Embankment curb, its rear door flung open.

She stopped, her hands flying to her mouth with the sudden realization that she had made a mistake.

But it was too late.

The gray man was already on her, pushing her into the waiting car.

And then they were gone, like they had never

been there, leaving behind only a knot of confused tourists.

"You drew attention," I said.

She stared at me, an alien life form. "Well, yes," she allowed.

"When you are in a kidnap hotspot, the last thing you want to do is draw attention. Your clothing, your car, your jewelry, all of it screams out that you would make a valuable commodity."

The group nodded, transfixed.

It was day five. An intensive training course designed to prepare the employees of Lexix Oil to survive in Nigeria. In fairness to Kate, she had handled her kidnapping with restraint, the fear showing only in the dancing of her fingers.

"It's known as stress inoculation. We expose you to stressful circumstances, in a controlled environment, so that if the worst were to happen, you will already have the responses in place to deal with it."

Kate nodded fiercely, pen moving rapidly across paper. It happens this way: employees coming in, expecting that what we do here will be a cakewalk. Then they experience it, the reality, or the facsimile at least, of a kidnapping, and suddenly life becomes far more serious.

"Situational awareness," barked Seth. He strutted across the classroom, each step a bounce. "When you are out there, you are always watching. A stroll isn't a stroll anymore. It is a chance to detect threats."

Ed looked at me, grinned.

Seth had been with us for a few months at that point, four, five at the most. Was still a child playing cowboys and Indians. Maybe it was us, the burgeoning Cole Group, that thrilled him. Or maybe it was simply being back in the world again, no longer held prisoner by his still livid scars. Here they gave him an extra dimension, kudos that he would not have had without them.

"He's had a tough life," Ed had said, a package of persuasion designed to induce me to bring Seth into a company that was not yet big enough to feed another mouth. "Bad childhood, bounced around foster homes; there was abuse, I think. Left school without any qualifications. Then what happened in Basra. He needs us, Mogs."

I stood, my gaze hooked on the participants, their gaze hooked on Seth. The room fizzing with energy now, the sudden realization that this was not a game after all, that the next time they saw us would be when we were trying to save their lives. You do what you can. You give them what they are able to receive. You hope it's enough.

Blood

DC Leah Mackay—Friday, 10:50 AM

We sit still, the spindly branches of the apple tree tapping against the window like a minor character from a Poe story. We are now in the realm of polite conversation. Selena is desperate for me to go. You can see it in the way she leans forward in her chair, her eye contact becoming more desultory—there, then gone again. She is on the run, uncomfortable in her own home, her fingers tapping against the rough denim of her jeans, gaze leaping from me to the photograph of her dead husband and back again.

I know that I have her on the ropes. I should feel good about this, I suppose. I should feel that I am doing my job again, that I have washed the glamour from my eyes. But I don't. I feel like crap.

I shift on the sofa, and Selena's gaze flies back toward me, her expression lifting. I know that she is hoping that this is it, that I am finally about to leave.

I smile. "Could I possibly use your bathroom?"

Her face falls, is recomposed just as quickly, and

she nods. "Of course. It's out through this door. Take a left toward the kitchen, and it's the last door but one on your right."

I stand slowly, stretching it out. My heart is beating faster now, and I pray that she cannot hear it. I very carefully pull the living room door closed behind me on my way out.

The hallway is cold after the heat of the living room; the Victorian tiles seem to be made of ice, and I suppress a shiver.

She lied to me.

I saw it, before she remembered herself, looking at me steadily as she told me she did not know Dominic Newell. I saw the alarm that flashed across her eyes, the slight tremble to her fingers, the contraction of her forehead. She lied.

I walk quickly along the tiled floor, straight past the bathroom to the closed door beyond it. Place my hand upon the wood and feel a thrum, thrum, thrum from beyond. The laundry room. Once I saw that, once I saw the lie, it was like someone had lifted a shade. I could see it all then in glorious Technicolor. The flimsiness of her story, her coat abandoned on the riverbank.

The sweater, the stain that I took to be mud.

I push open the laundry room door. It is small, neatly organized. The machine gurgles, spinning the clothes in a dizzying rhythm. I sat there watching Selena Cole in her high-backed wing chair, looking every inch the professional, looking unsuspectable, and yet seeing her somewhere else. On a hospital bed, her hands folded into her lap, her skin pale, fingernails muddy. The white sweater with its dark stain.

Blood.

I slip inside, close the door tight behind me.

I am too late. My heart dances. The machine is on, spinning, gurgling. I am too late. She has washed it already, washing away the evidence of . . . what? Her involvement in a murder?

My breath catches at the thought. Can it really be that?

I stop for a moment, gather myself. There is a basket in the corner, laundry waiting for the wash. I send up a prayer to a God I'm not sure I believe in, pull a pair of protective gloves on, and plunge my hands into the folds of fabric. Please let it be here.

My gloved fingers run through cotton, some kind of viscose, then, finally, at the bottom they hit wool. Soft. Cashmere. I pull it free, the clothes that top it avalanching toward me with the movement. And there it is. A white cashmere sweater. Across its front a dark stain, almost black in the light from the small square window.

I stand, breathe out.

Why the hell hasn't she washed it? I take a moment to be offended by this. That this woman who so blinded me with her capabilities, her success, should fail at something so basic, so obvious. At the very least she should have shown some evidence of being a criminal mastermind. Some greater guile. Did she, too, believe herself to be unsuspectable? Beyond reproach?

I breathe in the smell of fresh laundry, that ineffable cleanness, and study the sweater in my hands, the dark patch now, at a near distance, unmistakably blood.

The washing machine is spinning, faster, faster, and then it begins to slow, dwindling into silence. I feel dizzy from the loss of the sound, reach out a hand to the counter to steady myself.

I can hear the oversized clock that hangs on the laundry room wall ticking now. And something else. Voices.

I pull an evidence bag from my pocket, put there for this very purpose, slide the sweater inside. Move toward the door, pull it open. I assume that the voices have been there the entire time, masked only by the roar of the washing machine. I slip into the hallway, walking with soft steps past the bathroom door until I reach the one beyond it. It is closed tight, but the voices cannot be contained by mere wood. They slither underneath, low, urgent.

"Where were you?"

"What do you mean, where was I?"

A weighty silence, the calm before the storm. I listen for Finn's voice, for his breathing, but there is nothing, just Orla and Seth locked in a marital war. I know how that feels.

"You're not seriously asking me this?"

"You knew? About me and Dom?"

"Of course I bloody well knew. I always know. You're not as cunning as you think you are. I always know when you've got a new conquest. What? Did you think I was that stupid? Really?"

Another silence, the sound of someone crying. In my gut, I know that it's Seth.

"You loved this one?"

I strain, craving the answer, but there is nothing, just the creak of a chair, a heavy sigh. Did he nod, I wonder, or shake his head? Which is worse? That you have been betrayed for love? Or that you weren't even given that courtesy?

Where is Finn? I lean into the hallway, can just about see an indistinct shape through the glass diamond cut into the front door. Think that I recognize my brother's silhouette. Maybe it would have been better if my husband had loved her, the secretary. Then again, maybe not.

"The bank called."

You can hear that Orla is working to keep her voice flat, that it is taking all her resources. Is she always so capable, I wonder? Or did those resources crumble when faced with her husband's lover? Then what role did Selena play?

"They said we're overdrawn on the business account, that we've reached our overdraft limit."

Another scrape of a chair. "How the hell could that be?"

"I don't know, Seth." A pause. "I had them check back through the transactions. There was a fifty-thousand-pound withdrawal."

A sound that my imagination twists into an intake of breath. "What? Who the . . ."

"I don't know, Seth," Orla repeats "All I know is that there are very few people authorized to make that kind of withdrawal. And I know I didn't do it."

"So you think I did?"

"You think I'm a murderer."

"It must have been . . ."

"Yes."

"But why?"

"I don't know."

"You know this means we can't cover wages? Insurance. Expenses. You know this means we're done?" Seth's voice has climbed, a tinge of the hysterical. There is the ruffling of papers. Then, "Fifty thousand pounds. What the hell are we going to do?"

"Are you . . . I mean, the police . . ."

"No."

Silence.

"But . . ."

"No, Orla. We are not getting them involved."

I hear footsteps, someone twisting the handle of the living room door. I spring back just in time, so that I could have been coming out of the bathroom, so that it isn't blindingly obvious that I was eavesdropping.

I smile brightly at Selena. "Well, I'd better be on my way."

She looks dazed, as if she has been startled awake by something, looks up and down the hallway. "I . . . I thought I heard voices." Her gaze moves to the closed office door, locks on it.

"Oh," I say. "I didn't notice."

I move toward her, and it is then that she looks down, realizes what is in my hands. I lift the evidence bag up. "I'm going to need to take this."

The Suspect

DS Finn Hale—Friday, 10:53 AM

I stand in the weak sunlight, look to the sky.

"Seth says they've been together for six months, on and off. That they dated, years ago. They were one another's first relationship. Gay relationship, I mean. Apparently, once Beck Chambers came to work for the Cole Group, Seth got wind of the fact that Dominic represented him. I don't know, must have brought back fond memories or something. Anyway, he reached out and they reconnected."

"Bloody Facebook." The DI's voice is tinny down the phone line.

"Indeed."

"He have an alibi?"

I kick at some moss growing through the cracks in the pavement. "He was on a plane. Overnight flight from Newark to Gatwick, landed at 7:20 the morning after the murder. Pretty good as alibis go." I watch as a neighbor, an elderly woman with a frizzy knot of battleship curls, struggles with her shopping, her bag dragging against the floor. It occurs to me that I should offer to help, but I'm on the phone with my DI, so of course I don't. Then, as if she senses me watching, her gaze swings up toward me and the Cole house. "It'll have to be checked, of course, but if it's real, then . . ."

"Then he's out."

"Sir."

She stares at me, shifts her bag from one hand to the other, then turns to begin her slow progress into a sad-looking two-family home.

"I'll get Christa to take a look. What about the wife? Opal?"

"Orla, sir. The wife isn't doing as well. She admits that she knew about the affair, says that it was by no means her husband's first and that she, and I quote, had 'learned to live with it.' She does admit that she tried to contact Dominic repeatedly that day and that he never returned her calls. Says that she didn't speak to him, didn't see him, and that she spent her evening polishing off a nice bottle of Merlot in the comfort of her own home."

"Witnesses?"

"A cat, apparently."

The DI sniffs. "Fabulous."

I shift from foot to foot. Watch a kestrel riding high above me, plunging down toward the mountain slopes that surround us, then climbing again.

"So," says the DI. "The wife, eh?"

"Sir."

Did she do it? Did she get frustrated with Dominic's refusal to acknowledge her, make the drive into

Cardiff, and wait for him coming out of the office? Did she talk, get close to him; did he, feeling guilty, feeling sorry for her, the wronged spouse, let his guard down? And then, when he had decided that he was safe, did she plunge a knife into his neck?

I watch the kestrel. Think that I just don't know.

"Well, best bring her along."

"I'm sorry?" The kestrel is plummeting downward now, a flash of darkness against the hillside.

"You'd better arrest the wife. Get everything on record. We'll assemble a team, have them do a house search. You never know. Maybe they'll find Newell's car in the downstairs toilet."

"Yes, sir. Sir, best do the Cole house too." I look up at its fascia, catch a glimpse of a figure moving across the living room window. "Both Mr. and Mrs. Britten work from the office here."

I am looking at the door when it swings open. Feel myself tense. But it is merely Leah, a plastic evidence bag gripped in her hands, jaw set in that way that means trouble for someone.

I mutter a swift prayer to the gods that it's not me.

"All right. I'll get the ball rolling here. Keep me updated."

I open my mouth to reply, but he has already gone, leaving me clutching my phone uselessly to my ear. I look at Leah, shake my head.

"Okay?" she asks.

"DI," I say, gesturing with the phone. "Orla is coming with us."

She nods, her face getting grimmer by the second. "I had a feeling she might be." She crosses her arms across her blouse, barely controlling a shiver, and looks back to the house. "Something is going on in there."

"Like what?"

"No idea. But I'm pretty sure we're being lied to."

I study her. "By whom?"

Leah shrugs, glances at me. "By everybody."

"Awesome."

"Look," she says, "there's somewhere I need to go." She is assessing me, waiting for me to interrupt, object, so I keep my mouth sealed shut. "I have a hunch. There's money missing from the Cole Group account."

"Okay?"

"So I want to chase it down. Now. I've called the SIO and arranged a production order for the bank." She is preparing for a fight, lining up her defensive moves before I can begin. "I know this isn't related to the murder, strictly speaking, but I just can't shake this feeling that if I can fill in those hours of Selena's, it will also lead us to what happened to Dominic."

I open my mouth, see her brace herself. "Drop me back at the station with Orla," I say, "then take the car."

Leah nods. "Cheers, Finn." Gestures back to the house. "What do you think?"

I sigh. "Buggered if I know."

But she isn't looking at me now, is looking beyond me, at a house across the street. I turn, squint at the bay window, the sun reflecting off it.

"What?"

"Will you wait for me?"

"What, again?"

She grins. “Cool your jets, hotshot. Your big sister has a potential witness to interview.”

She walks off, not waiting for my reply.

“Okay,” I say, “but if Orla Britten decides to go loco and stab me too, it’s on you.”

“I’m okay with those odds.” Her voice drifts over her shoulder.

The Watcher

DC Leah Mackay—Friday, 11:11 AM

The neighbor sits in the window, the thickly stuffed armchair pulled up unapologetically close so that his knees must touch the glass. He sees me coming, as I knew he would, pushes himself to his feet so fast that he nearly tumbles. Has yanked the door open long before I have the opportunity to knock.

"I was wondering when you'd come."

"I'm sorry?"

"Well, I heard. You know. About Mrs. Fancy Pants over yonder. That you were asking around. Only I wasn't here, see. My daughter, she'd driven up to get me. Cotswolds she lives. Pretty, if you like that sort of thing." A sniff suggests he doesn't. "Mind, expensive. Scandalous what they charge for them houses."

He looks eighty if he's a day, the kind of short that suggests he was once much taller, but that life has worked him down into the miniature package before me. He leans on a walking stick, has a shock of white hair that rings his head in a halo.

"Can I . . . ?"

"Yes, come in. Come in. About time we saw the police doing something, all that taxpayers' money, and on what? Never see them around here. Not ever."

I nod, patient, fight back the urge to remind him that this quiet hamlet in the countryside is hardly South Central LA. Follow his awkward progress down the narrow hall. The living room is small and breathtakingly full. Ornaments, papers, things adorn every surface. A smell of damp hangs in the air.

"Sit down, then."

He waves me to a two-seater sofa, its cushions bowed and warped, and returns to his armchair, his gaze settling back on the street beyond.

"I'm Detective Constable Leah Mackay." I am talking to the back of his head, watch it bob up and down in response. "I did call to see you, on Tuesday, but there was no answer. You said you'd heard about the disappearance of Dr. Cole?"

"Doctor, is she? Well, I don't know about that. Never spoken to the woman. See her taking those girls of hers out, but that's all. Aye, Tuesday, well, I was away with my daughter. Like I said."

I let my gaze track over his head, where the street beyond is laid out like on a television screen, the Cole house front and center. "You have quite the view here."

"Aye, well, nothing on the box these days. All sex and blood. Who wants to see that, eh? So I sit here. Mind, not that much happens, but still, it's something to do."

I look beyond him to the leafy street, the clambering mountains behind. "I'm sorry," I say. "I didn't get your name?"

"Ernest Thomas. Mister. Lived here for forty years now. Me, the missus. Of course, she died, ten years ago now. Still, they never really leave, do they?" He waves at a sepia photograph in a heavy gold frame. "There she is on our wedding day. Not much to look at, mind, but still . . . we made do."

"Of course. Um . . . ," I am thrown. "So you said you were away with your daughter on the day Dr. Cole went missing . . ."

"That's right," he agrees, affably. "Lower Slaughter with our Beth."

"Right," I say. "So if you weren't here . . ."

"Oh, well," he says, shifting in his chair so he's looking at me. "I didn't go till that morning, did I? Beth was late. She usually is. And, thing is, I get up early, about four normally, so there's lots of time to kill. And it was there, even then."

"Sorry, what was there?" I ask.

"The car."

It feels like trying to grip the tail of a tiger. "What car?"

"Well, I get up, like I always do, at four or thereabouts, put the kettle on, and get two Rich Tea Biscuits. I come in here, and there's this car parked right in front of my house." He looks indignant. "I mean, that's just wrong, isn't it? Parking in front of someone's house like that?"

"Do you drive?"

"No, but that's not the point. Where was Beth supposed to park? Anyway, I thought, oh no, Ernie, leave it, wait and see. They'll probably move soon. But I thought, well, you know, I'd keep an eye to make sure, and if they didn't, then I'd go and see if I could get them to shift. But the funny thing was, he was in there."

"Who was in there?"

"The man. Sitting in the driver's seat as bold as you like. At four-thirty in the morning. I mean, who does that?" He shakes his head. "I'm telling you, I nearly went out then and there to tell him to sling his hook. Only the thing is, once I had a better look at him, I thought maybe best not. Big lad, see. Looked like one of those squaddies you get hereabouts. Always drifting over from Stirling Lines. Said to myself, now, Ernie, Beth will be properly angry if you get into a physical with one of those boys."

I nod, keeping my face flat, trying to bat away the image of eighty-year-old Ernest Thomas taking on the might of the SAS.

"Can you describe him?"

"Big."

"Okay. Anything else you remember? Hair? Skin color?"

"Oh, he wasn't one of those immigrants like you get nowadays."

I bite my lip and make a show of writing on my pad.

"Dark hair, short, you know the way them squaddies have it."

"And what about the car? Can you describe that at all?"

"I can do you one better than that." He pushes himself up with effort and, leaning heavily on his stick, makes his way to the mantelpiece. "I took his license plate. Thought, well, you never know. 'Course, if I'd been here when you came 'round, I'd have given it to you then. Then I heard she was back, that Mrs. Cole or whatever her name is, so I figured, well, you wouldn't need it. But anyway, there it is."

He hands me a sliver of paper, the license number written in spidery ink.

CV02 HTY.

"Was it blue?" I ask, thinking of Beck's file, the information it contained, and straining to hear my voice over my heart beating.

Ernest watches me intently, nodding furiously. "Ford Fiesta. Closer to navy, I'd say. Know it, do you?"

I smile. Do not answer.

Yes.

Beck Chambers.

Chasing the Money

DC Leah Mackay—Friday, 12:02 PM

I stand in line, waiting for the bank teller to finish with the middle-aged couple before me. The teller sits patiently as they squabble amongst themselves, which account it should be, who's in charge of it, who forgot to close the fridge door so that the food inside spoiled.

Am I wrong? Am I seeing monsters where there are none?

And yet . . .

Few people would have unrestricted access to the business account of the Cole Group, such that the withdrawal of fifty thousand pounds could happen without some very serious questions needing to be answered. Seth didn't know about it. Orla didn't seem to either. And so honestly, unless they have been subject to fraud on a prodigious scale, that only leaves Selena Cole.

"I told you to bring the checkbook. Didn't I tell you to bring the checkbook?" The woman's voice has clambered up an octave, has become querulous and shrill.

The man turns to the bank teller, rolls his eyes in exaggerated toddler style.

Could it really be a coincidence? Selena Cole vanishing at the same time as fifty thousand pounds? So what is it? What does that mean? She's stealing from her own business?

Why was Beck Chambers parked outside her house on the morning of her disappearance?

And what about Dominic's murder? Where does that fit in? Does it fit in at all?

I had returned to the Cole house, was the one who arrested Orla. In spite of the questioning, in spite of what we had said, I don't think she was expecting it. She looked at me, her gaze pinned to my lips as if she was deaf and the only way she could translate what I was saying was by their movement. I had expected a fight, some kind of token protest at the very least. But instead, she merely nodded, allowed me to lead her by the hand, a small child in my grasp. Looked at me like I had betrayed her.

They are arguing about parking now. I can see the teller, her face sliding into a flat irritation loosely covered in an ineffectual smile.

I had dropped Finn at the station, watched him leading Orla inside, and felt a splurge of guilt. For abandoning my duty yet again, or for arresting someone who had grown to trust me, I'm not sure. I watched them go. Did I think she was a murderer?

I don't know.

They are moving finally, the woman painfully slowly, tucking a wad of notes into her handbag, the man striding away, a loud huff of impatience following in his wake. I wait for her to clear the desk.

I no longer know what the hell to think. Instead I am just following where the evidence leads. What I should have been doing all along.

I lay my warrant card down before the teller, take a breath, and say it. Hold my breath.

"Yes, we have the Cole Group business account here."

It feels strangely unsteadying.

"I understand that rather a large withdrawal was made from that account recently," I say.

She types, frowns. Then, an eyebrow raised, says, "Yes, a total of fifty thousand pounds."

"When was this?"

"Ah . . ." More typing. "The first withdrawal was Tuesday at 5:26 PM." She bites her lip. "£10,000. That seems high . . . oh, here it is . . . the Cole Group has a long-standing arrangement with us that allows for large withdrawals. Still, that is a lot."

And it is during the missing hours.

"The first withdrawal?"

She nods. "A request was put in on that day for a withdrawal of an additional forty thousand pounds. We need time to accumulate that amount of cash, so the balance wasn't released until yesterday afternoon."

"And can you tell me who made the withdrawals?"

"Just a . . . Dr. Selena Cole."

I am not sure if I have heard the words or if I have willed them into being. All the same, there they are.

The deck is reshuffling, fast. What does this make it? A kidnapping? A classic case of *burundanguiado*? Drugging, emptying the bank account? How long does the effect of devil's breath last anyway? And then, the next question is, who is behind it? It comes back to

Beck Chambers. Beck Chambers, who has been watching the house, who has a history in South America, who would have access to the drug. Did he drug her, take her, empty her bank account . . . and then what? Go home? Sit on his couch and watch Jeremy Kyle?

Or is it Selena herself, stealing from her own company for her own gain?

I think I'm getting a headache.

"Could I possibly see your CCTV footage?"

The CCTV room is quiet, a blessed relief. I rest my head back, breathe. Think that the end is in sight and that when I reach that end, I can return home, to my babies.

The footage shows a dwindling day in the bank, crowds dissipating as the clock drags closer to 5:30. At 5:25, Selena Cole walks into the bank. She is wearing the wool coat, has her back to the camera so I can't see her face. She heads straight to the desk. I pause it, study the room. Because if she is the victim of a drugged kidnap, wouldn't the kidnapper want to be there, to keep an eye on his prize? There is a young woman, bent forward over a stroller, a recalcitrant toddler caught mid-scream. Two slightly older children hang off her from either side, look like their even distribution of pull is all that is preventing her from toppling over. A middle-aged man stands behind Selena. He is clutching a sheaf of papers, his glance caught over his shoulder, at the mother, her young children. The curl of his lip suggests they are irritating him.

I switch to a different camera, this one positioned directly behind the teller's head. In this shot, I can see Selena's face. What am I looking for? What does a person under the influence of scopolamine look like?

Would there be a dazed look to them, the suggestion of one who is sleepwalking through life? Would they look afraid or lost? Selena looks none of those things. Her glance flicks up to the camera, once, twice. She has been crying. I pause on that.

She stares at me.

It occurs to me that if I was the teller, I wouldn't know she'd been crying, but that I have begun to understand Selena Cole, that I have made her a matter of close study. I can see the slight downturn at the corners of her mouth, the very subtle puffiness that edges her eyes. I have learned to see behind Selena's show.

I unpause it. Watch as the teller leads her away, into a side room. Switch to another camera, a different room now, small and sparse. Watch as Selena sits in a solitary chair, waits, picking at a thread on her coat. Then the door opening, a woman, a different one, entering—a manager? She smiles brightly, her mouth moving in silent conversation. Selena leaning forward, her gaze hooked on the money tray before her. And then the money. A pile of notes, stacked like a row of terraced houses, then slipped into a large envelope.

Selena picks it up, cradling the envelope that contains ten thousand pounds. Spares some thin words for the woman who holds open the door for her, and vanishes into the waiting foyer beyond.

I flip back to the original camera, watch the foyer. Wait for someone I haven't noticed before, beyond the lip of the camera's angle maybe, to peel away, follow Selena with her ten thousand pounds.

But there is nothing.

Okay.

I turn to the outside camera.

They have to be here. Surely. If it is a kidnapping for ransom, they will be waiting to collect, if not inside, then right outside the doors.

There are people moving, the crowd thinned out by the bad weather. I curse. Umbrellas are up, and so from my angle I can see little but a series of circular shapes moving through Hereford town center. Even if Beck is here, I may not recognize him.

There she is.

Selena comes out. Pauses.

Is she afraid? Is she considering running? Or is she too drugged to know where she is?

Or is none of that the case?

She looks up to the sky, blinks as the rain hits her face, and tucks her collar up, a fairly useless concession to the weather. Holds the envelope tight to her.

Is she waiting for a handler to come and get her and their money? Is she waiting for Beck? Has she been told to come out of the bank, to wait, and is following her instructions helplessly?

But then she begins to walk.

There is no meandering, no dawdling, no ducking under a shelter to escape from the rain. She walks with a purpose. She knows where she's going even if I have no clue.

I shift to a different camera as she walks out of the shot.

This one is set to a wider angle, encompasses the length of the pedestrian zone. I can see the train station from here.

I watch as Selena cuts through the umbrellas, a line straight and true into the open train station doors.

She vanishes from view.

I sit back, my heart thumping.

That, then, is it. I have filled in some scant minutes in those missing hours. She went to the bank, withdrew fifty thousand pounds, then caught a train. Where? Where the hell was she going? I gather my belongings, think that the train station is my own next destination. She must have got a return, come back late at night, walked the river from town to where she was found, apparently confused and coatless.

I . . .

I pull my own coat on.

I have no idea what the hell is going on.

The footage is still running, albeit unintentionally. And a movement at the train station door stays me. I can't see her face; the station is much too far away for me to be sure whom I am seeing. But, like I said, I have made a study of Selena Cole. So I recognize her figure, the way she walks.

I sit back down.

She re-emerges from the train station. She's still wearing the coat, her hand pulling from the inside of it. Has she tucked the envelope inside, protecting it from the rain? She walks confidently back toward the camera. I scan her surroundings. From what I can see, she is alone. Then she walks past the limits of the camera range and is gone. I race the footage forward, to see if she comes back, but there is nothing.

I sit. Stare at the rapidly darkening screen.

Why did she go into the station? What did she do there?

Case No. 55
Victim: Tom Villier
Location: São Paulo, Brazil
Company: Private case
18 May 2010

Initial event

Tom Villier, aged twenty-three, was traveling around Latin America as part of a gap year program. On Friday 18 May, Mr. Villier was enjoying his second week in São Paulo, Brazil, staying at the Ascension Youth Hostel in the city. He was traveling independently but had made a number of friends, largely other young people residing in the same hostel. On the evening of the 18th, he went to a local bar with a small group of them.

Mr. Villier reports that he was drinking heavily and that sometime during the course of the night he became separated from his group. At approximately 2:00 am, he left the bar, intending to walk the short distance back to the hostel. According to Mr. Villier, upon exiting the bar he noticed a taxi idling at the curb, its driver talking to another young man. The driver then offered him a shared ride, as his passenger was heading in the same direction.

Due to Mr. Villier's excessive level of inebriation, he failed to wonder how the taxi driver knew where he was going, and both young men climbed into the rear of the taxi.

After traveling less than a hundred meters, Mr. Villier's fellow passenger pulled a handgun on him and ordered him to remove his watch (Breitling), his sunglasses (Ray-Ban), and his shoes (Air Jordan). His wallet was taken from him and all cash removed.

Mr. Villier was then informed that he would be taken to the nearest ATM, where he would withdraw $500. After handing over the cash to his kidnappers, he would then be released.

Mr. Villier, in the hope of bringing the incident to a close, followed the kidnappers' instructions and withdrew $500—the ATM daily limit in Brazil at this time. However, immediately after handing the money over, he was forced into the trunk of the car.

He reports that he was driven around for some indeterminate period of time, but that when the kidnappers stopped at a second ATM (presumably in the hopes of utilizing one of the other four credit cards in Mr. Villier's wallet) and attempted to remove him from the trunk, he fought back.

This is the end of Mr. Villier's period of recollection.

After a period of approximately thirty-six hours, Mr. Villier was discovered, bruised and seemingly disoriented, sitting on the curb outside the bar from which he had originally been kidnapped.

Response

After being informed of this incident by his son, Mr. Leighton Villier—the victim's father—contacted the Cole Group directly. He informed us that $4,000 had been taken from his son's various cards over that *thirty-six-hour period, and that his son had been unable to impress the gravity of the situation upon local police. He requested my—Ed Cole's—immediate attendance at the scene.*

Although Mr. Leighton Villier was advised that my contribution to events at this point was likely to be negligible, he was insistent that he wanted me to attend, and was more than happy to cover the cost of my services.

Upon arrival in São Paulo, I immediately sought out Mr. Tom Villier. I located him back at his hostel, ostensibly none the worse for his experience. It was, however, difficult to obtain a full and complete accounting from the victim, as at the time of my arrival, he was severely intoxicated.

Initial attempts were made to secure Mr. Villier, in terms of both his personal safety and his possessions, which were, upon my arrival, strewn across his room in easy access of anyone within the hostel. After this, I immediately proceeded to the local police station in order to ascertain the level of progress that had been made on this case. I was quickly informed that they had no leads and were, frankly, unlikely to get any. However, the officer on duty did express to me that leads might be more forthcoming were I to make him a gift of some modest amount of money. I declined.

After a lengthy conversation with the victim, I reached the conclusion that, after attempting to put up a fight, he was dosed with scopolamine—a drug in common usage in kidnap-for-ransom cases throughout Latin America, and known by the street name of devil's breath. This would account for his lack of memory for the intervening thirty-six hours, and for the apparent ease with which his kidnappers then went on to access his bank accounts.

Upon liaising with Mr. Leighton Villier's insurer, I was informed that as the victim was highly intoxicated and had failed to make even the most basic efforts to ensure his own safety, the policy would not pay out to reimburse the money lost.

Mr. Leighton Villier expressed to me his frustration at this. He then informed me that his priority at this point was the safety of his son. Two airline tickets were purchased, one for myself, one for Mr. Tom Villier, and it was requested that I collect the victim from his accommodation and ensure his return to the UK. Mr. Leighton Villier advised me that he had spoken with his son, and that he was happy to accept my escort out of São Paulo.

I had at this point been in São Paulo for less than twenty-four hours.

Upon returning to the hostel to collect the victim for transport to the airport, I discovered his room empty and his belongings gone. My initial response was to initialize kidnap protocols, believing that his original abductors had identified him as a lucrative target and that we were now likely to see a more protracted, and considerably more expensive, kidnap event.

I was then approached, however, by a friend of Mr. Tom Villier, who informed me that he had decided to decline his father's invitation for a speedy return home and had instead left São Paulo, with the plan of heading to Lima, Peru. I am unclear as to how he believed he was going to do this, as at that time he was without money, transport or, importantly, shoes.

Nonetheless, given that he had reached the age of majority, I felt that Mr. Tom Villier was well within his rights to continue his travels if he so wished.

I subsequently returned to the UK.

Note

Approximately two years after these events, Mr. Villier was once again a victim of kidnap for ransom, this time in Bogotá, where he was holidaying with friends. Unfortunately for the Villier family, this kidnap event would prove to be far more costly and time-consuming. His release was secured after eleven months in captivity (see case no. 83).

A Deal with the Devil

DS Finn Hale—Friday, 2:49 PM

"I didn't kill him."

"You can understand how we might wonder."

"Yes. But I didn't kill him."

"Were you angry with him?" I ask.

"With who? My husband or the man he was sleeping with?"

"Either. Both."

"Yes. And yes. But I didn't kill him."

"How did you find out?"

Orla shakes her head, a tired smile. "Seth isn't as good a liar as he thinks he is. Besides, this isn't the first time."

"There have been other men?"

"Yes. And I didn't kill any of them either."

"Did you never think of leaving?" I am intrigued, I confess. They talk about the mysteries of marriage, and I get that. The idea that you will never know what goes on within a relationship. But this . . . this apparent acceptance of . . . betrayal, is there another word for it?

This willingness to allow your spouse to do the same thing over and over again. Surely at some point it must become too much. Surely at some point you would snap. And then what? A knife stabbed into the lover's neck?

Orla looks at me, appears to be considering. Then, "I always knew that I loved him more than he loved me. When I first met him, when Ed introduced us, I fell for him, I mean, head over heels. And I knew that he was . . . calmer, more measured. But, I mean, whatever, it worked for us. The first time, when I realized what was happening, I was horrified. Heartbroken. And yet, in a strange way, it made me feel better. That the reason he wasn't as crazy about me as I was about him was that he just couldn't be, because there was this whole other side of him that he kept hidden."

"So you stayed."

She shrugs. "I loved him. I love him."

"And Dominic?"

"What about Dominic?"

"Was it different with him? From the others?"

"Maybe. You'd have to ask my husband." Orla leans forward. "Look, I'm going to make myself as clear as I can. No, of course, I wasn't happy with my husband's seemingly endless need for affairs. Of course, I wasn't. But it was a deal I had made with my own private devil. I wanted to keep my marriage together. Seth, in spite of everything, he wants to keep us together. So I deal with it. Sometimes I cry over it, but then I pick myself up and move on. It's a compromise that I am willing to make. I did not kill Dominic."

"Why were you trying to contact Dominic?"

Orla sighs, looks away. "I . . . I didn't know, about

this one. Not until Isaac called me. It was our home phone. I assume Seth had been calling Dominic from it. I think Isaac thought that it was me. That Dominic and I were . . . you know. And I'll be entirely honest with you, I was angry, once I realized what was going on. It had been a while since the last time Seth had done something like this. And I thought . . . I thought we'd turned a corner, you know?"

"So you were planning on confronting Dominic?"

"I was planning on venting. I was planning on yelling at him and then going home and drinking myself into a stupor so I could try and forget. I didn't manage to achieve part one. I'm pretty sure he knew what I was about to say. I managed part two, though. I left Selena's at about five o'clock. Went home and drank two bottles of wine. Fell asleep, passed out, whatever you want to call it, on the sofa and woke up at about five the next morning with a cat sleeping on my head." She gives me a level look. "I understand it isn't the best of alibis."

"No. Not really."

"Are you going to let me go?"

"Not right now."

She sighs heavily. "Then I'm sorry, but I think I'm done here. I'd like to see my solicitor, if you don't mind."

I nod slowly, acknowledging the inevitable. "I'll get the ball rolling," I say, standing.

She looks up at me. "I didn't kill him."

I walk slowly up the stairs. Did she kill him? I don't know.

The major incident room has settled into its rhythm, that segment of an investigation where everyone knows where they should be, what they should be doing. Busy but steady, unlike the first frantic hours and days. I look for Leah and then remember where she is, that I am lying for her should the need arise.

I pull up a chair. Did she see the signs, right back in the beginning? Did Leah catch what I had missed, the interconnectedness of these two cases? Because it is becoming apparent that they *are* connected. I shimmy my mouse, bringing my computer screen to life, feel a quick spasm of guilt. I doubted her, thought she had lost her edge, that her interest in the disappearance of Selena Cole was more about her own struggles than about the case itself.

"You okay, Finn?" Christa asks.

I am staring into space, I realize. "Yeah, fine. What's up?"

"Oh, nothing. Just doing the call logs."

"For Dominic Newell's mobile?" I pull my chair closer to hers.

"Yeah. Done the office. God, that took forever. Nearly finished with the mobile."

"Anything interesting?"

"Ah . . ." Christa scans her notes. "Bunch of calls throughout Monday. Isaac was apparently quite keen to talk to him. We have about eight missed calls from his mobile to Dominic's, a couple from their home phone as well."

"No answer?"

"Nope. We also have Orla Britten, calling him . . . one, two . . . four times on his mobile. Again, all go unanswered."

"Maybe he wasn't feeling chatty."

"Well, I guess that would depend who you were. He

took a number of calls. Three of them we traced to clients. He spent about fifteen, twenty minutes apiece talking with them. Then we have two, one lasting ten minutes, another thirty, from a mobile number that we have linked back to Seth Britten."

"What time was that?"

"What? Those calls? Um . . . one was at 4:02 PM, the other at 4:30."

"So Seth was calling from New York?"

Christa looks up at me, shrugs. "I guess. Then we have a final outgoing call made from the phone at 6:02 PM."

"Must have been right after he left the office."

"Just before his murder, based on our timeline. Lasts about fifteen minutes."

"Who did he call?"

"A landline in Endleby."

I stare at her. "Selena Cole's house?"

"Um . . . number is registered to an Ed Cole. So, yeah."

Bugger.

I turn away, without explanation, pull out my mobile, press SPEED-DIAL 1.

"Hey."

"Hey, it's me. She lied."

"Who?" Leah's voice is echoing, sounds like she is in a concert hall. Then there is a tinny voice, a loudspeaker announcement.

"Are you at the train station?"

"Yes. Who lied?"

"Selena. You said she told you she didn't know Dominic. Well, we have him placing a call to her home phone—private number, not the business line—at 6:02

PM. Orla says she left at five. Seth was in New York. Dominic and Selena talked for fifteen minutes."

Leah has stopped walking. I can hear it in the rhythm of her breath. "I'm going back," she says. "You need to get the search teams up there. Now."

"On it."

I turn to Christa and do what my rank tells me to do. Delegate. We need the search team to head out to the Cole house. As soon as. Then I pick up the desk phone, punch in the number from memory.

It takes five rings before it is answered, long enough that I have begun to question whether it will be.

"Hello, Hartley and Newell. Fae speaking. How may I help you?" She sounds like someone jolted from a deep sleep, answering the phone in a dream.

"Fae, it's DS Finn Hale. You okay?"

It takes her a moment to place my name. I am strangely insulted by this.

"Finn. Yes. Sorry. I didn't . . . I'm fine. I didn't sleep, what with everything." A shift and her tone changes, as if she has sat up straighter. "What can I do for you?"

"Ah, is Bronwyn there?"

"Sure. Let me just connect you."

A minute. Two. I watch Christa as she organizes the search teams. Give her a patronizing thumbs-up when she glances over. She grins. Returns the gesture, only with two fingers. Okay, then . . .

"Finn. To what do I owe the pleasure?" Bronwyn sounds husky and hoarse. She also sounds as if this is anything but a pleasure.

"I need to ask you something."

"Okay."

"We have a call on Dominic's phone log that we're trying to make sense of. At 6:02 PM, he called a Dr. Selena Cole. Name ring any bells with you?"

"No." The single word is thrown at me. "But then it wouldn't, would it? Because apparently I had little real idea as to what was going on in Dom's life."

"Ah, right." I look at the phone and try to roll back time so that I never picked it up in the first place. It doesn't work. "So you don't have any idea . . ."

"No, Finn. I have no idea who that is." A long pause, and I think she is done, then, "Perhaps he was shagging her."

The line goes dead in my hand.

I sit there, thinking.

Perhaps he was.

Lies

DC Leah Mackay—Friday, 3:30 PM

It has come full circle.

I stand on the pavement, close the car door softly behind me and watch Selena Cole as she stands in the playground on the brow of the hill. Tara is in the swing, just where she was on the fateful day. But this time, the older girl, Heather, stands beside her mother, so close that there is no air between them. She too has been here before.

Selena bends down, says something to her daughter, her words tugged away by the wind, and then I see her catch sight of me, her body reacting as if an electrical current has been sent through it. She stands up straight, turns to face me.

I don't bother attempting a smile this time.

"Heather," she says as I draw nearer, "will you take your sister on the slide for me?"

The little girl looks from me to her mother, opens her mouth to protest.

"It's okay. I promise. You'll be able to see me the

entire time." Selena rests her hand against her daughter's cheek. "It's okay."

"I only need a quick chat with your mum, honey." I say. "We'll stand right here."

Heather stares at me, and for perhaps the first time in my life I feel that I have been warned off by a seven-year-old. *Be nice to my mother or else. I'll try*, I think. *But my God, is your mother making it difficult.*

Selena lifts the smaller girl out of the swing, plants a swift kiss on her forehead, and then places her hand within her sister's. "Go on, Tar. Go with Heather. She'll take you sliding."

Tara's face balls up, chubby arms reaching for her mother, and I know that she too is afraid that the vanishing act will be repeated.

"Come on, Tar," says Heather. "We can slide together."

It appeases her, her sister's willingness to leave the stronghold undefended, and Tara complies, allowing Heather to lead her away. But she glances backward every few feet, just in case.

Selena looks at me, waiting.

"Was Orla here on Monday night?" I am done with preamble, with politeness and pretext. I have my own kids I want to go home to.

"I wish I could say she was. But no. She left about five o'clock." She is square on to me, challenging almost. "She didn't kill him, you know."

"Who? The guy you claimed not to know?"

Selena looks away.

"You've been lying to me, Selena." It is a statement of fact, and yet I am dimly aware of a faint flicker of hope buried within it, that she will deny it, that she will clarify. Do I still somehow hope that she will turn out to be who I thought she was? Why? So that I may feel vindicated? Somehow less foolish?

I went to the train station, marched in, so confident that it would all unspool before me, that they would have CCTV, that the cameras would be pointing just the way I needed them to point, that then I would understand and all that had been opaque would become clear. So sorry. Our internal system is down. We're waiting for engineers. Budget cuts. Everything takes forever now. Sorry about that.

Selena looks back at me, and I am surprised by how calm she is, how cool in spite of my accusation. "It is not always as simple as lying or telling the truth. Sometimes it is merely a matter of perspective."

"From my perspective, Selena, when someone lies to me, particularly in the midst of a murder investigation, I am forced to question why they would feel the need to do that. What bad thing they have done that they are afraid I will find out about. So," I say, "just to clarify—you did know Dominic Newell, didn't you?"

She lets go a breath, of resignation, perhaps relief. "I didn't know him well. But yes, to a certain extent, I did know Dominic."

"Why did you lie to me?"

She opens her mouth, closes it again, watches her girls as they careen down the slide, the smaller in the lap of the bigger.

"Okay," I say, making little effort to hide my irritation, "let's try this. A call was placed to your house at 6:02 PM on Monday. Who was that?"

I can see her weighing her words, making the decision whether to tell me the truth or to try another lie.

"Selena," I say, "my patience has run out. Let's not worry about perspectives. Let's just stick to facts. A call was made to your home phone at 6:02 PM on Monday. Who called you?"

"Dominic." She says it quietly.

"Excellent. Who received that call?"

"I did."

"How long did you talk for?"

"About fifteen minutes."

"What did he want?"

She waves her hands. "Some legal stuff. Wasn't really my thing. I told him Orla handles all that."

It is strange how I have come to know this woman, how the lies she tells now seem to be highlighted in a painful, vicious yellow.

"And that," I say, "took fifteen minutes?"

She glances at me. "Well, there were pleasantries, chitchat, you know."

I could confront her with the money, tell her that I know what she has done. But I don't. I hold it, for now.

"Tell me some more about Beck."

She blinks at me, seems genuinely surprised by my detour. "Beck Chambers? What else do you want to know?"

"What is your relationship with him?"

"I . . . I don't really have one."

"No? You know he's been watching you, right?"

"Watching me?" It is the first time that I have seen her truly taken off guard. "What do you mean, watching me?"

I suddenly feel unsteady again, the solid ground uncertain beneath my feet. Perhaps it *was* a kidnapping, perhaps he took her and she genuinely does not remember.

"He was parked outside your house. On the day you vanished. I was just wondering how long that had been going on."

"I genuinely had no idea. I . . . I don't know."

She is telling the truth.

"Have the two of you ever had a relationship?"

Selena pulls herself up, a flash of anger distorting her features. "You're asking me if I cheated on my husband with him? No. No, I did not."

"Then or since?"

Selena lowers her voice, leaning into me, and I fight the urge to take a step back. "My husband has been gone for a year." There is a tremor in her voice. "And every day has felt like the first day. Do you genuinely think that I have had any thoughts, any whatsoever, of sleeping with Beck Chambers? Or anyone else, for that matter? He was Ed's protégé. He was Ed's friend. That is as far as it goes. As to what he's doing parked outside my house, you'll have to ask him that."

"Could he be in love with you?" She opens her mouth, and I hold up my hands. "I'm not saying that it is reciprocated. But I am asking if there is any possibility that he has feelings you haven't been aware of?"

"I suppose." Selena watches her girls. "No. Look, I can't know the answer to that. How could I? But I truly do not believe that is the case."

"Which then returns us to the question, why was he watching you?"

She doesn't answer, doesn't look at me, and I realize that there is something there, that the blankness in her expression is a forced one, and that she is thinking of something that she will not tell me.

There is the sound of an engine, two engines, the police cars pulling up before the Cole house. I watch Selena as she turns, catches sight of them, watch her as she begins to process the implications of this.

"Oh," I say, "we have a warrant to search the house. You know, because of Orla. You don't mind, do you?"

That blankness again. What is she calculating?

"No. Of course. That's fine."

We stand together, looking down the hill toward the search team as they begin to tumble out onto the quiet street.

"Selena," I say quietly.

She looks at me, braced.

"What happened to you? When you disappeared? Where did you go?"

She studies me. Then, "I'm sorry. I still don't remember."

It's funny, when you get to know somebody, just how obvious their lies become.

The Car

DS Finn Hale—Friday, 6:11 PM

I put my foot down, speed along twisting country roads, going way too fast. They found the car. The DI came marching into the office. "Uniform found Dominic Newell's car. Turnout on a B road, couple of miles from Hay-on-Wye. Finn, get your backside there now." I take a hairpin bend fast enough that I end up on the wrong side of the road. Ease my foot off the gas.

Killing myself isn't going to make Dominic any less dead.

My headlights catch a plastic bag trapped in the hedging, and for a fleeting moment I think it is a face and feel my breath catch in my chest. I need to sleep more. Eat more. Everything more. Apart from work. That I do plenty of.

I reach the crest of the hill, feel the car picking up speed as it swoops into the valley below. Then I see it. A pool of light in a sea of darkness. The car. Dominic Newell's car. It looks like a star in a puddle of spotlights, the focus of everyone's gaze. The white light is tinted by the flash of blue from the police car, shadowy figures breaking the beam as they surround the vehicle.

I slow, slow, slot in behind the patrol car with the dizzying flashing lights, turn the engine off. I cannot see the car from here, but the hum of activity tells me it's there. Can see white-suited CSI, uniforms behind the cordon. I slide out of the driver's seat, begin to pull on my white forensic suit, my movements so rapid that they are destined to fail, fingers becoming thumbs.

Inside the cordon, Willa withdraws her head from inside the Audi A6. Her face is flat, less made up than usual, as if even she has finally buckled under the pressure. Her lips are pursed as she makes quick notes, throwing choppy instructions at her colleague, a girlish-framed man I have never seen before.

"How is it?" I ask, as much to announce myself as anything else.

Willa looks up at me, and I can tell that I have pulled her back from miles away. She frowns as if she's trying to place me. Then she shrugs. "Awesome." Her voice is throaty, like she too needs sleep. "Inside is a complete nightmare."

"How do you mean?"

She gives me a long look. "See for yourself."

I want to. And yet I don't. The car. The damn car. It has come to mean answers, has developed its own mythology, promising that once it appears, all things will become clear. I walk around Willa toward the open passenger door. It should be parked outside a nice restaurant, the valet having just dropped it off. I duck my head, keeping a good distance. Then I reel back.

I was expecting it. But still the amount of blood staggers me, literally knocking me backward so that for a moment I feel unsteady. It coats the cream leather seat, a red winter shawl dumped there by some cavalier passenger. It covers the center console, has turned the dark paneling darker still. The driver's side, that's taken a hit too, albeit a lesser one. But the passenger seat . . .

"That's where he died."

Willa shrugs again, doesn't answer.

But I can see it, can see Dominic Newell curled in on himself, desperately trying to hold together the gaping hole in his neck, breath coming shorter, briefer. Was he conscious? Was he begging for help, for a hospital, for his mother? I can see him, his hands over his neck, slumping lower and lower into the seat as the life runs out of him.

I step back, look out over the fields, breathe in the country air.

The wound, it was on the left side of his neck. So . . . either he was sitting in the passenger seat and someone reached in from the outside . . . but why would he be in the passenger seat of his own car? Or . . .

I lean, look in through the passenger door toward the driver's seat, the line of blood smudged and uneven on the left side of the seat. Or he was sitting in the driver's side when he was stabbed? By someone sitting in the passenger seat. Then . . . what? I look at the blood again, the driver's side; it looks less defined, like someone has pressed a cloth to it. So someone, his passenger, stabs him, gets him over into the passenger seat—did they pull him, did they get out, go 'round to the driver's side, push him from there?—and then climbs in and drives off while Dominic sits beside them, bleeding to death.

I stand up again, lean backward, trying to make the move look casual. Willa isn't looking at me. I glance at her, features tight, expression pinched, and I think that it has got to her too, finally. The reality of murder when it is, if not one of your own, then almost one of your own.

"You, ah, you okay?" I say it not looking at her, my gaze still on the blood. Such simple words, but they seem to open up so much. I'm not this guy. I'm not the one you want to spill your troubles to. Unless what you are looking for is asinine repartee. Then I'm your guy.

Willa stares at me; seems that she's thinking the same thing. "Yeah." It is defensive. Said in the same way she would tell me to piss off. Then she sags, like a tire losing air. "I'm tired. I haven't slept in . . . I don't know how long. And this . . ." She waves to the car.

"I know," I say. See? I got this. "It's a really hard thing to deal with."

She looks at me, snorts. "Not the blood, you wanker. What do you think I am? New?" She jabs her gloved hand back at the car. "Do you have any idea how long this shit is going to take?" She leans in closer, scowling fiercely. "I want to go to bloody sleep. I want to eat something. Anything. I'm not picky." She makes an irritated noise in the back of her throat.

Okay. Maybe I don't have this.

On the plus side, I'm starting to like this woman.

"So," I say, desperate to change the subject, "we have our murder scene?"

"I'd say," she agrees.

"Fingerprints?"

Willa nods. "Car is full of them. We'll have to eliminate Dominic, of course, but frankly, it doesn't look like his killer made any attempt to clean up after themselves."

"Panic?"

"Maybe."

I stare at the car, the star of the show in its spotlight. Watch as the other CSI does whatever the hell it is they do in the back seat. What a bloody mess.

Literally.

Sorry.

"We'll run these prints, hopefully get a hit," says Willa. "One thing we can be damn sure of, this was no professional assassin."

"Yeah," I say. "You aren't kidding." I kick at the grass beneath my feet, a ring of mud lapping at the toe of my shoe. "Well, look, I'll let you get back to it." Suck in a breath. "And, ah, maybe when we're all wrapped up on this case, I can take you out for Indian. You know, as a thank-you for all your hard work."

Willa stares at me, apparently as surprised by this as I am. Then she smiles, the lines on her forehead vanishing so quickly that I think I must have imagined them. "That would be good."

"Got something." The CSI's voice is muffled, strangulated by his awkward position, body half in, half out of the rear of the car.

Willa hurries over to him as he emerges, panting like he's run a marathon. He looks pale. Must be new.

I cannot see what he is holding, but I see Willa frown. Hear her say, "Well, isn't that interesting?"

"What's that?"

For a moment, I think she is going to ignore me, but then she beckons me closer, holding something up to the light. I frown, squint at it, can just make out flashes of red beneath the plastic. But then, I think, maybe I'm not seeing red at all, maybe it's just that my eyes have become so accustomed to the blood that the red is habit for them now.

Then I come closer and I realize what it is that I am seeing.

A penknife, its handle slick with blood.

Addendum to Cole Group case files (CONFIDENTIAL)
Ref: Case No. 68
THIS SPECIAL NOTE IS RESTRICTED ACCESS. THIS NOTE IS ONLY TO BE REFERENCED BY ED OR SELENA COLE.

The victim in this case is Harold Bayliss, CEO of Whalley Oil, and the location of kidnapping is Caqueta, Colombia.

Whalley Oil is a small British firm that has proven moderately successful with its oil operations within Latin America, particularly Colombia. They have established a highly profitable operation within the district of Caqueta. However, as is typical within this area, they have experienced a number of security concerns, primarily stemming from FARC rebels and a number of offshoot groups.

In September 2013, a bus carrying employees to Whalley's base of operations within the region was attacked by more than a dozen gunmen. Five employees were killed, three others seriously injured. Later examination of the circumstances surrounding the attack suggested that the attackers—believed to be a neo-paramilitary group operating out of the Darién Gap—had been provided with information about the movement of the employees into the base.

Whalley Oil has been a customer of the Cole Group for a number of years and, as such, is in receipt of both security training for its personnel and an annual audit of its security practices. Such an audit was carried out in early October 2013 in the aftermath of the attack on Whalley personnel. Our findings were that, while good practice procedures were in place in principle, there were a number of indications that there had been leaks in information from Whalley Oil to the rebels. Despite a shifting timetable and route for bus transports to and from headquarters, the rebels were in position, waiting to attack. In the months leading up to this attack, one employee—Carol Amis, a researcher with Whalley Oil—was shot and killed exiting her home address. Meanwhile, another—Jensen Frank—was kidnapped from his home and a ransom leveraged for his safe return (see case no. 56, 2007, for further details). Following on from these events, the conclusion was drawn that someone within the Whalley Oil operation was providing information to the rebels.

A number of recommendations were put forward by the Cole Group, including a cessation of operations within the Caqueta region until such a time as the safety of such operations could be assured.

Whalley Oil refused to act on these recommendations.

On 5 November 2013, the CEO of Whalley Oil, Harold Bayliss, aged sixty-one, traveled to Colombia in order to visit the scene of the attack and perform an inspection on the company premises. The Cole Group, upon learning of this plan, strongly advised against it. Whalley Oil had brought in a greater number of security personnel and shifted their operational schedules to make procedures less predictable. However, there was still the very great concern of information being provided to the rebels from within the company. Mr. Bayliss, however, remained determined to attend the scene, citing staff morale as his primary motivation.

Mr. Bayliss arrived at the company's base of operations at 10:25 am. As per his wishes, he met with survivors of the attack and was able to tour the facility. He was scheduled to depart for a lunch appointment at 12:05 pm.

At 12:04 pm, as Mr. Bayliss was being escorted to his waiting vehicle, an open-bed truck carrying armed men and four motorbikes, each with a rider and armed pillion passenger, arrived at the scene. Two of Mr. Bayliss's bodyguards were shot, one fatally. Mr. Bayliss was ushered into the truck, and after a number of rounds were fired into the engine and tires of his vehicle in order to cut off pursuit, the kidnappers left the scene with Mr. Bayliss as their hostage.

Response

At 12:15 pm, a call was placed to the Cole Group. Beck Chambers and I (Ed Cole) were attending a conference in San Francisco at the time. However, due to the high-risk nature of Mr. Bayliss's visit to Caqueta, plans had been put in place to transport us immediately to Colombia should such an incident occur. We were on the scene within fifteen hours of the kidnapping. Seth Britten joined us at the scene twelve hours later.

Upon our arrival, it was established that an operations manager within Whalley Oil had already begun the negotiation process with the kidnappers. Given the security concerns previously cited, it was decided that Mr. Chambers would take over this negotiation process in order to establish a ring of secrecy around our operations.

It was rapidly determined that the kidnappers were the same group that Seth Britten had dealt with on the Jensen Frank case (see above), a neo-paramilitary group locally known as Escorpion Rojo, who have, over recent years, begun to expand their kidnap-for-ransom activities in order to fund their illegal drug operations. This group has also identified itself as the culprits behind an IED attack on a police station in Medellín.

Having dealt with these particular kidnappers before, and knowing that they were experienced in kidnap for ransom, we had every reason to believe that Mr. Bayliss would be treated relatively well and that, as long as the negotiation was seen to be moving forward in a timely manner, there was excellent reason to hope for a positive outcome. However, it also gave us fair warning that the ransom would be unlikely to be settled cheaply. In this group's history of kidnapping, they have made a name for themselves with their demands for high ransoms and their determined unwillingness to shift from this position. In 2011, they were responsible for the kidnapping of Tamara Chase, a US citizen. Her family's inability to pay the hefty ransom demanded led to her swift execution.

Ultimately a ransom of £200,000 was settled on.

Mr. Bayliss was released after three weeks in captivity. Though in purported good health, he was unfortunately reporting chest pains and as such was transported immediately to the local hospital, where it was determined that he had suffered a fairly major heart attack while in captivity. After an initial treatment period, he was then flown back to the UK, where he underwent open-heart surgery. Despite a lengthy hospital stay, he is expected to make a full recovery.

Special considerations

In the aftermath of this case, Mr. Chambers reported to me that during the course of his negotiation, a suggestion was made that he might like to operate for the cartel as a drugs mule. Evidently, Escorpion Rojo is looking to expand their operations from Latin America into Europe, the UK specifically. The suggestion that was put to Mr. Chambers that he would serve as an excellent vehicle to transport their product—a scopolamine-based manufactured drug known throughout Latin America as El Diablo—into mainland Britain, and that he would be very generously reimbursed for his troubles. In ten years in the kidnap-and-ransom industry, and having dealt with many drug cartels, I have never been propositioned in such a manner. Neither has Seth Britten, in spite of the fact that he has had previous dealings with this group. This raises a number of questions for me. Mr. Chambers has experienced difficulties in the past with substance abuse. Has he made himself vulnerable to exploitation by using this information as a means of building trust during his negotiation? When this issue was raised with him, Mr. Chambers steadfastly denied that he had provided too much information about himself and his background to the kidnappers. However, it should be noted that this was only his third time leading a negotiation. My concern is that his inexperience has led to an error in judgment that has opened him up to danger. Until this issue is resolved to my satisfaction, all further negotiations conducted by Mr. Chambers will be closely supervised.

Selena Cole has been informed of these developments, and will henceforth be responsible for monitoring Mr. Chambers's progress within the company until such a time as we can be confident that substance abuse or the accompanying criminal offshoots of such are no longer an issue. Until then, Mr. Chambers will be unable to handle negotiations independently. The decision has also been made to avoid involving Mr. Chambers in cases where drugs are likely to be a factor.

Becoming Unstuck

DC Leah Mackay—Friday, 11:01 PM

The leftover frozen pizza is congealing beside me, the strings of mozzarella forming icicle shards. I push at it with my fingers, watch as a layer of oil weeps onto the plate, swamping a lonely olive in a slick of sunshine. I should wash up or—I glance at the clock—go to bed. But I don't do either. Instead I sit, prodding at the long-dead pizza with the nub of an overbitten nail. My kitchen has morphed into my office. There are papers strewn across the table, confetti at a wedding. The Cole Group case files.

I stayed later than I needed to. The DI released me at seven, told me to go home, spend some time with my kids. But it was seven. My kids were already in bed, settled there by my long-suffering mother-in-law, and he wasn't thinking about my family life but about his overtime budget, the man-hour numbers ratcheting ever upward. I made a show of smiling, looking appreciative, then went back into the office and printed off every single one of the Cole Group's case files.

Alex texted a little while ago, said that he was on his way. A business in Worcester, its entire IT system crashing at the worst possible time. But then, he had laughed, isn't it always the worst time? He's been there since early, trying to repair the damage that I can't even begin to understand.

I look at the littered papers. I should probably gather them up, but I don't. I just sit there.

I pick up a printed sheet, my fingers turning the white paper transparent. Case number 38. Aria Theaks.

Was this it? Was this what happened to Selena? A drugging? A disappearance.

Shuffle further back.

Case number 8. The Arthurs children. Dubai. That hovering question mark, the residual uncertainty between who was taken and who did the taking.

Case number 25. The Venezuelan housekeeper. There is the post-traumatic amnesia. So it is possible. But then Selena Cole would know that better than I would. And so, if she wanted to lie . . .

Then the kidnapping that was not a kidnapping, case number 41. The victim not a victim. Not really. Proven a liar. Am I closer with this one?

But I think of the CCTV footage, Selena withdrawing all that her company has in the bank and walking away. And I pull free case number 55, the Villier case. The express kidnapping in São Paulo, Brazil. Was this it? Was this what filled those missing hours?

I don't know. I sit, rest my head in my hands. The answer is here, somewhere before me. What happened is hidden in these files. I know it. I just can't find it. Can no longer see the forest for the trees. This whole thing, this vanishing, this disappearance, the world of kidnap and ransom constantly intruding where it has no place. And Dominic, lying dead.

What the hell am I missing?

We stood together, in the playground, watched as the search teams climbed out of the police cars, moving in steady concert toward her house. I looked at her, trying to read her face, but she had already vanished, locking herself away behind a stoic wall. Watching the children playing, their air distracted, their attention hooked on the police cars parked outside their house.

I reach out, begin to gather together the case files, stacking them in order. There are ninety-one. Ninety-one different stories. Ninety-one tales of tragedy, loss, sometimes redemption.

What do I take from them, now that I have them all gathered here together? That I cannot even begin to imagine the life and mind of Selena Cole. That what she does, what her husband did, extends so far beyond my realm of experience that I simply cannot fathom what it is to be her.

I take a sip of wine, a rich red Merlot.

Concentrate.

The answer is here somewhere.

I pull my pile apart again, reshuffling it now so that I have grouped all the cases involving Beck Chambers to one side. Now I lay them out, one beside another, a poor man's jigsaw. There was a lot of work in Latin America, in many of the cases drugs a common theme. That must have been tough for him. He had a history, had already had problems with substance abuse when Ed took him on. I study the addendum to case number 68 again. The kidnapping of Harold Bayliss.

What about this? Was that what happened? Did the

proximity to drugs simply become too much, the promise to make big money fast become too alluring for Beck?

I make a note on an A4 pad. I need to check on Beck's travel history. Has he been flying into and out of Latin America, perhaps making up for his lost wages by ferrying drugs into the UK?

And then what?

Think.

Did Dom find out? Did Beck lose his temper? Stab him? No. Beck wasn't in Cardiff at the time of Dominic's murder, was he? He was in Hereford.

So . . .

Okay, he's in the clear for one case. But what about the other? In Hereford, he was right on hand for Selena's vanishing. He had easy access to scopolamine, the means of drugging her quickly, quietly. She knew him; he could get right up close to her without her raising the alarm. And fifty thousand pounds . . . that would be handy for a guy out of work.

I think of Selena in the playground, putting her best smile on for her children as they screech down the slide, their gazes flicking back, again and again, to their house, to what is going on inside.

She was lying to me.

I sip the wine, know this fact like I know my own name. Selena Cole is lying. The only problem is, I have no idea what she is lying about. Does she know something about Orla; is she trying to protect her? But if she was going to lie for her, surely she would give her an alibi.

Orla.

I wonder how she is coping alone in the police cell.

I try to imagine her sticking a knife into Dominic's neck, but I come up short.

But then murderers are rarely who you imagine them to be. And I understand betrayal, the fury it brings with it.

I turn, look at the kitchen wall, fancy I can still see the mark of the pasta as it slid inexorably downward, my husband standing before it, awaiting his sentence.

And now I'm there again.

I put the wineglass down with a thump, the Merlot lapping at the rim. "No. I can't do this anymore."

As if on cue, the front door opens, closes, Alex's footsteps soft on the hall carpet. He looks tired, his dark hair standing on end, eyes heavy. I rub my hands across my face, try to wipe away the recollection, arrange my features so that he will not see. Attempt a smile.

But he walks into the kitchen, and instantly I see fear, and I know that my poker face is nowhere near as good as Selena Cole's.

"What's wrong?"

"Nothing." I don't think before I say it. I don't need to. It is, after all, what I always say. I say "nothing" and he accepts it, and then the conversation drifts onto the children or food or the weather, and what is wrong gets buried beneath a mountain of life. And then one day you realize the foundations are all eaten through, cracked by the weight of what you did not say.

I look at Alex. I open my mouth to tell him that his dinner is in the oven, that there is wine on the counter, and instead I say, "I don't know that I am ever going to get over it."

I don't need to define "it."

He rocks on his feet, as if I have delivered a blow. Then, nodding slowly, he slides into the seat next to me, so that we are not looking at one another but instead looking outward in the same direction.

"I'm sorry," he says.

I shake my head. He has said this before. Once, twice, a thousand times. There is nothing that this sorry will fix that the last one could not.

"What can I do?" he asks.

"I don't know."

"Do you want me to go?"

I don't answer right away, because the future has split before me, and I think of a lifetime of this, of silence where there should be words, of an etched memory of a betrayal that you never, ever thought you could survive, of missed communications and scars. And then I think of the other lifetime. Myself alone at the kitchen table, a vacuum where once he was.

"No." I am surprised at the quality of my voice, the sturdiness of it. Am equally surprised to realize that I am telling the truth. I do not want him to go.

"So . . ."

"So . . ." I say. "I want to be different. I want us to be different. I can't stay here, stuck like I have been. I need things to move on."

Alex nods, his expression one of relief and fear combined. His hands are resting on the table, pressed tight together, and I reach out, take one in mine. He stares at it for a moment, then at me, and again I am back there, the pasta sliding down the wall, the guilt standing stark on his face, and I want to stand up, to walk away. Instead I lean in, kiss him.

I don't remember the taste of my husband. Isn't that strange? I don't remember the way that his lips slot against mine, even though they must have done it hundreds of thousands of times before.

After moments, hours, I release him, and he looks at me, his eyes damp.

"Are we . . ."

"Yes," I say. "We're okay. But Alex?"

"Yes?"

"I hate that damn shirt."

Square One

DS Finn Hale—Saturday, 8:36 AM

No one says a word. I lean against the desk, look out across the major incident room, think that I have never seen it so full and so quiet. Leah sits at her desk, her arms folded, her gaze locked on Willa's. The others, well, they're just waiting to know if we're nearly done here, if we've got what we need to lock down a murderer, and if, finally, life can begin its slow return to normal.

"Willa," says the DI, "you want to brief the team on what you found in the victim's car?"

Dominic. In Dominic's car.

Willa stands up. She's wearing little makeup, has her hair pulled back into a high bun. She looks tired still, but she smiles at me as she passes.

"Thanks, boss. Okay. Car was a mess. We're pretty sure it's the murder scene. It didn't hurt that we had this." She holds up a photograph of the penknife, its blade black with blood. "Matches the wound, and we're confident in saying that this is our murder weapon. We're in the middle of processing fibers as we speak, but as to fingerprints, we got a high number. Mostly Dominic, as you would expect, some from Isaac. Again, not a surprise. And then a fairly large number of third-party prints. We compared those to the suspect we have in custody . . ."

There is an audible intake of breath. This is what they have been waiting for. To hear that Orla is the murderer, that we have the evidence, that the mania of a murder hunt can begin to slow, that we can move on to building a case and, perhaps, you know, sleep.

"I'm sorry to tell you that none of the prints in the car was a match to Orla Britten."

You can feel it, the sinking that follows the pronouncement. That not only are we not over, we are back to square one.

Willa looks a little like she is going to cry. "The prints on the handle of the murder weapon are clear, but they also are not a match to the suspect."

The DI looks grim. "Willa brought this information to me first thing this morning. In the light of this, Mrs. Britten was released half an hour ago."

There is an outbreak of mutters.

"What about the boyfriend?" asks Oliver, a hint of desperation in his voice that almost makes me smile. "Isaac Fletcher. His DNA was on Dominic, prints in the car. Shouldn't we . . ."

"We did a search on the house," I say, trying not to sound smug. "We got nothing. As things stand, we have nothing on him." I think of Isaac, head in his hands, tears flowing, and finally relax into it, the thought that he is a victim. "At this point, I think we have no reason to think he is anything other than a grieving family member."

"So," says Oliver, "why the hell didn't he report Dominic missing? Wouldn't you? If your partner didn't come home one night?"

"They were having issues," offers Leah. "Perhaps he thought Dominic had simply left him."

"Did he say that?" asks Oliver.

Leah gives him a level look. "Perhaps you should go chat with him. Give those excellent interpersonal skills of yours a workout."

"Look," says the DI, "I know. We're all tired. We've all been working hard. Take five minutes. Have a break, have a bitch, and then let's get back to it. We may not have the suspect yet, but we have eliminated a number of people from our enquiries. We are getting there." He looks at us, willing someone, anyone, to believe him. "All right, everyone back to your assigned roles. Thank you."

We sit, try to look obedient long enough for him to return to his office.

"Dammit," says Christa.

"Yeah," agrees Leah.

"Are they done processing the evidence from the Cole house search?" I ask. I am, admittedly, grasping at straws.

"Just came through," says Christa. "As you might expect, nothing tying Orla to Dominic's murder except what we already knew about. Although interesting to see how families work, isn't it?"

"What do you mean?" asks Leah.

"That Selena, she really doesn't trust her brother-in-law, does she?"

"Her brother . . . you mean Seth?" Leah frowns "Why? What did they find?"

"Apparently, she's been e-mailing people, checking up on him. Wanting to make sure he was where he said he was going to be."

"Perhaps she had an idea he was having an affair?" I offer. "Maybe she was doing some detective work of her own before she took it to Orla?"

"Yeah," says Leah. "Maybe. Hey, what time did you say those calls to Dominic's mobile came in from Seth? You know? The ones on the day of the murder."

Christa looks at her computer screen. "Ah, 4:02 and 4:30."

"And we're sure they were from New York?" asks Leah.

I frown. "What are you thinking?"

Leah looks at me. "I'm thinking that if Selena suspected Seth was a liar, why are we so confident he's told us the truth?"

I nod. Pick up the phone. "You make an excellent point. Who did he say he was flying with?"

"Atlantic Air."

I pull the website up on the screen, find the number, dial quickly. I often think it would be far easier to book holidays if I could simply tell the operator it was a part of a police investigation. I look at Leah, roll my eyes, as I am quickly transferred through three ranks of airline staff before finally landing at a supervisor. Leah grins.

"You were looking at passenger manifests for Tuesday the twentieth?"

"I was. I'm interested in the Newark to Gatwick flight, lands 7:20 AM."

"No."

"Sorry?"

"No, we don't have one at that time. It lands at 9:05 AM."

Okay, two hours, give or take. Easy mistake for Seth to have made, I guess.

"Okay, no problem. Can you just confirm that you have a passenger by the name of Seth Britten onboard that flight."

"No."

"Sorry?"

"No, there was no passenger by the name of Britten on that flight."

I am momentarily floored. I sit with the phone to my ear and try to think of the next words that should be coming from my mouth. Leah is watching me, frowning.

"There was a Mr. Seth Britten on an earlier flight."

"How much earlier?"

"That flight . . . Newark to Gatwick, landed at 10:36 AM on Monday the nineteenth."

He lied. The sonofabitch lied. He was in the country. He had almost eight hours to make it to Dominic's workplace in time to pick him up coming out. He could have killed him.

"That was a connecting flight."

"Sorry? What was?"

The woman on the phone sighs noisily. "The passenger, Mr. Britten, he connected through Newark onto that flight."

"So . . . he wasn't in New York."

"No. The origin of that first flight was Bogotá. Colombia."

Case No. 79
Victim: Gerald Breen
Location: Prague, Czech Republic
Company: EuroTech
3 October 2013

Initial event

Mr. Gerald Breen, an employee of EuroTech and a UK national, left his home in the Vinohrady quarter of Prague 2 at 7:36 on the morning of Thursday 3 October. He said good-bye to his wife and informed her that he was heading straight in to EuroTech's offices, located in the Nove Mesto quarter of Prague 1.

At 8:31 am, Mrs. Cynthia Breen placed a call to EuroTech asking to speak to her husband, and was greatly alarmed to discover that he had not yet arrived. His supervisor was, at this point, however, unconcerned, and expressed to Mrs. Breen that it was not unknown for her husband to be late.

Mrs. Breen, unconvinced, began a search of the surrounding area in the hope of locating her husband. She also contacted EuroTech's head office (based in Madrid) and informed them that her husband had been receiving threats for a number of weeks, and that over the previous days he had expressed to her a concern that he was being followed.

Upon returning to their apartment, Mrs. Breen found a letter waiting for her confirming that her husband had in fact been kidnapped and requesting a ransom of £500,000 for his safe return.

Response

Immediately upon notification of the disappearance of Mr. Gerald Breen, the head office of EuroTech placed a call to their insurance provider (Triumph Global). The Cole Group was immediately asked to respond to the scene. The response group consisted of myself (Ed Cole) and Mr. Seth Britten. We were on site within twelve hours of Mr. Breen's disappearance.

We immediately attended the residence of Mr. and Mrs. Breen, where the local police had already assumed control of the case. Mrs. Breen handed over the ransom note, and also provided a full and graphic account of the threats that had been leveled at her husband in the preceding weeks.

I served as liaison with EuroTech and the local authorities, while Mr. Britten acted as liaison for Triumph Global.

It should be noted that this case prompted no small degree of speculation. While kidnap for ransom is not unheard of in the Czech Republic, it is not considered to be a high-risk area. In fact, this was the Cole Group's first case within the Czech Republic. Human trafficking must always be considered a possibility in this region. However, given Mr. Breen's age—fifty-three—and his fairly obvious health issues (he is both medically obese and has cartilage damage in both knees, and so is physically quite compromised), he seems to be an unlikely candidate.

The ransom note itself was typed and gave no signifiers indicating its point of origin, or any clues as to the identity of its author.

After seventy-two hours, no further contact had been received from the kidnapper, thus making it impossible to establish proof of life or begin any kind of negotiation process.

Mrs. Breen was, by this point, tremendously distressed and began, despite our efforts to restrain her, to repeatedly contact Triumph Global herself in the hope that she could convince them to pay the ransom in full. Myself and Mr. Britten (and eventually also an operative from Triumph Global) explained to Mrs. Breen that this would not be policy in such cases, and that she would first have to raise the £500,000 herself, which would then be refunded to her by the insurer.

Mrs. Breen appeared to lose her enthusiasm for a quick payment after learning this.

Investigations into Mr. Breen's background also caused us no small measure of concern. It was revealed by his supervisor at EuroTech that Mr. Breen had been due to attend a disciplinary procedure on the day of his disappearance. His work record, performance, and levels of nonattendance were such that he would have been fired at that meeting. Moreover, the seriousness of his situation had been made abundantly clear to him.

After ninety-six hours during which the kidnappers had remained resolutely silent, the local police began an examination of the Breens' home computer. There they discovered the original ransom note, plus an extensive history of researching kidnap-for-ransom cases. They also discovered a booking in the name of Mr. M.

Jones for a room in the Hotel Merkur in Prague's historical district.

Mr. Breen was later located in said hotel.

Both he and Mrs. Breen were immediately arrested for attempted insurance fraud.

Note

This is by no means the only case of faked kidnapping that the Cole Group has dealt with (see case nos. 12, 47, 60). In each of these cases, the insured individual has vanished without explanation, only for a ransom demand to come in to a family member or employer sometime later. In the vast majority of these cases, the fraud is recognized as such and the plan foiled. However, there are cases on record (most notably the Swain kidnapping, 2005—dealt with by Empire Security) in which the perpetrator has successfully managed to create the impression of a kidnapping, to the extent that the insurer pays the "ransom." In the Swain case, the deception was only identified some four years later, when an eagle-eyed associate noticed that the Swain family had suddenly become far wealthier in the aftermath of Mr. Swain's "ordeal."

While the industry has good safeguards against such criminality, the system is not foolproof, and it remains an ever-growing problem. As the general public's awareness of K&R insurance grows, it is likely that these issues will only become more pressing.

What Comes Next

Orla Britten—Saturday, 9:43 AM

Orla sat, her head resting on her sister-in-law's outstretched hand, the hard wood of the kitchen table cold against her cheek. She was crying. Could she even remember the last time she had cried? In truth, it felt like a relief, that the tears might have some shot at washing clean all that had become so corrupted.

"Let me get you something to eat." Selena's voice was soft, her hand stroking back the hair that had fallen into Orla's eyes.

It felt like being at home again, in the old days, when it was her and Ed, before Mum's cancer, Dad's stroke. That was what she wanted now, when it came right down to it. She wanted to be a child again, to be taken care of and to know that there was a clear run ahead, that her life hadn't already been destroyed by a myriad of bad decisions.

"They fed me."

She missed Ed, missed him with a fierceness that seemed to eat through her insides. She had never known a world without him, not until that Brazilian day. Her big brother, a knight at arms, he would protect her, he would make everything well. He always had.

"Some tea, then?"

What would he say, that brother of hers, if he could see where they were now? A husband with a parade of gay lovers. An arrest for murder. He wouldn't know them.

Orla pushed herself up, her head swaying with exhaustion, the suddenness of the movement. "Yes," she heard herself say. "Tea. Tea would be good."

She watched as Selena stood, her hand gripping Orla's own, one tight squeeze and then gone. How fast it happens, she thought. There and then gone again. Like Ed. And now Seth.

"Have you heard from him?" Selena asked, her voice quiet.

No need to ask whom she was talking about. "Not since my . . ." Orla stopped, felt tears catch at her throat. If she said it, then it would become so. She would become the kind of person who could possibly be arrested for murder. "I thought he would be here when I came out. I thought he would have come for me."

Selena made a small noise in the back of her throat, dropped a tea bag into the teapot, rattling the china lid more than she needed to.

"I think he believes I did it." Orla hadn't known she thought that. Not until she said it. But now that the words were out, she was sure. Her husband thought her a murderer.

The kettle thundered to a boil, a click, the silence afterwards that was deafening. "Then he's an idiot," said Selena shortly. She poured the water into the pot. "Why don't you stay here with us? Just for a little while? Until you figure out your next move."

Her next move. What would that be? What could it possibly look like? Where could you move to when you had so neatly boxed yourself into a corner that seemed to have more sharp edges than could ever be feasible?

"Have *you* heard from him?" It irritated Orla how plaintive her own voice sounded, how needy. That in spite of everything that had gone before, she could still cling to this man, her husband in the thinnest of all senses.

Selena shook her head. Or was she simply trying to pull back from the steam escaping from the kettle. "No," she said, killing all hope. "I'm sorry."

It should be over. That would be what her mother would have said. That would be what her brother would have said. And Orla herself? What would she say?

That she was thirty-six years old, that relationships before Seth had been pale, uninspiring affairs, that it had seemed inevitable that she would remain alone, towed along in the shadow of her brother's family, a tug behind a cruise liner. She wanted children. She had always wanted children. It had been one of the constants of her life. And marriage would allow her that, wouldn't it? That was, after all, what it was for. And yet . . . I don't want kids, Seth had said. It's just not me. I'm not the fatherly kind. She had cried, not in front of him, but privately, had watched as her future landscape shifted, an earthquake of staggering proportions. In the end, she had taken it. Had traded one future for another. A husband for children. She was a grown-up; it was all about compromise.

Without him, what did that future look like?

"I'm out of sugar."

"What?"

"Sugar. I don't have any."

"That's okay. I can do without."

"It's okay. I forgot the shopping bag. It's just in the car."

"Honestly . . ."

Selena turned toward her, smiled. Planted a kiss on her forehead. "I'll just be a sec. The girls are upstairs. They're playing. You . . . you'll keep an eye on them, won't you?"

Orla nodded. Wiped a tear from her cheek. Perhaps Seth had returned to London. He always preferred it there, said he needed to be around people, to feel part of things, was never entirely comfortable down here in the sticks, with just the mountains and the quiet for company. He said it was his background, that the military got you used to constant company, made silence seem suffocating. He would have gone to the flat in London. For some breathing space.

She picked up her phone, pressed the home button. The screen lit up with a screen saver of her, Seth, the girls. Of course, he hadn't called. She would have heard it. And if she hadn't heard it, she would still have known, instinctively.

Dimly, somewhere on the edge of her awareness, Orla heard a car engine.

She studied the picture. The girls. Daughters to replace the ones she would never have. And yet they weren't, were they? They were her brother's, they were Selena's, but they were not hers.

She tapped the phone with her finger's fleshy pad. She could call Seth. He was her husband, after all. Surely that was the very least privilege that such a relationship should allow.

She stared as the screen gradually darkened, it too tired of waiting.

Dr. Minieri, he said he was comfortable that Selena was well. They were communicating regularly; he had no real concerns at this point. Would he say the same about Orla herself if he could see her now?

Her stomach had begun to flip, inelegant somersaults that brought with them a sharp sting of pain. What was that? She breathed out slowly, an effort to reestablish control. Something had frightened her, something had set her nerves on edge. What was it?

Then she remembered the sound, the dim throaty rumble of a car engine, and her stomach stabbed at her, a throb of pain that lanced to her hip bones.

Was it him? Was it Seth?

She sat at the kitchen table, barely able to breathe, let alone move, and listened, straining to hear above her own heartbeat. The girls were playing upstairs, childish voices raised into faux adulthood. She listened for a car door, for footsteps on the path. But there was nothing, just the children.

It took another moment, longer perhaps than it should have. It began as a vague unsteadiness, a creeping sense of wrongness.

Where was Selena?

She had only gone out to the car. The car was parked just outside. It shouldn't take this long, should it?

Orla looked at the clock, studying it fiercely, trying to remember where the big hand had sat when Selena had walked out of the door. The pain in her stomach was fierce now, an air-raid siren—take cover, danger coming.

She strained, listening for Selena's footsteps, for the sound of her voice, perhaps stuck on the phone, perhaps talking to a neighbor. But no, her phone had been on the kitchen counter, hadn't it? Orla cast about, the vague recollection of a vibration against the granite counter. When was that? She hadn't been paying attention, had been too busy drowning in her own misery to really notice. But, yes, it was just before Selena had left, wasn't it?

So that was it, then.

She would be outside, on the phone.

Everything was fine.

Orla sat there, her eyes fixed on the clock, watching. One minute. Two minutes. Three minutes. She couldn't move. She shouldn't move. Because when she did, it would be real. It would have happened again.

But stillness could not be bought, and the silence that came with the absence of an expected sound was no real silence at all. Orla pushed herself to her feet, hurried down the hall.

It would be nothing.

It would be fine.

Hadn't Selena's coat been on the peg when she first came in? Hadn't her handbag been slung over the banister?

Her head was light now, and for a brief, unsteady moment, Orla wondered if she was asleep, if this was a nightmare and she would wake up alone, in a police cell. She pulled open the front door, stepped out onto the porch.

It had begun to rain again, a steady plock, plock, plock on the drive. She ventured out into it, wincing as cold drizzle snaked its way between her shoulder blades. And stood, her feet welded to the ground. The car was gone.

She looked wildly, left to right. It had to be . . . She'd been wrong. It must have been parked . . . She ran down the path, yanking open the small gate so that she was standing out in the street.

The rain washed over her.

There was no car. Selena had gone.

Full Circle

DC Leah Mackay—Saturday, 9:58 AM

"Why would he lie?"

"Because he's a murderer?"

I look at Finn, pull a face. "Well, okay, but why lie about being in New York? The Cole Group works out of Colombia, so it wouldn't be weird. Why not just say he was there?"

"Maybe he wasn't there for work," suggests Finn. He leans forward in his office chair, getting into the swing of things now, just a boy, my little brother, playing at detectives. "Maybe the lie wasn't for our benefit, but for Selena's or Orla's. They would both know where he was supposed to be, what cases they've got running."

"Okay." I turn, stare out of the window at the fog of rain. Think of Seth, a lover. Spurned, maybe? Or perhaps simply afraid that Dominic will not be discreet enough, that his secret will escape with this one miscalculation. And maybe he gets afraid, maybe he loses it, stabs him in a spurt of anger.

"So why the hell is he carrying 'round a knife?"

Finn shrugs. "People have penknives. It's not that weird. He's ex-military." He blows out a breath. "I don't know, Lee, maybe he was a Boy Scout and thought he'd need to make a fire. Or . . ." he gives me a long look. "Maybe it wasn't as spontaneous as we thought?"

It feels as if the answer is before me, that if I concentrate hard enough, I can line my thoughts up, get them to make sense. "He goes to meet Dom, armed, knowing he's going to kill him, then, after doing it, he just dumps the car, dumps the knife, legs it, leaving all the evidence there for us?"

Finn shrugs, biting his nails. "We need to get his prints. It should have been done before. We need DNA, fibers. We could have closed this down by now."

I push myself up. "Come on," I say. "Let's head up there. Get Seth's prints. Have a little chat with him."

Finn is out of his chair before the sentence has time to grow cold. "Yes. I'll drive."

I smile, am grabbing for my phone when it begins to ring. I don't recognize the number.

"Hello, DC Mackay."

There is a patch of silence. Then a hefty sigh. "It's Orla. Orla Britten."

I sink back down, pull my chair closer to my desk, gesture to Finn. "Orla. Hi."

I haven't spoken to her, not since I arrested her, and the weight of that sits between us. My insides have turned soft at the sound of her voice, as if somehow they know it will bring something with it that I have not accounted for.

"I didn't know who else to call."

"Okay."

"She's gone."

"Who's gone?"

"Selena. Selena is gone. Again."

I stare at Finn, trying to find my balance, the déjà vu shifting my foundations. "She's . . ."

"I know."

"Well, what . . . ?"

"She went to her car." Orla sounds like she has been crying, her voice thick, tired. "She said she was only going to grab the shopping. That she would be right back. But the car, it's gone. She's gone."

It is like I expected this all along, that somewhere deep down I always knew we would go in a full circle, ending up right back here, where we began.

"Seth . . . ," I begin.

"I don't know where he is either. He had left by the time I got back from the station. I assume London, but I really don't know. It's just me now. Me and the girls."

"Okay." Possible futures shift before me, the cards shuffling fast. "I'm on my way. We'll find them. I'll be there soon."

Finn is watching me as I hang up the phone, is still standing, his keys in his hand. "What?"

"Selena is gone again."

"She's . . ."

"There's something else going on here," I say. "She's connected. Somehow, whatever has happened, she's involved. Seth isn't at the house. We need to put a wanted marker out on both of them."

Finn already has the phone in his hand, is dialing. "So you think Selena . . ."

"I don't know. I don't know what I think."

"The prints in the car weren't a match for Selena's. They didn't find anything in the search of her home."

"I know." And yet it remains, the knowledge of being lied to.

I wait as Finn gets through to the SIO, briefs him, aware that it is now me who cannot stay still, that I am bouncing in place. She has gone again. It is turning into a farce. Has she walked? Was she kidnapped? The same questions, just a different day. Then I think of Beck Chambers outside the Cole house on the morning of her disappearance. Her first disappearance.

I hurry over to my computer, pull up Chambers's file. Find the number. Dial.

I am expecting it to ring out. Do not think for a moment that he will answer.

"Yeah."

I stand there, stunned into silence. Then, "Beck?"

"Yeah? Who's this?"

I suck in a breath, aware that Alex is watching me. "Beck, this is DC Leah Mackay. Where are you?"

A long, stagnant silence. "What do you need, DC Mackay?"

I roll the dice. "I need to know where you are, Beck. And I need to know where Selena Cole is."

I can hear him thinking, and for a foolish, optimistic moment, I think that he is going to talk, that the end is at hand.

"This is none of your concern, Leah. You need to leave it."

A click, and he is gone.

I stand in the office, the phone in my limp hand, feel seasick.

“What?” asks Finn. “What did he say?”

“Call the SIO back,” I say. “He needs to put out an additional wanted marker on Beck. He’s with her.”

Everything Changes

DS Finn Hale—Saturday, 10:20 AM

I take the corner way too fast, the rim of the tire bumping up over the curb, back down the other side.

"Whoa, cowboy," mutters Leah.

"Sorry."

I bust through lights as they are flicking to red, put my foot down. Heading out of Hereford, away from the crowds, the low-slung buildings, out into the countryside. Toward the Cole house. We head here because we have nowhere else to head to, and the thought of just sitting in the office and waiting is unbearable.

"Maybe there'll be something there, at the Cole house, I mean. Something that'll give us a lead as to where she went."

"Yeah." Leah is staring ahead of us, her hands wrapped tight around the seat. "Maybe." She gives an edgy little laugh. "I'm pretty sure I've done this before, you know."

The Hereford traffic gives way to country calm. We are heading along a country lane now, bare branches scraping overhead. It occurs to me where we are, that the river, the place at which Selena Cole was found, is right there, its water a gray sheen glimpsed through the autumn remnants of trees.

"It feels like a lifetime ago, doesn't it? That first day?"

"Yes." Leah's lips are sewn up tight, her pallor has sunk toward gray. She always was a terrible passenger, bringing the threat of sickness on any childhood journey we took. I ease my foot off the accelerator, take the next bend a little slower. Look down and can see her grip has loosened, just slightly.

"I was a prick."

She looks at me. "You weren't a prick. What do you mean?"

I glance across. "I thought you were overidentifying. With Selena Cole. I thought it was, you know, a mother thing."

"A mother thing?"

"You know, she has two girls. You have two girls."

She gives me a look that I try studiously to avoid. "You know that Selena Cole and I are not the only people in the world ever to have kids, right?"

I snort. "Look, do you want me to apologize or not?"

"Sure. Go for it."

"I'm sorry for not trusting you."

Leah looks away out of the window, then back at me. "You know what? You *were* a prick. But I forgive you."

"Thanks." I grin. Then I sigh. "I didn't think they were connected." My God, it's like a confessional in here.

Leah smiles. "Neither did I. I just . . . I had to know. What happened in those missing hours."

Strange how I now cannot disentangle these two cases, how they have come to form one in my mind.

"Still," I say, resolutely determined to throw myself on my sword, "I should have listened to you."

Leah doesn't answer for a moment, is watching the river as it flashes by. Then she reaches over, pats my shoulder. "Ah well. You'll know better next time."

The airwave set beeps, sending a jolt of electricity through me. Leah grabs for it.

"Leah Mackay."

"Yeah, we've had a result on your wanted marker. Mobile ANPR unit picked up Selena Cole's Range Rover passing by Llanthony, heading into the Brecon Beacons National Park."

I yank the car over to the side of the road, pulling it into an unrealistically tight turn, Leah's hand flying up to grab the passenger-side handle, and head back the way we came, my foot flat now.

"Got it. We're en route."

We are flying now, whipping by the trees so fast that even I feel sick. There are so many questions rising up. Unfortunately, neither of us knows the answers. I turn in to another country lane, narrower now, the speed feeling painful. We have begun to climb, the landscape rearing up toward the sky.

Where the hell is Selena Cole going?

Music. For a dislocating moment, I think we have stumbled on a countryside rave. But it is just Leah's phone.

She answers without looking at it, hand still clutching the overhead handle.

"Hello? Yes. Hi, Willa. No. No, I'm not. Okay. So, did you . . . Okay."

I strain to listen, trying to find Willa's voice against the sound of the engine, the whoomp, whoomp, whoomp of tires on the uneven road.

"You're kidding."

I look at Leah. Mouth "What?" but she is ignoring me, is looking straight ahead.

"So there's no way . . . Okay, you're sure? Yeah, well, you understand why I ask? I know. Right."

I can't sit on it any longer. "What? What is it?"

Leah waves me away. "I know. Okay, thanks, Willa. Yeah. That . . . that changes everything." She glances over at me, away again.

"What?"

"Yeah, thanks. Bye."

We have burst through the trees, out onto an open mountain road, a precipitous drop on one side, a vertiginous climb on the other. I really should be concentrating.

"What is it?"

Leah releases her death grip on the handle, stares straight ahead. "I . . ."

"Oh, sweet Jesus, if you don't tell me right now, I'm calling Mum!"

In spite of herself, Leah laughs. "Um . . . right . . . The sweater. Selena Cole's sweater. The results are in."

"Okay?"

"It was blood."

"Dominic's?"

Leah shakes her head slowly. "No, Finn. It wasn't Dominic's."

Into the Mountains

DC Leah Mackay—Saturday, 10:39 AM

There is a wildness here. The mountains etched green with scrub, climbing, their tips vanishing into the cloud that lies flat over them. Finn has slowed now, is driving carefully on the snaking road.

"You got anything?"

I glance down at my phone, signal nonexistent. "Nothing." Pick up the airwave set and fiddle with the buttons. "Airwave is down too."

"Awesome." Finn sighs.

"Yes."

I don't know how long we've been driving, but it cannot be as long as it feels, because had it been, we would have pushed straight through the Beacons, right out the other side. But we have seen no cars, no lights, nothing to tell us that this is anything other than a wild goose chase, with Selena Cole at the center of it. Again. The rain has begun to drive hard now, is bouncing off the windscreen.

"It's getting worse," I offer.

Finn flips the wipers, the arms increasing their speed so that the water swashes across the surface of the screen. We are starting to drop down now, as the road winds its way out from the clouds, into the valley below.

"We're nearly out of the Beacons," mutters Finn. "This road connects back to the main road."

I look out the window, squint as if that will help. "Where the hell is she?"

"Is it possible she turns into a bat or some other small mammal?" Finn asks through gritted teeth.

I look back, trying to make out shapes through the cloud. "We must have missed her."

"How? It's us and four thousand sheep. Wouldn't we have noticed a Range Rover in amongst them?"

I look at the road behind, turn, look ahead, then glance at Finn.

"No."

"We've missed her."

"No, we haven't."

I give him a moment to pull himself together, feel the car creaking to a painful vertiginous stop. "Remember you said you'd listen to me next time? Welcome to the next time. We need to go back."

Finn doesn't look at me. I'm pretty sure he's counting to a high number. Then, grinding his teeth, he steers the car carefully into a turnout.

"If we die doing this ninety-eight-point turn, I'm blaming you."

"Yeah, well," I mutter. "Maybe try not to drive us off the edge of the mountain."

He is sweating by the time he is done, the car now facing uphill, into the cloud, the driving rain. He looks at me, smiles brightly. "Let's try that one again, shall we?"

We inch forward, slower now. I kid myself that it is because we are searching, but in truth I know that any speed and we will drive right off the precipitous mountain road into the crevasse below. The world is opaque, cloud thick enough that the mountain beyond has vanished.

"There."

Finn slams on the brakes, sending us ricocheting against our seat belts. "What? Where?"

"There's a road."

In truth, it is little like a road. More a track, uneven and winding, that dips down the mountainside, vanishing into a clump of trees.

"You are shitting me."

"Finn."

"Leah, we don't know where that leads. If we can't turn around down there, we are stuck. With no signal. No radio."

I lean forward, peer through the rain. "There are tire tracks. There in the mud. Someone has gone down there."

"God, now she's Poirot."

"Finn!"

"Fine. Fine. I'm going. But if we die, I'm not just blaming you, I'm suing you."

I grin.

The track is narrow, rough enough that I begin to doubt my own assertions. It rattles us through a copse of trees, snaking round and out the other side.

"There's a house down there," I say.

It is, of course, a house in name only. A stone-built cottage, so small that it would be a wonder if it has ever housed anyone. I open the window in spite of the rain, and catch a glimpse of metal. "There's a car too."

"Marvelous," grumbles Finn.

We inch closer, the cottage vanishing behind a rise, only to reappear again minutes later. "Surely no one lives there?" I say.

"We may have to live there," mutters Finn. "I think the back axle just went."

Further down the slope, a glint of metal again. "There's the Range Rover," says Finn, voice grim. "At the side of the house."

"She's here," I say, redundantly.

It feels strangely redemptive, this sense of having found her. That at last I have solved a mystery rather than having it handed to me.

"There's someone else . . ." I lean forward, try to understand what I'm seeing. "There's another car. Just behind hers." I glance at Finn.

He steers the car to a stop, pulling it to the side of the cottage, easing the engine off. Checks the airwave for signal, shakes his head. "Nothing."

"Got your ASP?" I ask.

He nods, jaw set. "Let's go."

The rain hits us as we push open the doors, drowning all other sound. I duck pointlessly as it beats against my head, push back the urge to run to the half-open door of the cottage. Because I cannot fool myself that safety lies behind it. I am coming to realize that I have no idea what is waiting for me. I push my hair back from my eyes. Share a glance with Finn, rack my baton. Begin to walk quietly toward the open door, holding the metal baton to my thigh.

We step softly into the narrow hallway, where the

smell of damp is almost overwhelming. The rain is softer now, muffled by the aged roof, the thick stone. Now another sound creeps in, separating itself out from that of the rain. A woman crying.

I freeze. It is a sound of anguish, of someone being ripped apart. I feel Finn's hand on my arm, counseling caution. Breathe. Nod. Soft steps, steady, ASP ready.

The hallway gives onto a living room, small and dark. A sixties tiled fireplace, a bowed sofa. And Selena Cole slumped to the floor, weeping. A figure holds her, and in the dim light I cannot see if it is an embrace or an attack. But as my eyes adjust, I realize that she is weeping against him, her head resting on his chest, his hand stroking her hair. They have not heard us, are wrapped up in this moment of theirs.

Then I hear the scrape of metal against stone behind me: Finn brushing awkwardly against the cottage wall. I see the man jump up, shoving Selena behind him.

Then I know him.

I hold my hands up, school my face to neutral. "Beck. It's Leah Mackay. It's okay."

I want to look at Selena, but something about Beck holds my attention. His size maybe, but something else too, the excruciating awareness that he has sensed danger, and in turn has become dangerous. I watch him look from me to Finn, back. Then it is like he folds in on himself, growing smaller before us. He glances back at Selena, where she sits on the floor, her knees tucked up before her.

"It's okay, Beck," she says.

He nods briefly, then turns his back on us, hunkering down before her. "It's all going to be all right."

Selena shakes her head, burying it in her knees.

"No." Her voice bursts, a cloud that carries endless rain. "I was too late."

"No. We'll fix this. I promise you, Selena. We'll fix it."

I fold my ASP up, slip it into a pocket, and move past Beck, sinking to the floor in front of Selena. She stares at me, what was hidden clear now, waits for me to speak.

"Your husband, Ed. He's alive, isn't he?"

The Disappearance of Selena Cole

Dr. Selena Cole—Tuesday, 7:45 AM

I can't breathe. No, that can't be right. Because my chest is rising and sinking, rising and sinking, just like it always has. But still, it feels like there is no air left on the earth. I watch Tara, her baby face creased into laughter, the swing sailing up into the blackening sky. I reach out, but I cannot touch her, even when my fingers are right there on her pudgy thighs.

What have I done?

She is talking to me, garbled words that make sense to no one but her mother. And I stare at her, at a loss. She looks at me, expectant, waiting for a reply. But I have nothing. So I smile, a cheap facsimile of a smile, and although she is not utterly convinced, it seems that will be enough. She giggles. "Higher." I push the swing so that it sails backward, her stunted ponytail touching the sky.

I should have known. I should have seen this. How did I not?

The ground is unsafe beneath me, the quaking movement brought about by lack of sleep. Or maybe by the sudden awareness that the world I stand in is not the world I thought it was at all.

The phone rang at 6:02 PM. Who was I at 6:01? A mother, a grieving widow, with no space in my loss for me to be anything but these fundamentals. I was a woman placing one foot in front of the other, because life demanded it of me. Then came 6:02 PM.

I almost didn't answer.

I watch Tara flying backward in the swing, my hands outstretched to catch her, to fling her away again, and my heart stops beating at the thought of that. I almost didn't answer.

The children were winding down, exhausted after a day of school and playing and whatever else used to fill up our days before the phone rang at 6:02 PM. I was folding laundry, standing beneath the oversize clock that hangs in the utility room, marking the passage of my days from one useless moment to another. I could hear the girls, Heather shouting at her sister for yet another catastrophic misdemeanor, Tara beginning to cry. The blouse I was holding was once vibrant yellow, now dulled with age, a grease stain on its upper sleeve. I stared at the stain, listened to the tumult in the living room and felt the tears coming, darkness creeping in. Brushed them away. Because it was only 6:02 PM. In fifty-eight minutes, both girls would be in bed. In fifty-eight minutes, I could flip on the shower, let the water run over me, and my heart could break again, just like it did every night at 7:00 PM precisely. But not now. Not at 6:02.

Then the phone began to ring.

I stood in the laundry room, let the irreparably damaged blouse drop to the basket on the floor, raised my eyes to the ceiling. Who? What? Why?

I wouldn't answer.

I had the girls to get ready for bed, the laundry to finish, the darkness beckoning.

I wouldn't answer.

But my feet moved anyway. I don't know why. Maybe they knew what I did not.

I turn, a gust of chill wind hitting me full in the face, look for Heather. She is angry with me. Some little fury about shoes that I was too tired to fight. But it isn't about shoes, is it? It never is. She is angry with me that her father never came home. I get that. I'm angry with me too. She is trudging around the limits of the playground, kicking at the gravel with the shoes she shouldn't be wearing, every now and again glancing over to me, a test: what will I do? I turn away. I am too tired for this particular battle.

"Dr. Cole?" The voice on the phone was entirely unknown.

"Yes?"

"My name is Dominic Newell. I'm, ah, I'm Beck Chambers's solicitor."

I closed my eyes, suppressed a sigh. Why had I picked up the phone? Why hadn't I just let it ring out? This is how it is, the world carrying on as it always has, expecting me to carry on right along with it, as if anything matters anymore. I forced my face into a smile.

"Of course. What can I do for you, Mr. Newell?" It is this way. It is always this way. You force your heart to keep beating, your lungs to keep taking in air, even though all you want to do is die.

"Dr. Cole, Selena . . ." He was walking. I heard it in the unevenness of his breath, the sounds of the traffic that filled the spaces where the words should be. "There's something I need to tell you . . ."

I pull my wool coat tighter around myself, the creak of the swing breathtakingly loud, and watch Heather. She has turned her back on me now, resolute, unforgiving. Is clambering up the incline that leads to a bank, down to a stream. She is not allowed to go beyond the limits of my sight. She knows this. She stops halfway up the incline, stands up tall, and for a moment I think she will turn, concede defeat, that we will be able to settle once more into a tremulous detente. But then her hands fly to her hips and she carries on, a difficult walk in a defiant stance.

I watch her go.

I should call her back.

But there is something in those shoulders, those triangles of her hands on her hips, that makes me peculiarly proud. She is both of us. She is me. She is Ed. She is tough and defiant and often a giant pain in the arse. And yet she keeps moving onward. I let her go. Those traits may one day prove critical to her.

I don't know how I got the children into bed. It was done, though, because one moment they were there, the next they were tucked under their various duvets, doors closed with a quarter-inch gap as prescribed. But I have no recollection of doing it. Because of Dominic

Newell and that phone call. The person I was had vanished, who I was to become still struggling to be born.

It was horror and grief and elation and fear.

I spent the night in the office, pulling up files, opening e-mails that were not mine to open. It was right there, right under my nose. How had I not seen? What had I done?

At 1:53 AM, I sent an e-mail of my own.

Then I waited.

You would think that I would have dozed, at some point during that painfully long night, but no. I sat before the computer and I waited.

I look up to the sky. The rain is coming. I can feel it hanging in the air. I close my eyes briefly, feel myself sway. Wish that the storm would simply break. Better always to be in the storm than to be anticipating it.

There was no reply.

I finger the mobile phone in my pocket, imagining the ting of an incoming e-mail. But there is nothing, just the creak of the swing. I feel tears building again, and I pull in a breath. No. You will not cry. But the thoughts circle me, so that I am trapped by them: you were too late.

Then I hear something.

I open my eyes, turn so that my back is to the park, so I am looking down the shallow incline to the road below.

As soon as I see her, I know.

She stands beside a car, an unobtrusive silver Mondeo. Watching me.

I turn, look for Heather, but she has vanished over the bank, is likely sticking her new shoes in the narrow stream beyond, in overt defiance of my rules. I take a breath, pray, kiss Tara on the forehead. "You stay here, okay? Mummy will be right back."

I want to run. I want to grab hold of her, this woman who has stolen my life, and shake her and demand that she give it back, but I don't. I force myself to walk, calm. This is a negotiation. Appearances count. It is all about perception, what they think you are, rather than what you are.

She studies me as I cross the road toward her.

"Mrs. Cole."

"Yes."

"You want to do a deal?" She is my age, maybe a little younger, would be attractive in any circumstances but these. The accent is soft but there. I don't bother to ask how she found me. I don't bother to ask why she did. All that matters is that she is here and I am here and my future is in flux.

I force myself to breathe. It is a dance, this. Calm.

"I will need proof of life." I wonder how many times I have said those words before, how little they have meant until now.

"Get in."

I open my mouth, am momentarily off balance.

"There has been enough delay. Let's do this deal, yes? Get in."

I look up the bank to the park, to where my girls play, alone. "I . . ."

"Mrs. Cole, our patience has been sorely tested. What has come so far has been less than satisfactory, and frankly, we have other deals that need to be handled. If you are unable to work with us, then we must move on." She holds open the passenger door. "It is, of course, your choice."

I look up at the park. I cannot see them. I cannot make them safe.

Is this how it will be? How it will all end, after so much?

Then I hear a door, look down the road to where my neighbor, an elderly woman with whom I have barely exchanged more than a dozen words, is coming out of her house. She pulls the door tight shut behind her and then, head down, begins to trudge toward us. Toward the park. Toward my girls. I see her gaze meander across the mountains and then fall, down to the playground, to where my children are. I see her face crease into a smile, a hand raise as she waves to my girls.

I close my eyes. I pray.

"Let's go."

A Placing of Pieces

DC Leah Mackay—Saturday, 10:51 AM

Selena is staring at me, still unsure if she can trust me, whether the risk is too great. She glances at Beck, and I sense Finn stiffen behind me, as I wonder if here is where it will all go so very wrong.

"Ed," I say again. "He's alive, isn't he?"

Selena looks back at me. "Yes."

The pieces slowly begin to slide into place, Selena shifting from a grieving widow to a desperate wife in the blink of an eye.

"He's . . ." I glance about, at where we are, the loneliness, the isolation. "He's being held?" I hazard. "He's a hostage?"

I no longer know where I am, what my focus is. A murder? A disappearance? A kidnapping? But I watch Selena, am prepared to go with it for a little while. The floor is cold through the knees of my trousers, a rising damp that creeps into my bones.

I look at Finn, see him folding away his ASP, although his gaze never leaves Beck, whose hulking frame stuffs the tiny cottage.

"Can you tell me what happened?" I ask.

Selena laughs, although it seems just as likely that it will become a sob. "I wish I could. I was a widow until five days ago. Then Dominic Newell called. And everything changed."

"Dominic . . ." Finn is focused on Selena now, has stepped closer, his attention momentarily swayed from Beck.

"He called me on Monday evening. He had found an e-mail. He pieced it together."

6:02 PM

Dr. Selena Cole—Monday, 6:02 PM

"There's something I need to tell you . . ."

"Okay."

"Ed . . . he's alive."

There are no words for a moment like this. Nothing that comes, no obvious first response. Because my husband, my love, was dead. Had been dead for almost a year. I had lived almost 365 days without him. Or rather, I had not lived. I had existed. For 365 days.

What do you feel when someone tells you something like this?

What should you feel?

One imagines elation. Euphoria.

I felt anger.

"What the fuck are you talking about?" My words scalded, me as much as him. But you cannot do that: hang the promise of life over a home in which there is death. It is too much, too excruciatingly painful to even entertain the possibility of hope.

"I know this doesn't make much sense." Domini

sounded afraid, as if he had gone for a stroll on a wafer-thin ledge, was only now coming to appreciate the depth of the drop below. "Please, just let me explain. Seth . . . He didn't mean it to be like this, I know he didn't. But he's weak. And with his family background, where he came from, the Cole Group, its reputation, his reputation, it means everything to him."

"Mr. Newell," I said, straining to keep my voice even, "I'd appreciate it if you'd get to the point."

He sighed heavily. A car horn beeped in the background. "I found an e-mail, on his computer."

"What were you doing on Seth's computer?" I am fighting now, struggling to hold on to the tail of a bucking horse.

"We were . . . we are . . . Look, it doesn't matter. Please, I just need you to listen to me. I found this e-mail. And then, I mean, I had to know, so I confronted him . . . we argued. It was . . . it was pretty bad. Ed . . . he's being held. He's been taken hostage."

"I . . ." My brain froze in place. My husband, my dead husband, here in conversation, in the present tense. It made no sense to me, and yet the need I had for it to be true was breathtaking. I sank to the floor, sitting on the cold Victorian hallway tiles.

"Look, I don't know much else. All I know is that he's being held, that Seth . . . his negotiations, they haven't gone well. And the kidnappers, I don't know how much time you have left."

I gasped for air, trying to form words, or if not words, then thoughts.

"Look, there's someone here. I have to go. You . . . you'll take care of this, right? You'll deal with it? Quickly?"

I heard him, but from far away, a ghost whispering in a crowded room. “Yes,” I said. “I’ll take care of it.”

“Okay. Okay, good. Look.” He must have turned from the phone, his voice dropping, words I could not make out directed at someone that wasn’t me. “I have to go. But . . . good luck.”

I nodded, forgetting for a moment that he couldn’t see me. Then, “Dominic? Thank you.”

A click, and he was gone.

A Primer in K&R

DS Finn Hale—Saturday, 10:55 AM

"Do you know who?" asked Leah. "Who has your husband?"

I have my mouth open, an entirely different question ready and waiting. I close it again. I can wait a few more minutes.

"It's the group that orchestrated the hit in Brasilia." Selena still has her knees pulled up in front of her, her mouth buried in the denim of her jeans. Her voice is steady now, calmer. "Escorpion Rojo. Primarily they're into drug development, but they run a healthy sideline in kidnap for ransom. There were a couple of incidents before Brazil. Attacks on police stations, that kind of thing, but nothing like what we saw in Brasilia. That was just completely out of left field. And now . . . now I think that was what it was about all along. After it happened, everyone said that it was a hit against the K and R industry, that they were trying to destroy us. But it was more than that. They were trying to show us that despite what we thought, they were still the ones running the show."

Beck stands in the doorway, blocking out what little light there is—not to mention, I can't help but notice, the exit. I scan him, looking for signs of weapons, and he catches my gaze, returns it in kind. Honestly, the guy doesn't need weapons. He could kill me with his big toe.

He clears his throat, sounds like a landslide of rubble down a mountain. "Things had begun to shift in Latin America, Colombia especially. FARC's position was changing, they were scaling back their kidnap operations. And people were getting wise. Pretty much all of the foreign companies setting up there had insurance, which meant they had access to people like us, and lots of the K and R companies were providing value-added stuff—situational awareness training, security audits. The operations throughout Colombia were getting smarter, safer. Over the last couple of years we saw a whole bunch of failed kidnap attempts mainly due to what the K and R industry had put in place. And the drug groups, they were getting squeezed by Colombia's new anti-narcotics strategies. They were hurting."

"We think Brasilia was an attempt to strike back, to hit us where we least expected to be hit," says Selena. "And I don't think Ed is the only hostage. The woman, the one who collected me, who brought me here"—she looks about the run-down cottage, her face a battle—"she talked about other deals they needed to be working on. I think there were others taken that day."

"Of the ones supposedly killed in the attack," offer

Beck, "there were four whose remains were never found. We're guessing they have them."

I shift. My glance pulls back again and again to the doorway, the looming mass of Beck. "Why so long, though? Wouldn't they want to get the money as soon as possible?"

"You have to remember," says Beck, "it's a business to them. Lengthy kidnappings aren't uncommon, especially in Colombia. They weaken the hostage, the will of the family, their ability to deal with a drawn-out negotiation."

"Doesn't that only work if the family knows the hostage is alive?" asks Leah.

Beck turns, makes a noise deep in his throat, Adrenaline spurts through me, my hand drifting to my ASP.

"What?" says Leah.

"Seth knew. He hid it. If Dominic hadn't found out . . ."

I look to Leah. Dominic had found out, had uncovered something that Seth was working to keep secret. How angry must that have made Seth?

"You have to understand," says Selena. "I was struggling to cope with getting out of bed, let alone doing anything else, so Seth stepped up, took over everything. When the e-mail came in, he was the first one to see it."

"Bastard isolated it," growled Beck. "Made sure that he was the only one who knew, that they only contacted him."

Leah looks from Beck to Selena. "Was he trying to protect you?"

They exchange a look. Beck's shoulders stiffen,

anger radiating from him. "He was trying to protect himself. All he cares about is the company, his precious role in it. He wanted to make sure it remained nicely solvent."

"I went through all his e-mails," says Selena dully, "the night that Dominic called to warn me. They contacted Seth five months ago." Her voice breaks on this. "He ran it like a negotiation. Like any other negotiation. Right up until the end. He got the ransom down tc a level where we could have paid it. Where the company could have paid it."

"Fifty thousand?"

Selena nods. "Fifty thousand. We could have covered that. Our insurance could have covered that."

"So why . . ."

"He wanted to keep it a secret. He wanted to mak sure that Ed's kidnap didn't compromise the reputatio of the Cole Group, weaken our negotiating position i other cases, our ability to get new work. So he didn' disclose it to the insurers. He carried on a protracte negotiation without informing them, which instantl invalidates our policy. Then, when he got it down to level we as a company could have paid . . ."

"He put himself above Ed's survival. He was mor worried that the company survived than that Ed did."

Selena closes her eyes, covers her face with he hands. "We could have handled it. If he'd told me, w could have made it work. The company, we built from nothing, we could have done it again. But to d this . . ."

"Selena," says Leah, "the blood, on your sweate That blood was your husband's. His DNA, it's on file.

Selena looks up at her, and you can tell that she's trying to piece things together. Then her expression clears. Piecing done. "It was the arrest. Must have been . . . what, ten years ago? He got picked up for public brawling, Seth drinking too much, shooting his mouth off. They dropped the charges after letting them spend a night in the cells. His DNA . . . I didn't think."

Leah studies her. "You saw him, didn't you?"

The Value of Money

Dr. Selena Cole—Tuesday, 5:25 PM

"Fifty thousand?" The bank teller says it like she doesn't quite believe it, looks at me like I am some kind of lunatic. Or a multimillionaire. She cannot be sure, so her disdain walks a fine line.

"Yes," I say, quietly. "Fifty thousand. I'll take ten today. I'm going to need to order the remaining balance to collect as soon as possible."

There is a camera in my face, and I glance up at it, and then away. I am a bank robber, stealing from myself.

"This . . . Okay, sure." She is hovering, stands up, sits down, looks up at me, smiles. Multimillionaire, then. "It will just take a couple of minutes."

I nod, no longer trust my voice.

I see his face. In this bank, amongst these people, the few stragglers left at the end of a long day, his face is all I see. My Ed.

I paid attention when the woman drove me. I didn't

bother asking her name, because what would be the point? I simply sat quietly in the passenger seat of the car, wondering distantly if I had handed myself over, walked quietly into my own kidnapping. Wouldn't that be the ultimate irony?

I paid attention to the roads, trying to remember the maps I had seen, trying to imprint the turns, so that I could find my way back here. Or out of here. Whichever it would turn out to be.

As the trees whipped by, I sat, in neither one world nor another. I had abandoned my children, had left my babies to fend for themselves, while I ran off after the distant dream of finding their father alive. What kind of mother was I?

What kind of fool?

I looked at the woman, small, lithe, shaped muscles beneath her thin jacket, and knew that there would be no point in trying to run, that she had contained in her small frame far more power than I could muster. Could dimly make out the hard shape of my mobile phone pushing her pocket into a bulge. *Let's just turn this off, shall we?* She'd taken it from my unresisting fingers. Don't want any interruptions.

The neighbor would look after the girls. I clung to the thought as surely as I if I had seen it happen. They would be safe. They would tell her to call Auntie Orla. They would be safe.

And I?

It had begun to rise in me, unchecked by the presence of my children. The grief that had been circling me since that day in Brazil. I stared out of the window at the climbing mountains and allowed myself to sink.

I didn't care. A terrible thing for a mother to admit, isn't it? But I didn't. I wanted to plunge down into the gloom, to give up.

We took a turn, down a narrow path hanging precipitously from the mountainside.

It wasn't possible that Ed could be alive. Too much had happened since, too much of life had passed.

And yet I, who knew better, had simply allowed myself to be taken.

I wouldn't fight. I knew that. I was too damned tired to fight.

The girls would be safe. Orla loved them. She would care for them. And Seth . . . perhaps, with the girls to call her own, she would be able to cast him aside as she should have done so long ago.

The woman stopped the car before a tumbledown cottage, gestured for me to get out. I waited for a moment before obeying, my final act of rebellion.

The cottage was blackness, a cell in everything but name. The air was chilled, colder inside than out, and I dimly felt myself shiver, thinking that I should be noticing this more, that my own discomfort should register with me, at least a little.

Then my eyes adjusted.

He was sitting in an armchair, a king without a throne. Had lost weight, so much so that it seemed he had begun to disappear into himself, that one sudden movement and one of those sharp, angular bones would snap. But he was looking at me, smiling, tears rolling down his cheeks.

I could not breathe.

"Hey, Mogs."

"Would you like to follow me?"

I pull in a breath, realize that the bank teller is staring at me, that her internal barometer is shifting back toward crazy again. "Of course," I manage.

Can only see Ed's face.

"We have wasted enough time on this," the woman said shortly. "We need to be moving on. We will give you four days to get the payment in place. On the fourth day, we will contact you with a location and a time. I'd encourage you to be there, with the money ready."

"I'll go now," I said, not looking at her, only at him.

I wanted to run to him, to put my head in his lap, to have him stroke my hair, to prove to myself that it was real. But there was to be no touching. This was proof of life, after all. Only that.

"Four days. We will tell you when and where."

I looked past her, at Ed.

There should be something to say at a moment like this, something that made sense. But there was nothing, only disbelief, and a hope that I had forgotten, and so much fear that it seemed my entire body would be insufficient to contain it.

"He's bleeding."

It was a small wound, a thin laceration that wrapped its way around his knuckles.

She shrugged. "It's nothing."

"I need to check." Inspecting the product for damage, wanting to make sure that you get what you pay for. The absurdity of it clambered across my chest, choking me.

I wanted to touch him, to feel his skin against mine. Otherwise, how would I know that this was not all some unlikely dream?

The woman made a small noise, a *tcchh* in the back of her throat. Yet still gestured me forward.

Ed's eyes never left mine, his lips curled into the tiniest of smiles.

His hand slotted into mine. Felt like it had never left. Grazed the cashmere of my sweater.

My knees threatening to buckle beneath me.

"It's so good to see you, Mogs."

"You've seen. You've touched. That's enough. You have four days." She sounded bored. But then that was it, wasn't it? Just another day at the office for her.

I simply looked at my husband, and looked and looked. "Four days," I said. To her. To him. "It's time to come home."

The small room in the bank is closing in on me, the woman stacking notes like she is playing with Lego. She hands me the envelope, the notes forcing it to bulge at the joints. "Is there anything else I can help you with?"

I shake my head, attempt to muster a smile. "This is all I need."

I am afraid. I am so afraid. I thought there was nothing left to fear, but now that is no longer true. My heart thrums in my chest, a beat that it cannot possibly sustain, and I walk like I know where I'm going. Like the seemingly endless drive to an impossible destination, the limitless fear, like none of it has ever happened and this is all just one more day out of my life.

I will go home. Check on my girls.

Our girls.

But then I feel the thickness of the money in my

pocket and know that I cannot. Seth lied to me. Seth attempted to stop me from doing this. If he were to find out . . .

I walk confidently through the sliding glass door of the bank.

I cannot take this money home. I cannot tell anyone what I know.

It has begun to rain, a light splutter. The main street is a carousel of umbrellas. I walk through them, not caring that the dampness is beginning to leach through my coat, into my trousers. I head to the train station.

I need to hide the money, somewhere Seth will not know to look.

I walk steadily into the station, take a left at the main desk, spare a second to nod to a security guard and wonder if it is written across my face, the way in which my world has flipped inside out. A bank of lockers lines the far right wall. I put some coins in, slide the envelope inside, secure the door shut.

And pray.

I want to go home. I want to go home so badly it feels that my skin will slough right off if I do not.

And yet . . .

Where have I been? What have I done? What the hell am I going to say?

I begin walking, with no real destination in mind. I walk thinking of Ed, of his face, so thin, so unlike himself. His eyes, utterly unchanged.

I'm bringing him home. No matter what I have to do, I am bringing him home.

I think of kidnapping, of the taking of Aria Theaks,

of Venezuela and Alexa Elizondo. Of all the victims I have known.

I begin walking toward the river. Because sometimes you have to lie. No. Not lie. Simply be aware of how you present yourself, in order to serve a greater good.

The Only Way

DC Leah Mackay—Saturday, 11:13 AM

The rain has eased, its cascade softening to a thrum. The cold is biting at me, my legs cramping on the chill cottage floor. I study Selena, wonder if she has come to the same conclusion that I have.

She looks up at me, our gazes locking.

"They're not coming back, are they?"

I shake my head slowly. "I don't think so. It wouldn't make sense to return to a place that you have seen."

"But the money . . . the exchange. They texted me, like they said they would. Said I had to come here, now. That Ed . . ." She begins to cry again. "Ed."

"It's okay, Selena." Beck's voice rolls like thunder "These things happen. You know that. We make it work. We always make it work." He hunkers down next to her. "Come on. It's pointless you staying here. We'll get you home, to your girls. We'll make contact with the kidnappers, set up a new exchange." He smiles, something that until now I hadn't thought he could do. "We've got this. Ed'll be home before you know it."

I do not think she will move. I think she will sit there, waiting, until time rots away the little that remains of this once-was home. But she takes a breath, straightens her shoulders, nods briefly. I allow myself a moment to be impressed by her, now a widow, now not, taking hit after hit after hit, and each time pulling herself back to her feet.

"Let's do it then," she says quietly.

Finn and I separate at the door, an agreement reached without words. I climb into the car beside Selena. Is it that I do not trust her not to make a bolt for it again? I'm not sure.

She drives carefully, taking the mountain road with the care of a woman who has children to return to, a husband to bring home.

I sit in silence. So much I want to ask, and yet I say none of it. Could I have survived this? Could I have done what she has done?

The cloud is beginning to lift, the day dull still but the road now visible, the threat of a fiery vehicular death diminished with the increase in light.

I think of my children, waiting at home for me. I think of what I would do to keep my family intact, what I have done. Yes. Yes, I would do what she has done, and more.

"It's going to be okay," I say quietly.

Selena glances across at me, surprised seemingly by the words, or perhaps by the mere fact that I am there. She nods. "Yes. Yes, it will."

We speak little on the return journey, a silence that feels calming, soporific almost. Then, as Selena steers the car into her street, I see her expression change, a steel bar shooting through it.

"What?"

She nods at the roadway ahead.

I do not see it at first. Just a random sports car, its trunk open, driver hidden by the height of it. Then the driver moves, and I understand.

Seth.

Selena brakes hard, the door open almost before the car has come to a stop, is out, gone before I am able to react. But still, she is slower than Beck. He darts past her, his car left abandoned in the road behind us, is on Seth in an instant, large hands shoving him up against his expensive car, raising him so that his feet are barely touching the ground.

I sigh heavily. I really don't want to work another murder. I push open the car door, cover the intervening distance, feeling Finn's breath on my back.

"Beck," I say. "Put him down."

Seth is panicking, fighting against Beck's grip, his feet slip-sliding on the wet tarmac. "Get off. Get him off me. What the hell?"

"You sonofabitch," Beck growls. "You left Ed to die."

Finn stops beside me, is watching the scene with interest. I nod to him, a silent message—we should do something—and he shrugs expressively, giving me a quick grin.

Men.

"I didn't." Seth's voice is clambering up the octaves, panic in full flow now. "I swear to God, I didn't. I was trying to help him. The entire time, I was trying to get him out."

"How?" Selena steps forward, is looking up at Seth, radiating fury. "How the hell were you trying to help him?"

"I . . ." Seth's mouth flaps, and he glances at me, at Finn, anything to avoid Selena's fury.

"You went to Colombia?" I offer. "When you were supposed to be in New York? You went to Colombia instead."

"I thought . . . if I went there, a show of goodwill, that sort of thing . . . Can he put me down?" He is speaking to me, to Finn, but his eyes are locked on Beck, afraid that at any moment he will snap him in two.

"I'm not sure he can." Finn shrugs. "You were saying?"

"I went to Colombia. To try and make contact with them. But they weren't there, they'd left. I did everything I could, I'm telling you. All I've thought about for these last five months has been getting Ed home safe."

"You utter arsehole," Selena growls. "We had insurance. We had the money in our bank account. We could have handed it over, had my husband back, my children's father, and instead you chose to let me think he was dead. How could you do that? I—"

"I know, I know . . ." He looks at Beck, tries to shrink away from his hands. "I did it to protect you. I wasn't sure. I wanted to be sure first. And then . . . you were such a wreck, Selena. I thought you'd just compromise the negotiation. So I decided to keep it to myself. Handle it and then tell you when it was done. When I'd rescued him."

"So why the hell didn't you?" demands Beck. "Why didn't you do your job? Notify the insurance firm, pay the damn ransom."

"I . . . the company . . ."

"Fuck the company." Selena is shouting now, has stepped forward until her nose almost touches Seth's "This is my family. This is Ed's life. How dare you gamble with that?"

I think it is all about to erupt, that Selena is about to streak from suspect to victim to perpetrator, and that Finn and I will be standing here simply watching it unfold, too stunned to prevent it.

Then there is a sound. A door opening.

Selena's head snaps around.

A blond head is just visible above the line of the hedge. We all turn, watch it bobbing closer to the gate, and then it is through, and Heather stands on the pavement, watching.

Selena's face lightens, breaking into a smile, and she turns her back on Seth as if he no longer exists. Walks toward her daughter and scoops her up into her arms.

"Mummy," I hear Heather say. "Where were you? Auntie Orla said you'd gone shopping, but I was worried."

"I'm sorry, my love. I'm back now."

They vanish inside the house, leaving us, our little tableau, frozen in time.

"Beck," says Finn. "If you wouldn't mind putting Mr. Britten down now, I'd like to have a quick word with him. There's the small matter of lying to the police and a dead solicitor to wrap up."

Seth's mouth drops open.

Beck looks at us, seems to be pondering whether we can be trusted with the weight of this task, and then steps aside. "Keep him. I have a negotiation to conduct."

The Kidnapping of Ed Cole

Ed Cole

I had planned to sleep. Selena had laughed. Who comes to Brazil to sleep in? She said that I was getting old. Privately I agreed with her. I lay in bed, watching her get ready to go shopping.

Now, looking back on it, I wish that I could say I was thinking something profound—that I had looked at my wife and thought that she was the most beautiful woman on the planet (which she is), that I was the luckiest man alive (which I am). In all honesty, I watched Mogs getting ready and wished that she would hurry, spent those long minutes mentally calculating the time I had left to sleep, wishing her away.

You have no idea how much those wishes would come back to haunt me in the months that followed.

I waited, impatient for my wife, my love, my best friend to get the hell out of our hotel room and let me sleep. Then, once she had gone, finally, I lay there staring at the ceiling.

We were almost done in Brasilia. Our time was almost over. And there remained so much left to do. So many meetings, so much advertising. Because that's what it is at these things. A bunch of people who all do something that few other people do, moving around one another, being seen. Because if you're seen in amongst them, somehow you become one of them.

We were doing well, in all aspects. Selena and I. The company. The kids. It was all working as it should.

And the most profound thing I can find to say to you now is that all of that, you only see it once it is gone and you are locked in a dark, damp cell, wondering if you will ever see the sunlight again.

I gave up trying to sleep in the end. Got up, took a shower.

It's strange, the things that come to matter. In the months that followed, I was always grateful that I took that last hot shower in a surgically clean hotel room, with good soap, warm towels. I just wish I'd had breakfast.

The attack itself. That started before it started, if you know what I mean.

I had dressed, was just pulling on my shoes when there was a knock on the door. Afterward, there would be anger that I didn't react better, that my situational awareness didn't warn me that something was wrong, that life was about to go deeply wonky for a while. But I'm going to be honest with you here: it didn't.

I looked through the peephole, saw a woman in a maid's uniform with a cart of supplies alongside her.

And so I opened the door.

I don't remember being Tasered. In the

months that followed, myself, the three others who were taken, we would come to piece together what that day must have looked like to anyone who wasn't having fifty thousand volts shoved into them.

And the best we could come to was this—they came for us separately, a number of different teams hitting us, as best we could figure, simultaneously. Each of us was Tasered and, we think, loaded into the cleaning carts that weren't cleaning carts at all, taken down the service elevator, out to a waiting truck and away.

They took our belongings, our wallets, watches, the lanyards bearing our conference IDs. They distributed them throughout the ballroom.

Then the attack proper began.

The first few days were hazy, for all of us. My assumption is that I was drugged, that some kind of scopolamine-based substance was given to us to keep us quiet, compliant. I don't know how long it was before I came to and developed an understanding of my situation.

I know that I was alone, in what can best be described as someone's basement. A deep-set room subdivided into cells. I know that it was weeks and weeks before I again saw sunlight.

I'm going to be honest with you. My first reaction, when I realized where I was, what had happened, was to laugh.

I've always been a big fan of irony.

The laughter was pretty short-lived.

I don't know how long I was in that first cell,

alone with the darkness, my thoughts, three fairly insubstantial meals a day. I know that life becomes a whole lot more focused when you are alone in the dark, that everything that matters becomes sharper in your mind, that the rest of the stuff simply falls away.

I also knew that I wouldn't die there. That I was going home.

We talked about this, once we were moved from the dungeon to new, damper but slightly less oubliette-like surroundings. It's the way of things, with a protracted kidnapping, you get moved about; it's always harder for the authorities to hit a moving target. My leg caused some trouble. I'm pretty sure it was the first time these guys had ever lifted someone with a false leg. But we worked it out.

That's the thing with kidnappings. You get to understand the routine, how your abductors work. And if you're lucky, they get to understand you, begin to relax just a little. They let us out, first one at a time, then, once they'd realized we weren't going to run, two at a time, and finally all four of us together.

They let us have our conversations, play some cards, keep each other from going crazy.

They couldn't stop Mick from dying, though.

In their defense, it was the heart condition that did for him in the end. Well, that piled on top of the cold, the imprisonment, and the all but inedible food. One day he was there, quiet, troubled, but there. The next he was gone.

Everything got darker after that.

With Mick's death, it seemed that life was telling us not to be too cocky, that all our talk about going home, it could all just be empty wishes. We took it hard.

Then one day they came for me, sat me on a chair, handed me a copy of that day's newspaper, told me to smile for the camera, and I knew that I was going home.

It took a damn sight longer than I thought it would.

They separated the three of us after that, placing us with our own individual teams. And day after day after day, I waited.

I never tried to escape.

When I talk to people now, they look at me like I'm crazy. Say things like, with your background, why didn't you just make a run for it?

Well, couple of reasons. First, I had no idea what country I was in, what landscape I was in, if I could speak the language, where the nearest city was. Second, false leg, so, you know, terrain-dependent in terms of mobility. Third and most importantly, I had a wife and two little girls to go home to. I was getting out of there alive. And my best chance of doing that was with a negotiation, a settlement.

I say that, and then it occurs to me that all those reasons amounted to nothing in my head.

I didn't attempt to run because of Selena. Because I knew she would get me out.

Hurrying to Wait

DC Leah Mackay—Saturday, 12:47 PM

"What now?" I ask.

Beck pushes the chair back from the computer, glances up at me. "Now, we wait."

I can hear Selena, her voice lighter than you would think it could be, the girls' voices chiming in with hers. She is putting on a show for the children, a pretense that their future does not hang in the balance. Such is parenting. One soothing lie following another in the service of a greater truth.

I nod, a knot of anxiety wrapping my stomach. "They'll get back in touch?"

I can see the battle in Beck's face, the shot of fear, quickly hidden. "Yes. They want their money. This is a business to them, don't forget."

Finn has taken Seth back to the station, buoyed up like a small child on Christmas Day. While I am here, in the Cole house, where it seems I have been since the investigation first began. Even now, here at the end, I cannot keep my focus, cannot give Dominic's death the attention it deserves. I feel a spurt of guilt, tempered by resignation. I will see this through here. That, it seems, has been inevitable from the start.

Beck is leaning back in the chair, threatening to snap it before too much longer. He stares at the computer screen, waiting. For a reply, for relief. There is nothing we can do now but wait. I study him while he is distracted. I cannot see what I have seen before in him, the junkie, the alcoholic. He is calm, clean-shaven, and neat. He still looks like he could take down a wall by walking through it, and yet it seems that things have shifted for him.

"Can I ask you something?" I say.

Beck looks at me from under lowered lids. "Sure."

"Are you in love with Selena?"

I am expecting anger. I am expecting an explosion and to find myself shoved up against a wall as Seth was. Instead, he laughs.

"Believe me," he says, "I've got enough trouble without going looking for more. The thing you've got to understand is, where I come from, in the military, we're family. We take care of one another. Ed saved my life. Twice, actually. He got me out when I was kidnapped; he got me clean when I was spiraling. I owe that man everything I have."

"Is that why you've been watching his wife?" I ask.

Beck shrugs. "Yes," he says simply. "I . . . I've not been in a good place, the last year, losing Ed, then my job. I've been . . . it's been rough. I couldn't do anything to help Selena and the girls. I was a train wreck. So I did that. I sat outside. I watched."

"And you saw her being taken?"

He nods. "I was a mess. Shouldn't have been driving." He looks at me shrewdly. "If you're going to arrest me for drunk driving, do me a favor and let me sort out this negotiation first."

I nod, suppress a smile. "We'll see."

"I was kind of dozing. I'd been having issues with the drink, had a run-in with Dom . . ." His voice wavers on the name, and he coughs, an attempt to pretend that the shake isn't there. "He was mad at me. The drinking . . . It was rough. I came up here because, well, it was just kind of what I did. A habit, you know? And then I see Selena coming down the bank, talking to a woman."

"She didn't see you?"

He gave me a long look. "This is not my first time doing surveillance. Believe me when I say I know what I'm doing. Anyway, when Selena got in the car, leaving her kids in the park alone, I knew we had a problem."

"You followed?"

He laughs. "Well, yeah, but it was a pretty shit follow, and I lost them twice. Picked them up coming out of the Brecon Beacons and then lost them in traffic. I had no idea that it was, well, what it was. But I was . . . concerned. Stepped up my game a bit. Stopped drinking and . . . everything else. Decided to sit it out, see if it happened again."

"What did you think was going on?"

Beck shrugs. "I don't know. But I'll tell you this much. I thought Seth was a little weasel. Under his influence, anything could happen."

"And today?"

"Today I was clean. I can pull off a much better tail when I'm clean."

I nod, look around the office.

"You might as well pull up a chair," says Beck. "If you're planning on waiting this one out, you're going to be here for a while."

I should go back.

Instead I sink into a chair, lean back on it, stare at the ceiling. "You think Orla knew?"

She was waiting for us when we returned, her expression fear tumbled with confusion.

Selena had touched her arm. "It's going to be okay." Had forestalled the question that parted her lips with a nod toward the children. "I will explain. Once they're in bed."

"What? That her brother was alive?" Beck snorts. "Orla adores her brother. When she finds out what Seth has done, there isn't an ocean wide enough that she won't cross to kill him."

"Maybe," I say. But I don't believe it. I'm thinking of their marriage, of all that she has allowed to slip by her, unremarked on, unnoticed seemingly.

"Don't be fooled," Beck says. "You're thinking that since Seth is a cheating, lying scumbag and Orla lets that slide, then maybe she'll let this slide too." He grins when he sees my expression. "I'm not just a pretty face. I'm telling you, Orla had no clue." He shakes his head, seems to deflate before me. "I should have known. I should have seen what was happening earlier. If I'd been sober . . ."

"How could you have known?" I ask. "How could anyone?"

Beck stares off into the middle distance, forehead creased. "The drugs. I should have known because of the drugs."

"The drugs . . ."

He sighs, looks back at me. "They say confession is good for the soul, right? I . . . sometimes the drink, it's not always enough, you know, to get my head to quiet down. Sometimes I dabble . . . pills, that kind of thing."

I think of the surveillance team who identified him as being in Hereford on the night of Dom's murder. Purse my lips. "Okay."

"Lately, I don't know, I've been doing more than I should. Anyway, it was one day last week. Friday, I think. I go to my guy to get some stuff, and he says he's got something new. Just arrived in the UK, but that it's setting Colombia on fire."

I think of what drug-squad Steve told me. "El Diablo."

"El Diablo," he agrees. "I knew as soon as I saw it what it was going to be about. Colombia, Panama, Ecuador, they're all being hit pretty hard by it. It's a nasty little pill, and its creators, Escorpion Rojo, they've been making some big waves in the K and R world."

"Bombing Brazilian hotels?"

"The very same. They even offered me a job once, operating as a mule for them. I don't know, I must have the look of the junkie about me." He gives a wry grin. "So, my dealer tells me that they're here. That they're trying to break into the UK market with El Diablo. He even gave me a pill to take away. A freebie."

"Did you take it?" I ask, curious.

Beck shakes his head. "Nah. Been there before. I made the mistake of popping El Diablo one time out in Medellín. Not long after we lost Ed. Had wrapped my case, got my hostage safely home, so decided to reward myself with a little treat. I woke up three days later. I'd ripped my hotel room apart, busted my hand, missed my flight. It left me with nightmares for months after." He shakes his head. "I'm not doing that again. But, see, if I hadn't been so out of it on the booze when Selena was taken, maybe I'd have pieced it together. The thing is, El Diablo. Once I saw it, I knew there was something wrong. I just didn't know what." He leans his head back against his chair, looks older now, sadder.

"If it helps, I don't think you could have known. I don't think anyone could have known," I offer.

He isn't who I thought he was.

"I'm sorry that things have been so rough for you."

Beck nods, turns in his chair so that he is facing the computer again. "Well, it is what it is. Lots of people have done a lot of things to help me. I couldn't help Dom in return. Maybe I can help Ed."

"It seems to me that Dom really cared about you."

He isn't looking at me. A set, rigid not-looking that from another man I would assume meant emotion swelling. "He really cared about lots of us. Never stopped trying to get us better, get the drink, the drugs to release their hold. I guess you could say it was his calling in life."

I nod, think back to something Finn told me, what seemed like a lifetime ago. "That's what Fae said too."

"Well, she would know," agreed Beck. He shakes his head. "It's . . . it's such a tough thing. And she's so young. But these drugs, once they have you, they don't let go. I wish . . . I wish I could have been a better man. More like Dom. Protected her from herself."

I frown. "What do you mean?"

He turns, his gaze dropping. "The El Diablo. I . . . I gave it to Fae."

None So Blind

DS Finn Hale—Saturday, 6:00 PM

She is at home. A tiny box of a home, one among thousands in a modern development. I knock on the door, my heart thundering, and wait.

Footsteps, one, two, three.

She has been crying. Is wearing leggings, an oversized T-shirt. Looks smaller still in the fading light.

"Fae," I say.

She stares at me, and it seems that her mind is spinning, trying to place me, here where I don't belong. I feel a grim kind of satisfaction at that.

I look at her. Really look at her. She is elfin thin, gaunt, really. Her hair looks . . . not styled as I first thought, rather greasy, roughened from sleep. There are bags under her eyes. Her hands are shaking.

"A word, if you don't mind?"

I gesture for her to step back, follow her inside, Leah quiet behind me. Fae can feel it, the balled-up rage that is rolling from me. I can tell by the lock of her shoulders, the way she is holding her lips.

"Is there a . . . ," Fae attempts, then, seeing my face, drops into silence. It is over and she knows it.

"I'd like to talk to you about the night Dominic Newell was killed."

"Okay."

She is shaking now, her T-shirt balled up uselessly in her hands. And I wonder how I missed it, what made me so blind that I did not see.

"You were in his car?" I say.

"No."

I don't respond. Just study her. "You were in his car," I repeat.

Fae looks from me to Leah and begins to cry.

A Good Man

Fae Lewis—Monday, 5:50 PM

Fae stared at the tablet. Small. Red. It would look so innocent if not for the grinning face of the devil embossed upon it. She shouldn't. She had come so far. And yet . . .

They tell you that you never stop. Once an addict, always an addict; that the curse you bear will live on inside you for always and that every day will be a battle to keep it from taking control.

She had lost so many battles lately.

It had been three years. A sobriety that had stretched itself out for one thousand and ninety-five days. And to celebrate, she had worked until a little after nine, acquiescing to every single damned whim that happened to cross Bronwyn's mind. Had smiled a bright and happy smile, even though rolling through her thoughts was the fact that it had been three years. And that at the end of the three years and one remarkably long day, she would go home to an empty house and eat a celebratory dinner that would consist of a Pot Noodle and maybe a Mars bar.

She had done her job, the way she had always done her job. Impeccably, exactingly. And then she had gone home, stretched thin with exhaustion, stopping in the supermarket on her way. Telling herself that she was out of bread, out of milk, pretending the whole way that she wasn't going to pick up a bottle of vodka.

It had been just the one drink.

A single shot as an attagirl.

But there is no such thing as a single shot. Not really.

There had been no doubting the trajectory, not once the seal was cracked, the clear liquid poured into the perfectly molded glass.

But she still had her job. She still remained the model employee. Timely, efficient, collected. And as long as she had that, Fae knew that she could survive. That this was just one more slip in a lifetime of trips and falls. That she could pick herself up, dust herself off, and move on.

It could still be okay.

A sound broke in through her contemplations, and it seemed to her that it had been there forever. What was that? The phone. It was the phone. Her hand shot out for it, grasping and awkward, but she was too late. The caller had hung up.

Fae stared at it. Things were beginning to unravel. She could pretend as much as she wanted, but she was starting to fall apart.

And then what? Back to where she began? In some filthy studio with a skinny, drug-addicted boyfriend with loose fists?

She slipped the single red pill into her pocket.

Beck hadn't wanted to give it to her. You don't want this, Fae, he had said. It's nasty stuff. The things you see . . . you won't know yourself when you're on it. She had laughed and said that not knowing herself seemed like a remarkably good idea indeed. No, said Beck. I'm serious, I'm not . . . But the door had opened, Bronwyn coming in, shaking her umbrella free of the remnants of yet another autumn storm. And Fae, quick as a snake, had reached out, tugging the solitary pill from Beck's unwitting hand, hiding it away. Had refused to look at him, even though he stared at her open-mouthed; had instead formed her face into a Bronwyn-worthy smile. *Wet out there?*

Maybe Beck had been right. Maybe she didn't want this. She stared at the lines of text on her computer screen, the letters shimmying, dancing before her eyes. It was getting away from her. That much was clear.

She looked up, at Dom's door.

Maybe . . .

But if she asked him for help, then he would know. And he would be so disappointed in her. And he had done so much already.

But if she didn't . . .

Every day will be a battle. And sometimes you have to call in reinforcements.

She pushed herself up, legs unsteady, and walked softly to Dom's office door. He would understand. It was Dom. He always understood.

"Come in." His voice didn't sound right, had an edge to it, one Fae was not used to hearing.

"Dom, I . . ." I've fallen. I can't get myself back up. Help me.

"Fae, where the hell is the paperwork on the Wright case?" Dom was leafing through a folder, his back stiff, face a storm. "I asked you to have it all together. Why isn't it here?"

"I . . ."

"This isn't the first time this has happened. If you can't handle this job, just say so, and we'll find someone who can."

Fae stood in the open doorway, her mouth flapping uselessly. A strange stray thought that maybe she had taken the pill, that she had done it without meaning to, that this was why nothing was as it should be, why Dom, so kind, so considerate, was barking at her with barely contained fury. Then a distant recollection, of him coming back from the police station, slamming the front door. Hearing him rage to Bronwyn in tones she'd never heard before that he was sick of Beck Chambers, that the man needed to take control of his own life, that he'd had enough of having to save everyone from themselves.

She closed her mouth, dipped her head. "I'm sorry. I must have forgotten. I'll get on it right away."

She turned, crept out of the room, her heart thrumming. He was right. It wasn't up to him to save her, to save Beck. They were worthless, the pair of them. A burden on humanity. She had no right to expect anything from anyone, not when she had fallen again.

Her hand went to her pocket, closed around the tablet. There seemed little reason to abstain.

She swallowed it quickly, without water, feeling the sides of it catch on her throat. It hurt. That was good.

In two minutes, she could leave. In two minutes, she

could walk out of the door and let El Diablo sweep away all that lay so heavy on her.

"For God's sake, I've told them they need to get everything to me by this afternoon at the latest, and now look, nearly six o'clock and I'm still chasing." Bronwyn swept in the way Bronwyn always did, so certain that the world would rearrange itself around her. "I'm going to be here for hours now. Fae, I need you to dig out the Collins file. It should be in the back office. You don't mind staying on a bit, do you? No? Great. It really irritates me when they do this. And . . . oh, are you going?"

Was she talking to Fae? Fae opened her mouth, even though her tongue had already become thick and unwieldy, to offer up some lie, to say she wasn't feeling well, anything so that she could escape.

Bronwyn wasn't looking at her, though, but at Dom. He was standing in his office doorway, eyes flitting from Bronwyn to Fae. Resting there.

Did he know? The way he was looking at her, searching. He knew, didn't he?

He moved past Fae, said something to Bronwyn in low tones that she couldn't catch. But she heard the words Beck Chambers.

He knew. He knew about the pill that she had taken from Beck. He knew and she would be fired and then there would be nothing to stop the slide.

Fae opened her mouth. But she couldn't think. Couldn't get the words to line up so that they would emerge.

"I'll see you in the morning." Then Dom was gone, with just the briefest of backward glances at her.

Was it a warning? Was that what it was?

The room had begun to shimmy and shift, the walls disintegrating, re-forming, disintegrating again.

"Fae, I need you to sort those papers out for me." Bronwyn threw the words over her shoulder as she headed back to her office. "Quick as you can."

Fae nodded, turned toward the back office, her body moving, her brain left behind. Then she heard Bronwyn's door shut, and just like that, her body reversed itself. What are you doing? Don't worry, I've got it handled.

She hurried down the front steps, easing the door back on the catch so that Bronwyn wouldn't hear, out into the cool Cardiff evening air. The cars danced unevenly. Where was she going? She wasn't sure. But another voice, one that didn't feel like hers, said, it's fine. We'll go talk to Dom. Make him understand.

She didn't know how long she wandered, up side street, down side street. She just knew that she had to find him. Because he knew. And if she talked to him, it would all be okay.

Then, in one of a thousand identical streets, she stopped. Someone was standing there. The devil? No.

Someone else . . . Dominic.

"Dom . . ."

He was holding his phone, had turned, was looking at her with an expression of weary disappointment. "Look, there's someone here. I have to go . . ."

Fae felt the pavement move beneath her, a roaring, clambering wave that bucked and threatened to throw her to the ground. She reached out, grabbed for a railing.

When she looked back, he was watching her.

"You're using again, aren't you?" He looked so sad. Why was he so sad when it was her life that was the tragedy?

She didn't answer. But that was mainly because the air had turned to lava, was rushing into her mouth, filling up her throat, drowning her.

"Get in." Dom held open the car door for her, gripping her arm, too tight, too tight, helping her, no, pushing her inside.

"No, I . . ."

He slammed the door, locking her in a tomb. She would suffocate. There was no air. She scrabbled, pulling at her clothes, loosening them so that her skin could breathe, her hand brushing against her pocket, something hard. What was that?

But whatever it was, it was too late. Dom was in now, driving. Taking her away. Where was he taking her?

"Why, Fae?"

She started to laugh. "Because I celebrated my anniversary with a Pot Noodle, that's why."

He didn't laugh. Just kept driving. Faster. Faster.

"I need . . ." A dim recollection of something she was supposed to be doing. "Work. I have to . . . the Collins file."

"There's no more work, Fae. Not for a while."

"You . . ." They were moving so fast. They were about to crash, surely. "You're firing me?"

A long, heavy silence, a weighty sigh. "I'm telling you to go and get help. When you're clean, we'll discuss your options."

So that was it then; it was over.

Fae peered out into the plunging darkness. They were at the bottom of the sea, sinking deeper and deeper. Had been driving for so long, forever, it seemed.

Where was he taking her? Where were they? Where were all the lights? The people?

She could feel the panic rising in her throat. "Need to get out."

"Fae, we're in the middle of nowhere. Just wait. I'm taking you home."

She would die here. He would kill her.

She watched him. Only it wasn't him. His face shimmied. Now Dom. Now the devil.

She felt the sharpness digging into her side and remembered what it was. A pocket knife. Because you just never knew. And it was better to be safe than sorry.

"Stop!" she roared, a sound like she had never made before. Felt the car swerve, brakes squeal.

"Jesus, Fae!" Dom reached out, hand on her shoulder, gripping tight, so tight, moving toward her neck.

The devil. He was going to kill her.

She pulled out the knife.

The Arrest

DS Finn Hale—Saturday, 6:10 PM

Fae sits crying. Her head is in her hands.

How did I not see this? How did I miss it?

I look at Leah, helpless. She looks at me, shakes her head.

You couldn't have known.

Could I?

"It was just . . . it was that pill. It just twisted everything until I didn't know who I was or where I was. And I was so scared. I thought . . . I know you won't believe me, but I thought he was going to kill me." She looks up at us, tears spilling again. "I didn't mean to kill him. You have to believe me, I never, ever meant to hurt him. And afterward, I just couldn't believe I'd done it. I thought it must have been a dream or a hallucination." She reaches out toward us, fingers steepled as if in prayer. "I can't have done it. Please tell me it isn't really true." She dissolves, weeping as though her heart will break. "I didn't mean to hurt him. He was such a good man."

To her. He was such a good man to her. To his partner, he was a cheat. To his lover . . . what? A betrayer? To Orla, a threat. And yet, in the end, the person who brought his life to a close was the one he was trying to help. And why? Because of a drug. A drug funded by the ransoms that ensured the release of other good men.

It was a never-ending circle. A snake chewing on its own tail.

"Fae Lewis," I say, quietly, "I'm arresting you for the murder of Dominic Newell."

Homecoming

Dr. Selena Cole—Tuesday, 4:00 PM

It has been three days. Three days that have stretched themselves out so that they form an eternity in my mind. I have not eaten. I have slept in the barest of fits and starts. And yet still those three days have inched their way by, and we are here.

The mountains leer over me. The forecasters are talking about an early snow, and you can feel it, the threat of it that hangs in the air.

I shiver.

And I wait.

Beck wanted to come with me. It was too dangerous, he said, for me to come alone. Leah begged, pleaded that I allow her to come. That I allow someone to come. After all, she said, your girls need you alive.

They do, I agreed.

And they need their father too.

I stand beneath the mountains, and I wait alone.

This time I will take no chances. This time there

will be no deviations from the plan. This time I am bringing my husband home.

I stand on the single-track road, and at first I think that I have begun to hallucinate, that the mountain air is creating a vision, a movement of light. But then I look closer, and no, it is real. It is a car, winding its way beneath the steep overhangs to where I stand.

They are coming.

I am bringing Ed home.

Acknowledgments

This book has been a work of many contrasts for me. There have been times at which the complexities and demands of it have driven me to utter distraction. At others, it has been a complete joy. Yet as with any book, this is not a journey I have undertaken alone. *The Missing Hours* has become what it is thanks to the assistance of many wonderful people.

Firstly, inevitably, the ever-supportive Camilla Wray, agent extraordinaire. She has cheered with me, comforted me, and, on more than one occasion, told me to step away from the computer and eat some cake. I could not do what I do without her as my trusty sidekick. To the rest of the wonderful Darley Anderson Agency, thank you for all that you do. I'm so proud to be able to call myself one of your authors.

Jenny Geras, publishing director of Arrow, your incisive editorial mind and your passionate support for my work have truly made this the career of my dreams. Francesca Pathak, thank you for your insightful editorial work and for just generally being an utterly lovely person. Philippa Cotton, wonderful publicist and friend—I still think fondly of our extensive tromp around London bookstores. Millie Seaward, thank you for taking over where Philly left off, attacking the role of publicist with zeal. Matthew Ruddle, for all your marketing brilliance and for rescuing me from the horror of building a Facebook page.

To my many, many crime-writer friends—you know who you are. You keep me sane when I'm beginning to unravel (ha ha, just kidding!) and support me in tough times. Thank you. And to the many bloggers and reviewers who have supported me unfailingly throughout my career. You guys rock!

Kidnap and ransom is a murky world. It keeps many secrets, and so attempting to research this book was challenging, to say the least. I am incredibly lucky that I have had so many wonderful people willing to help me. Martin Medcalf, after years treading the NATO boards together, it is an utter delight to be back arguing rugby scores with you. As always, thank you. (PS: Wales won, which means lunch is on you.) Chris Williams, who went far above and beyond the call of duty in finding me the information I needed. You are a star. And to my friend in Hereford—thank you for introducing me to the sometimes dark, always fascinating world of K&R, and for answering my many, many questions whenever they should happen to occur to me. It has been an absolute honor and a privilege to talk with you.

To Zoe Cadwell, my old friend and constant source of forensic information. You are brilliant, and I am very sorry that I made you miss your train stop!

Finally, and most importantly, to my nearest and dearest.

Matthew, my greatest and most unswerving supporter. Thank you. To my boys, Daniel and Joseph, for just being your wonderful, brilliant selves. To Mum and Dad, you always have been a fantastic cheerleading team. To Ma and Pops—life has thrown much at you this year, and yet you have come through it all with humor and a positive spirit. You are incredible! Deb, Dai, Ffi and Beth—mwah!!! Donna and Sarah, my sisters in arms, thank you for all the tea.

Author's Note

I am a passionate advocate of research and accuracy in writing. And yet the world of kidnap and ransom is one that is awash with secrets. And for good reason. If the level of ransoms paid becomes common knowledge, then the next kidnapper will ask for more, and so on and so on. The terms of insurance policies are closely guarded secrets, and consultants within this field operate under a cloak of secrecy. And so the problem—how do I tell a story set in the K&R industry without giving away more than I should? The events contained within *The Missing Hours*, including the case studies, are all fictional and are entirely unrelated to real-world cases. All of the workings of the K&R industry reflected here are from open source material. There are people who do what Ed and Selena do. They operate in an incredibly dangerous world, putting their own lives on the line in order to ensure the safety of their clients. In the interests of protecting these individuals, I have occasionally fictionalized certain procedural elements within *The Missing Hours*.

The book also contains references to a number of military operations—most notably the events at Musa Qala in Afghanistan and the road to the presidential palace in Basra. Again, although these events did take place within the real world, what is included here are the accounts of fictionalized characters. Many service-men and women carry the wounds, both physical and psychological, from battles such as those depicted in this book. If you would like to help support them as they continue the fight on their road to recovery, please consider donating to Help for Heroes at helpfor heroes.org.uk.

One final point—although I have done my utmost to ensure accuracy in police procedure, there is one area in which I have strayed from reality. The police force depicted here is entirely fictional and has responsibility for an area that would in reality be covered by a number of different forces.

Thank you for reading.

Please read on for an excerpt from Emma Kavanagh's next thriller, *I Am Watching.*

From a distance, they seem to be sleeping. Three bodies, sitting propped up against the ancient stones of Hadrian's Wall. A closer look reveals the horror of their too-white faces, and the ring of vivid red bruises around each neck.

The victims were found by schoolgirl Isla Bell, out on an early morning run along the historic site. That day changed the small, close-knit community of Briganton forever, and it also shaped the course of Isla's life. Twenty years later, she's a professor of criminal psychology at the University of Northumberland. She specializes in studying the brain function of psycopaths and serial killers, wrestling with the question that still haunts her: *why?* Why did Heath McGowan kill these people—and two more besides—before he was finally caught by Isla's police detective father?

At last, Isla has a chance to get answers. Heath, previously unforthcoming about the murders, agrees to take part in her research. Isla's husband, Ramsay—the only one of Heath's victims to survive—cautions her against the meeting. But no matter how ready Isla feels to peer within a killer's mind, there is no way to prepare for the fresh horror about to engulf Briganton. Another body is found, displayed just as before . . . and then another. Is this a copycat, someone inspired by or receiving help from the serial killer behind bars? Or could the truth be darker still?

A brilliantly twisted thriller—gripping, atmospheric, and skillfully layered. *I Am Watching* will keep readers guessing until the very end.

July 22, 1996

It began with the bodies.

They had been seated, backs propped against the tumbledown stones of Hadrian's Wall, faces a bitter white. Their heads were tilted forward, their jaws grazing their sternums. You might have thought that they were sleeping. But there was the color of them, the rigid emptiness of them, the first shadowy scent of decomposition riding on the promising heat of the day to come.

Fifteen-year-old Isla Bell felt the ground sway beneath her, the village and the moors retreating far, far away, so that it was just her and the dead. Her knees gave way. She sank down, her bare legs swallowed by wet grass. Her palms landed on an outcrop of rock, spikes of pain zinged through her hands, her stomach contracting, and she folded over, a dry heave, a merciless heat running through her.

They had been murdered. Isla was only fifteen, knew little of death, and yet even she had no doubt. Three people did not wander from their homes in the early morning and line up alongside one another in order to die. Not unless they had no choice.

A necklace of bruises ringed Kitty Lane's neck. Her hands had been folded into her lap, a knotted network of veins stark against the gray of them. She wore a fuchsia housecoat, bootie slippers lined with fur, her legs bare against the damp grass. Her head had begun to slip sideways, had drifted downward so that her tightly permed curls rested gently against the cheek of the corpse beside her.

Ben Flowers. Hadn't he got married recently? Rhian, Rachel, something like that? There was a line of blood, dried, along the side of his forehead. His arms, too, had been folded into his lap, but the left hung at an odd angle, as if he had been given an additional elbow midway along the radius. His jaw, that looked wrong, too, out of position somehow. And if you looked very closely, you could see the dark red bruise of finger marks on his neck.

And then there was Zach. Zach sat three seats across from her in English. Zach ate tuna sandwiches for lunch and hated spiders. Zach once broke his leg, trying to prove to his brothers that he was big enough to jump from a second-story window. Zach was quiet and kind and funny and, undeniably, dead.

She allowed her head to sink downward, looking at the blades of grass, the ant that hurried up her bare knee, and told herself to breathe. It had been a run. That was all. A day like any other, in which her eyes flickered open as the clocks rolled on to 6:00 a.m., the sunlight breaking through the chink in the curtains and her body thrilling with the fizz of contained energy. Her mother said that she was like a springer spaniel, needed a couple of good runs a day to be bearable. She had let herself out of the house, the clock reading 6:09. Through the garden and out onto the moor, vast in its rolling bleakness. Had paused for a moment, the cool air lapping at her skin. A kestrel had cruised above the scrubby moorland, dipped low over the curve of the Whin Sill, followed the arch of it as it clambered up into the amber dawn sky. Then she had pushed off, the sole of her foot shoving away the uneven ground below. She ran for the wall, the cold sharp in her chest, the barrenness pushing her to run faster, harder. A pull to the left, her running shoes followed the arc up the Whin Sill, her calves straining against the incline, breath coming hard and fast as she reached the height of it, balancing on the narrow ledge that abutted the stones of Hadrian's Wall. And then, after turning left, her feet worked to remain where they were on the slender pathway, running into the sunrise, so that its fingertips of red reached out to her, tugging her onward. The stones of the wall stretching out beside her like a column of marching ants.

She ran with a long, loping gait, fighting to keep her balance on the sloping land, which seemed determined to tip her over. Perhaps that was why she ran it. Perhaps it was the bloody-mindedness of being where the land itself did not seem to want you. Or perhaps it was the wall. Because Hadrian's Wall was home to her. When she was a child and was asked where she lived, she would simply reply, "I live on the wall." The wall was what protected her from the moor, from the wildness beyond. It was that line of organization that cut across the moorland, suggesting that even this could be tamed by some stones and an abundance of will.

Then, as her lungs were straining and her heart was hammering and the outskirts of the village came into sight, she descended from the peak, a headlong dash down a wild slope, turning away from the cresting sun and the early morning mist that sat low across the horizon. Into Briganton itself, an oasis of civilization in a desert of green. The stone-built houses huddled together, immensely proud of their age and their neatness, the gardens put together with an excess of care, flower beds lush and organized with a precision even the Romans would have been proud of. It was still as she ran through the empty streets, a town frozen as it waited for the day to begin. She ran through the village, along the narrow pavements that graced just as narrow roads. Up past the primary school, past the tree that she had once got stuck in, up to the church, its heavy wood doors shut tight. Then at Bowman's Hill, the farthest reach of the village, once she had the Cheviot Hills in sight, looping left, back down and around until she reached the wall again. Running, her footsteps loud in her head; thinking of little things, like exams and school and boys and the kind of things that you thought of when you were fifteen and alone; and then, as the landscape shifted and the moor flattened out beneath her, seeing something off in the distance that her mind simply could not explain.

Getting closer and closer and thinking that at any moment the scene would rearrange itself and then what was before her would make sense again. Because she was in Briganton, and in Briganton there were no dangers, and the world was small and orderly and safe. And so what she thought were dead bodies, well, that simply could not be.

Isla stared at the sharp-edged stone beneath her fingers. She didn't want to look anymore. She didn't want to see.

But then it was unlikely that Kitty or Ben or Zach wanted to be here either, so she forced her gaze upward, allowed it to rest on them. She needed to call for someone, needed to get help. Her father would be at home still, would not have left for his shift.

Isla pushed herself upright. Dad. He would know what to do, would be able to fix this, make it whole. But even as the thought formed, she could feel the lie of it. Nothing would make this whole. In an instant the world about her had changed. Nothing would ever turn it back to how it used to be.

That was when she heard the sound, a low moaning, like the wind that sometimes funneled its way down through the Cheviots, and a feeling of electrification raced across her skin, along with the knowledge that she was not alone.

Isla whipped around, expecting to see . . . what? A killer waiting behind her? But there was nothing, just the moor and the sleepy village. And then again that sound. She wanted to run, could feel her entire body sparking with it, the need to escape. But she stayed, turning around, her gaze running along the clambering, dipping Whin Sill, past the stones of the ancient wall, the bodies before it, tracking past them even as they tried to stay her attention.

Then a flash of something, an unexpected shadow falling in just the wrong place. The slightest suggestion of movement.

He lay perhaps a hundred meters away, facedown in the grass. It looked as if he, too, had been positioned but had slumped down, the weight of his body tugging him down to the welcoming earth. Isla's breath became short again, a new horror plucking her from what was already horrific enough. She moved slowly, cautiously, toward the fourth dead.

The sound came again, and with the sound, the slightest twitch of movement.

Isla ran then, threw herself carelessly down into the grass beside the fourth victim. His eyes were closed; the hair on the back of his head was densely matted with blood.

"Oh God," she said. "It's okay, Ramsey. It's going to be okay."